DEMOGRAFIA
A AMEAÇA INVISÍVEL

CÓPIA NÃO AUTORIZADA É CRIME
ABDR
ASSOCIAÇÃO BRASILEIRA DE DIREITOS REPROGRÁFICOS
RESPEITE O DIREITO AUTORAL

Fabio Giambiagi | Paulo Tafner

DEMOGRAFIA
A AMEAÇA INVISÍVEL

ELSEVIER

CAMPUS

Copidesque: Ivone Teixeira
Revisão: Clara Silva
Editoração Eletrônica: Estúdio Castellani

Elsevier Editora Ltda.
Conhecimento sem Fronteiras
Rua Sete de Setembro, 111 – 16º andar
20050-006 – Centro – Rio de Janeiro – RJ – Brasil

Rua Quintana, 753 – 8º andar
04569-011 – Brooklin – São Paulo – SP – Brasil

Serviço de Atendimento ao Cliente
0800-0265340
sac@elsevier.com.br

ISBN 978-85-352-3678-1

CIP-Brasil. Catalogação-na-fonte
Sindicato Nacional dos Editores de Livros, RJ

G362d Giambiagi, Fabio
Demografia : a ameaça invisível : o dilema previdenciário que o Brasil se recusa a encarar / Fabio Giambiagi e Paulo Tafner. – Rio de Janeiro : Elsevier, 2010.
il.

Inclui bibliografia
ISBN 978-85-352-3678-1

1. Previdências social – Brasil. 2. Demografia – Brasil. 3. Política pública. 4. Mercado de trabalho – Aspectos sociais – Brasil. 5. Finanças públicas - Brasil. I. Tafner, Paulo. II. Título.

10-1467. CDD: 368.400981
CDU: 36(81)

A nossos filhos Beatriz e José Pedro (de Claudia e Paulo) e Luciano (de Gladis e Fabio), com a esperança de que o país acorde a tempo de evitar que a geração deles tenha de pagar a conta da omissão da nossa.

"Qué extraño que aún existan personas con esa edad!"

JORGE LUIS BORGES, NO FINAL DA VIDA, OPINANDO SOBRE A IDADE DE SEU INTERLOCUTOR DE 40 ANOS.

"Não tenha medo de ser excêntrico em suas opiniões, pois todas as opiniões hoje aceitas foram excêntricas um dia."

BERTRAND RUSSEL

"Saiba como usar evasivas. É assim que as pessoas astutas se livram das dificuldades. Elas se desembaraçam do mais intrincado labirinto com o emprego espirituoso de uma observação inteligente. Elas se livram de uma séria controvérsia com um gracioso nada ou suscitando um sorriso. A maioria dos grandes líderes conhece a fundo essa arte."

BALTASAR GRACIÁN, PADRE JESUÍTA DO SÉCULO XVI, ACERCA DE COMO TER ÊXITO NA POLÍTICA.

Prefácio

Quem lê este livro vê como a segurança que a Previdência Social traz ao país pode se transformar em grilhões para o desenvolvimento, se esse seguro social não se beneficiar de alguns ajustes nos próximos anos.

Como sublinhado neste oportuno livro de Fabio Giambiagi e Paulo Tafner, ajustar a Previdência Social pode ser difícil porque exige esforço de um grande número de pessoas hoje, para resolver algo no futuro. E o esforço não é só dos aposentados e pensionistas, mas também dos mais jovens. Não só porque estes gostariam que as aposentadorias se tornassem mais, e não menos, generosas nos anos à frente, mas porque em muitos casos os benefícios da Previdência aliviam também os filhos e netos dos beneficiários de hoje. Os trabalhadores atuais passam a ter menos preocupações quando seus pais têm renda própria e, às vezes, até são beneficiários derivados, quando a generosidade dos mais velhos serve como seguro para o desemprego ou outras ocorrências na vida dos seus descendentes.

Entretanto, o espectro de um ajuste doloroso e a complexidade das relações interfamiliares não podem simplesmente afastar a discussão da Previdência Social para outra época mais distante. Os recentes episódios na Grécia são um alerta do que pode acontecer quando um país cria uma rede excessiva de proteção social, sem se preocupar com a própria competitividade. O mesmo risco parece existir em outros países mediterrâneos como a Itália, onde persiste certa complacência em relação à situação fiscal e ao consumo das famílias. Ainda não sabemos como essa situação vai se resolver, mas ela sublinha a importância de se enfrentarem os problemas com antecedência e de forma genuína. No final da década de 1990, por exemplo, a Espanha, diante da perspectiva de uma Europa a "duas velocidades", encarou seus problemas, fortaleceu o pacto da Previdência que havia sido feito alguns anos antes (Pacto de Toledo, de 1995) e reformou suas leis trabalhistas para não perder o barco do Euro. O esforço foi bem mais profundo do que na Itália, Portugal e Grécia, apesar de eles também terem entrado na moeda única. Como consequência do ajuste fiscal e estrutural realizado, a Espanha viveu 15 anos de inaudito crescimento, expansão e vitalidade. Não obstante os excessos no setor imobiliário, esses anos proporcionaram ao país um colchão para a resposta de curto prazo à crise financeira de 2008 e disposição para controlar a deriva fiscal que poderá ajudá-lo a se diferenciar na tempestade que passou a varrer o sul da Europa no começo de 2010.

O risco de grupos de países em "duas velocidades" existe em escala mundial, e não pode ser esquecido no Brasil, mesmo após um lustro em que as coisas têm sido extremamente favoráveis ao país. Nos últimos anos, os frutos da política gradualista do presidente Lula, a demanda sustentada da China por nossos produtos e a grande liquidez produzida pelos bancos centrais dos Estados Unidos e Europa se combinaram para permitir ao Brasil crescer, à classe média se expandir e até começarmos a tomar gosto pelo investimento, mesmo sem ainda termos aumentado a nossa poupança adequadamente. Esses fatores devem servir de estímulo a novas reformas, e não de acomodação, até porque sem poupança é difícil ter um crescimento sustentado.

No fundo, a discussão da Previdência Social tem a ver com a poupança do país. É verdade que não se conseguiu até hoje provar que uma rede de Previdência diminui a poupança. Porém, os próprios chineses estão apostando nisso, ao investirem maciçamente na ampliação da saúde pública e da Previdência Social como forma de diminuir a taxa de poupança nacional dos atuais 40% do PIB, aumentando a demanda interna e reduzindo a dependência da economia chinesa em relação à exportação para o mundo desenvolvido. O objetivo da reforma social levada a cabo atualmente na China – que está avançando a grandes e rápidos passos – é estimular o mercado interno, mesmo entendendo que isso poderá reduzir a produtividade da economia chinesa. No caso da América Latina e do Brasil, onde a taxa de poupança dificilmente alcança 20% do PIB, talvez tenhamos de vir do lado oposto para um pouco menos de proteção e mais estímulo à produtividade ou, mais corretamente, uma proteção que seja mais direcionada para apoiar os trabalhadores de menor renda, em vez de ser um substituto caro à poupança para uma minoria mais abastada da população, aí incluídos os funcionários públicos.

Fabio e Paulo dão razões irrefutáveis para encararmos esse desafio não como um sacrifício, mais ou menos injusto, mas como uma oportunidade provavelmente menos dolorosa do que parece e cujos resultados serão usufruídos por todos os brasileiros por muitos anos. Além disso, os autores fazem algumas observações pouco lembradas e interessantes.

Nesse sentido, vale lembrar que uma das maiores dificuldades para avançarmos na solução do desafio previdenciário é a permanência, também nesse campo, e especialmente entre os que tomam as decisões políticas, de alguns mitos da época do chamado "milagre brasileiro". Especificamente, apesar das multidões de octogenários e octogenárias que habitam as capitais e o interior, o brasileiro ainda acha que a velhice e a morte chegam aos 70 anos. Fabio e Paulo observam que uma das principais notícias de 2008 foi a confirmação pelo IBGE de que há muitos anos a terceira idade se estende pela oitava década de vida de uma grande proporção da população brasileira.

Além disso, aquela pirâmide etária triunfalista dos anos 1970 também desapareceu e, se não chegamos ainda a ser uma "barrica", praticamente todos os financiadores da Previdência em 2040 já nasceram e, portanto, sabemos quantos serão. Também sabemos que o número de pessoas com mais de 80 anos será mais de cinco vezes maior em 2050 do que hoje, para uma população em idade ativa praticamente do mesmo tamanho.

Essas duas mudanças podiam não ser perceptíveis quando a Constituição de 1988 foi votada, mas são uma realidade ululante hoje em dia. E tenho a convicção de que, quando a imaginação popular se alterar em relação à demografia, a discussão sobre a Previdência mudará muito. Na minha experiência, do presidente da República à moça do *call-center* ou à dona da "birosca", todo mundo entende que 35 anos de contribuição com 30% de salário (contando a contribuição do empregador) não pagam 30 anos de benefícios a 100% de salário (ou maior). Não há dúvida de que os benefícios ultrapassam as contribuições, se uma pessoa se aposenta aos 53 anos e vai viver além dos 80. Como, segundo as projeções do IBGE, isso deverá acontecer com metade dos homens e mais de dois terços das mulheres que estão na faixa dos 50 anos hoje, a conta não vai fechar e o déficit da Previdência tenderá a crescer de forma insustentável se não houver um ajuste.

O que Fabio e Paulo mostram com riqueza de detalhes, mas sem perder a leveza de estilo, é que, diante dessa realidade incontornável, é desejável que se aumentem os anos de contribuição em relação aos de aposentadoria, para não correr o risco, daqui a algumas décadas, de ter de diminuir o valor da aposentadoria. Essa é uma aritmética ao alcance do povo, quando apresentada com a honestidade com que aprendi que Giambiagi e Tafner sempre comunicam as premissas e conclusões de seus estudos.

Esse equilíbrio, que é a base do fator previdenciário adotado no Brasil há aproximadamente 10 anos, existe de diversas maneiras em muitos países. Na França, por exemplo, as aposentadorias profissionais (ARGIC-ARRCO) são ajustadas mediante a alteração do valor dos "pontos" sobre os quais o benefício é calculado, tanto na fase de acumulação de direitos quanto na de sua fruição. Ou seja, mesmo em sociedades altamente politizadas, é possível favorecer o equilíbrio de longo prazo da Previdência Social quando as pessoas entendem o que está em jogo, tanto para a sociedade quanto individualmente.

Nesse sentido, é iluminadora a explicação apresentada neste livro de como, por exemplo, a tão frequente opção de alguém se aposentar com pouca idade e continuar trabalhando por alguns anos, em vez de postergar a aposentadoria, além de prejudicar o resultado da Previdência, é ruim para o trabalhador no longo prazo, assim como o alerta para o fato de que pretender "resolver" esse problema eliminando o fator previdenciário seria uma péssima política pública. O exemplo sugere que a resistência popular ao aumento da idade mínima da aposentadoria talvez seja mais uma especulação imobilista do que uma realidade que não possa ser confrontada com a devida comunicação de como esperar para se aposentar não precisa prejudicar a vida das pessoas e pode ajudar o crescimento econômico.

Talvez os autores pequem pelo otimismo quando afirmam que a reforma da Previdência do Serviço Público já teria sido feita, especialmente porque no setor público já houve a extensão da idade de aposentadoria. Como partícipe da formulação da Emenda Constitucional nº 41/2003 e de várias tentativas de sua regulamentação, considero a avaliação deste livro encorajadora, mas talvez um pouco precipitada, especialmente levando em conta a ampliação dos quadros e remunerações do serviço público observada nos últimos anos. Entre 2002 e 2009, a folha dos ativos da União aumentou em mais de 60 mil pessoas e a das estatais federais, em mais de 100 mil. Nesse caso, como o fundo de capitalização previsto pela Emenda não foi efetivado e os novos funcionários estão entrando pelas regras antigas, a aparente estabilidade da fatura das pensões públicas poderá não se manter nos próximos anos.

Merece destaque também que o trabalho de Fabio e Paulo abre espaço para a discussão de um tema importantíssimo para o desenvolvimento, que é a relação entre população ativa e aposentada e a força de trabalho do país. As tabelas do IBGE mostram que, apesar da relação de a população "ativa", isto é, entre 20 e 55 anos, e aquela "dependente ou inativa", isto é, de crianças jovens e pessoas acima de 55 anos, não se alterar drasticamente, a composição dos "dependentes ou inativos" muda muito. Enquanto hoje 34% da população têm menos de 20 anos e em 2050 apenas 18% estarão nessa faixa etária, a proporção da população acima de 55 saltará dos atuais 14% para 37% do total (e 16% da população, isto é, uma entre cada seis pessoas, terá mais de 70 anos nessa época!). Essa é uma mudança fortíssima na composição da população, que não poderá ser neutralizada pelo aumento da participação da mulher no mercado de trabalho, a qual já é expressiva.

Há diferenças importantes entre uma relação ativos/dependentes primordialmente explicada pelo grande número de crianças e jovens, e aquela que reflete uma predominância de aposentados. É diferente um trabalhador economizar para criar seus filhos ou ter de enfrentar uma grande carga de impostos para financiar aposentadorias de terceiros. Hoje, o principal componente da carga tributária percebida no Brasil já se deve ao financiamento das aposentadorias. Em um quadro sem ajustes, essa carga aumentaria ainda mais, distorcendo os incentivos econômicos e retirando a competitividade do país – mesmo considerando que o envelhecimento da população é um fenômeno mundial.

Em suma, este livro mostra com paixão e método – já que é mais razoável planejar uma melhora futura na renda dos aposentados, tanto homens como mulheres, em vez de criar barreiras ao crescimento econômico que resultarão em rendas menores à frente – que o mais indicado é aumentar a idade de aposentadoria para níveis mais próximos aos dos países desenvolvidos, na medida em que a esperança de vida e outros indicadores do Brasil também vão convergindo naquela direção. O efeito dessa transformação da Previdência Social sobre o crescimento econômico será positivo, sem prejuízo do equilíbrio do mercado de trabalho e provavelmente melhorando a distribuição de renda. De fato, o aumento da idade mínima diminuirá a prevalência de uma Previdência Social a "duas velocidades", em que os trabalhadores de maior salário se aposentam sem grande esforço muito antes dos de baixa renda, que não se beneficiam da aposentadoria por tempo de serviço; e não reduzirá drasticamente a oferta de trabalho, já que os aposentados por tempo de contribuição tipicamente continuam na força de trabalho por mais alguns anos. Vale a pena que todos empunhem as bandeiras da extensão da idade de aposentadoria e da manutenção do fator previdenciário. Especialmente porque – para os que acham que nos prepararmos para 2050 é um exercício de futurologia distante – basta lembrar que a distância até lá é a mesma que existe entre hoje e 1970.

Joaquim Levy

Sumário

Sumário das Tabelas

Sumário dos Gráficos

Sumário dos Quadros

Capítulo 1

Introdução

"Não é possível governar este país apenas com a racionalidade dos números. É preciso que haja uma combinação entre a racionalidade do cérebro e a racionalidade do coração."

Presidente Lula, dezembro de 2006.

A terceira idade é, em geral, a época mais sombria no ciclo do ser humano, comparativamente aos sonhos e planos que temos na juventude e à vida intensa que levamos na fase adulta. Segundo Kalache,[1] ex-diretor do Programa Global de Envelhecimento e Saúde da Organização Mundial da Saúde (OMS), "é duro chegar à velhice: é quando percebemos que nosso tempo passou e a esperança se transforma em desespero". Lidar com as questões que afetam esse grupo social é algo delicado e mexe intensamente com as emoções.

Por isso, em poucas áreas da gestão pública, como é o caso da Previdência, se aplica tanto a frase de Luciano Gallino:[2] "Um governo faz bem em não olhar no rosto ninguém, nem sequer do próprio eleitorado, quando se trata de tomar medidas que se referem, antes de mais nada, ao bem do país no longo prazo, mas que devem ser tomadas logo, porque, caso contrário, depois será tarde."

Inquiridas se gostariam de se aposentar mais cedo ou mais tarde, é natural que a maioria das pessoas se manifeste em favor de aposentadorias precoces. Consultadas sobre se gostariam de receber como pagamento um valor de X ou algo maior do que X, a unanimidade revelará a opção pela segunda alternativa. No mundo real, porém, não é possível conciliar o desejo de fazer o bem a todos sem atentar para a questão de como isso será financiado. E o financiamento da Previdência Social no Brasil está se tornando um problema sério.

O tema da reforma previdenciária acompanha os debates sobre as grandes questões nacionais no Brasil já há bastante tempo.[3] Não é difícil entender por quê. Trata-se de um tema no qual é muito difícil fazer mudanças na legislação. Primeiro, porque o assunto mexe com a emoção das pessoas. E, segundo, por-

---

[1] Ver Pesquisa On Line Fapesp. "Uma política para o bem-envelhecer", março de 2008.

[2] Ver jornal *La Republica*, Itália, "Previdenza e modello Bismarck", 5 de setembro de 2006.

[3] Stephanes (1998), sobre os temas mais antigos e as coletâneas organizadas por Tafner e Giambiagi, (2007) e Caetano (2008), no âmbito do Ipea, para os temas tratados ao longo da última década.

que afeta todos os grupos sociais e etários da sociedade. Com efeito, quando se discute se haverá um benefício tributário a ser concedido ao setor A ou B ou um aumento a ser outorgado a certa categoria do funcionalismo, tais questões dizem respeito mais diretamente a esses agentes. Já quando se trata do tema previdenciário, não há como dividir a sociedade entre "interessados" e "não interessados" na matéria, pois ela interessa a todos, já que todos ou são aposentados ou aspiram a sê-lo algum dia. Em poucas palavras, ninguém é indiferente ao tema.

Ao mesmo tempo, porém, a experiência acumulada por parte dos autores deste livro, ao longo de aproximadamente duas décadas de debates sobre o tema em que cada um de nós participou, nos deixou alguns ensinamentos importantes.

O primeiro deles é que, embora as pessoas resistam a mudar as regras de aposentadoria, o cidadão comum percebe perfeitamente a noção do que seja o legado para as gerações futuras. Como se sabe, é relativamente comum que alguns casais tenham certo grau de desprendimento a ponto de pensarem primeiro no bem-estar dos filhos e depois no deles e, em vez de consumirem o patrimônio acumulado ao longo da vida, optem por deixar parte dele para seus filhos, na forma de bens – geralmente imóveis. Analogamente, as pessoas sabem que o mundo continua após a passagem delas, e a maioria tem o desejo de que aquilo que for deixar para as gerações posteriores envolva, na medida do possível, a perspectiva da prosperidade.

O segundo ensinamento que aprendemos ao longo desses muitos anos de debates é que, na raiz da maior ou menor aceitação por parte das pessoas de uma eventual mudança das regras que regem a sua aposentadoria, está a velha questão da legitimidade da representação. O cidadão comum, muitas vezes, rejeita veementemente uma mudança de regras sobre o tema, não porque ignore a sua racionalidade, e sim porque se revolta pelo que percebe como uma grande iniquidade, representada pelo contraste entre uma vida de sacrifícios e os escândalos que vê diariamente estampados nas páginas dos jornais, envolvendo quase sempre irregularidades de todo tipo na utilização de dinheiro público. A ideia sintetizada na frase genial do Barão de Itararé e imortalizada por Stanislaw Ponte Preta, de que "ou se restaura a moralidade, ou nos locupletamos todos", é uma síntese filosófica dessa concepção profundamente enraizada no senso de justiça associado a uma parte expressiva da sociedade.

O terceiro ensinamento é que, como alguma vez disse um ex-ministro da Previdência a um dos autores deste livro, "o fato de uma pessoa ser prejudicada pela reforma não significa necessariamente que essa pessoa irá se opor a ela". Isso pode ser verdade, embora, diferentemente de outras medidas polêmicas que podem, no entanto, trazer alguns benefícios imediatos para várias pessoas – como o acesso a importações mais baratas em caso de redução do protecionismo –, a "reforma previdenciária" esteja inevitavelmente associada a um lado negativo na vida dos indivíduos: terão de trabalhar mais ou ganhar menos do que ganhariam sem a reforma. Apesar disso, é possível angariar, senão simpatia, pelo menos certo grau de aceitação da conveniência de uma mudança das regras de aposentadoria ou de pensão.

Finalmente, o quarto ensinamento é que os argumentos contam. Os autores que assinam este livro participaram ao longo de anos, dezenas e dezenas de vezes, nos mais diferentes lugares, de muitas palestras, debates, idas à televisão etc. Mais de uma vez, naturalmente, dada a própria natureza das questões defendidas, passamos por situações envolvendo algum grau de tensão, como reações negativas do público, perguntas duras, algumas ofensas ou mesmo alguma vaia. De modo geral, porém, o que constatamos em quase todas essas situações é que, embora nunca ninguém tenha saído dos eventos pensando em organizar uma passeata em favor de uma reforma previdenciária, o público no final compreendia majoritariamente as razões para as posições defendidas.

Tratar o público com respeito, demonstrar que se estão levando em conta pontos de vista alternativos, mostrar os dados, comparar o Brasil com o restante do mundo são atitudes diante das quais as manifestações mais virulentas em defesa do *status quo* tendem a ser desarmadas. Quando se mostra para o público que no Brasil as mulheres se aposentam por tempo de contribuição, em média, aos 51 anos; que a proporção de idosos triplicará no Brasil nos próximos 40 anos; ou que o número de anos de usufruto da aposentadoria por tempo de contribuição no Brasil é cerca de 40% superior ao número de anos durante os quais um aposentado recebe o benefício em outros países, mesmo na América Latina, até quem é contra a reforma é obrigado a parar para pensar no assunto. Um dos maiores elogios que um dos autores deste livro recebeu nas suas palestras pelo Brasil afora falando sobre o tema foi, paradoxalmente, de um sindicalista que, depois de ouvir a exposição e mesmo se considerando – para fazer a tradicional concessão à demagogia – "perplexo com a crueldade do professor", declarou, sem argumentos, que "o que me deixou mais preocupado é que ele foi convincente". Outro sindicalista confessou a outro dos autores, também depois de assistir à sua palestra sobre o tema, que não "tinha ideia de que o problema das pensões era tão grave no Brasil" – não sem antes afirmar publicamente que "o objetivo do professor é matar velhinha viúva".

O objetivo deste livro é justamente este: tentar sermos convincentes. Seu título inclui a expressão "A ameaça invisível" porque entendemos que a questão previdenciária guarda semelhanças com os desafios da preservação ambiental. Em ambos os casos, tomar decisões e fazer mudanças necessárias envolve custos imediatos e ônus muito bem definidos, enquanto seus benefícios ocorrem somente no longo prazo e, por conseguinte, não são imediatamente percebidos pelos indivíduos. Por outro lado e, também à semelhança da questão ambiental, manter o *status quo* e não fazer nada é politicamente muito atraente, pois os custos da inação somente serão percebidos no futuro.

O Brasil de 2010, em matéria demográfica, não será muito diferente em relação ao de 2009, assim como a composição etária de 2009 não foi substancialmente diferente da de 2008. Entretanto, o Brasil de 2050 será drasticamente diferente do Brasil atual. E o que vier a ocorrer em 2050 será fruto das decisões que o país tomar ou deixar de tomar nos próximos anos.

No seu famoso documentário sobre a ameaça do aquecimento global, *Uma verdade inconveniente*, que catapultou seu nome para a obtenção do Prêmio Nobel, o ex-vice-presidente dos Estados Unidos, Al Gore, no meio do filme, diz as seguintes palavras: "Um dia nossos filhos olharão para nós no futuro e irão nos perguntar: mas o que é que vocês estavam fazendo enquanto isso estava acontecendo? O que estavam esperando para acordar?" Na sua apresentação, Al Gore expõe a sua frustração, inicialmente como congressista, posteriormente como ocupante de um cargo-chave no Poder Executivo e, finalmente, como palestrante global, por notar a dificuldade que teve durante anos em convencer os parlamentares dos Estados Unidos acerca dos males de não se mudar a rota pela qual seu país e o mundo estavam transitando. Diante dos custos imediatos que fatalmente teriam as medidas antipoluição, na forma de maiores custos ligados às medidas de preservação ambiental – o que implicaria inevitavelmente mais impostos, algo sempre politicamente muito sensível nos Estados Unidos –, a tendência natural das forças políticas tendia a ser protelar o tratamento do assunto, à espera de que os dados do aquecimento global se confirmassem, que o tema fosse mais debatido ou que houvesse maior consenso a esse respeito. O custo da inação nessa matéria, ao longo dos últimos 20 ou 30 anos, é hoje visível.

Analogamente, o paralelo entre a questão ambiental e a temática previdenciária é muito claro. Assim como, no que se refere ao meio ambiente, "não fazer nada" é uma escolha natural de muitos governos; também no tema previdenciário não fazer nada tem sido uma escolha. Isso porque, diante dos ônus associados a uma mudança de rota, ônus esses medidos pelos governos na forma de quedas de sua popularidade e pelas pessoas na forma de adiamento da data de sua aposentadoria, a inação tende a predominar. Entretanto, assim como não fazer nada com os temas ligados à poluição gera uma piora do planeta, nada fazer com as regras de aposentadoria e de pensão significa que no futuro a conta a ser paga pela geração de nossos filhos será maior, reduzindo-lhes oportunidades e exigindo-lhes sacrifícios acerca dos quais não foram sequer chamados a opinar.

O livro está dividido em quatro grandes blocos de temas. No primeiro, são apresentados ao leitor os traços gerais do que será discutido no restante dos capítulos. Na segunda parte do livro são mostrados os principais dados sobre o assunto, para situar o leitor. Na terceira, esmiúçam-se em capítulos específicos cada um dos pontos que compõem o problema previdenciário no Brasil, entendendo-se por "problema previdenciário" o peso inteiramente anômalo no contexto mundial que esse tipo de despesa assume no país. Por último, na quarta parte do livro apresenta-se uma agenda de propostas e discute-se o melhor encaminhamento a ser dado a ela.

Antes de iniciarmos, duas advertências devem ser feitas. A primeira é que os autores procuraram utilizar os dados mais atualizados disponíveis, mas certamente quando a obra chegar às mãos dos leitores alguns deles estarão superados. Pouco há a fazer quanto a isso, exceto oferecer a garantia de que no momento de elaboração da versão final do livro todas as tabelas e informações eram as mais recentes. A segunda é que todas as informações demográficas sobre o Brasil contidas neste trabalho têm como fonte o IBGE. Entretanto, quando são feitas comparações internacionais – e isso ocorre em diversos capítulos –, os autores optaram por utilizar dados de uma fonte comum: as Nações Unidas, especificamente *Population Division of the Department of Economic and Social Affairs of the United Nations Secretariat, World Population Prospects: The 2008 Revision.* Essa opção traz uma vantagem e uma desvantagem. A vantagem é que os dados dos países utilizados em comparações têm uma mesma base metodológica e dão, por consequência, consistência às comparações realizadas; a desvantagem é que algumas vezes esses dados diferem daqueles do IBGE, o que pode provocar alguma confusão entre os leitores. Entretanto, a possibilidade de situar a realidade nacional no contexto mundial justifica, nos parece, a apresentação desses dados.

Capítulo 2

Um dia na Casa das Garças

"Hoje há grande demanda de pessoas que fazem o errado parecer certo."

Terêncio, dramaturgo da antiga Cartago.

Como talvez muitos leitores não saibam, convém esclarecer que a Casa das Garças é uma entidade que, no Rio de Janeiro, organiza debates acerca de temas de interesse geral, porém mais especificamente ligados à economia. Em 2006, durante a campanha eleitoral, o convidado foi o então candidato pelo PSDB, o ex-governador Geraldo Alckmin. Após a sua exposição, na fase das perguntas, foi-lhe perguntado o que um eventual governo seu faria em termos de reforma da Previdência Social. Em sua resposta, começou dizendo mais ou menos o seguinte: "Bom, essa é uma pergunta diante da qual a resposta pode ser a garantia de derrota." Não houve nada além de evasivas depois dessa frase lacônica. Muito tempo depois, mesmo transcorridos dois ou três anos após a sua derrota, o ex-governador ainda se queixaria a um conhecido de que aquela era uma pergunta típica feita para perder as eleições.

Já o vencedor da eleição, o presidente Lula, que na época concorria à reeleição, não abordou o tema de modo muito mais direto. Mesmo depois da disputa eleitoral, já no seu segundo mandato, ao instalar o Fórum da Previdência Social, procurando se esquivar de responsabilidades na definição da orientação a ser dada aos temas ali tratados, ele declarou:[1] "Quando alguém vier me falar sobre Previdência, eu falo: por favor, não conversem comigo; conversem com os membros do Fórum da Previdência Social, porque eles terminarão por nos apresentar uma proposta."

É tentador, ao citar tais opiniões, fazer uma associação com a frase de Mel Brooks, o comediante norte-americano, que certa vez disse que "é coisa de mau gosto dizer a verdade antes do momento em que deve ser dita". Em matéria de Previdência Social, o problema consiste exatamente em definir qual é o momento ideal para que a "verdade" seja dita.

Certa vez, um assessor do então ministro do Planejamento brasileiro foi ao Congresso expor as projeções demográficas existentes na época, que apontavam

---

[1] Ver *O Estado de São Paulo*, 13 de fevereiro de 2007.

para um agravamento do desequilíbrio previdenciário ao longo do tempo e sugerindo, em função disso, a conveniência de o Parlamento aprovar uma série de medidas para ajustar o país a esse quadro que se tinha em perspectiva. O representante do governo na Câmara dos Deputados, um parlamentar influente, ouviu atentamente e, no final, declarou: "Ok, entendi tudo. O país tem um problema pela frente, mas eu quero saber o seguinte: o estouro do problema vai acontecer no atual governo ou não?" Há um pequeno detalhe a ser lembrado: o ministro do Planejamento atendia pelo nome de Delfim Netto, e o diálogo ocorreu em 1982! Quase três décadas depois, o raciocínio embutido no cálculo político de quem deve decidir essas questões continua o mesmo. E o grande drama da Previdência é que o "estouro do problema" nunca se dá "no atual governo", e sim alguns governos depois.

A pressão fiscal associada ao envelhecimento da população é um fenômeno comum à maioria dos países do mundo e dista de ser apenas uma exclusividade brasileira.[2] O que confere caráter específico ao Brasil é o fato de o país gastar uma quantia muito elevada de recursos com Previdência, levando em conta seu atual perfil etário.

Quando se viaja ao Uruguai e se anda pelas ruas de Montevidéu, qualquer observador mais atento descobrirá por que o país gasta muito com Previdência: simplesmente porque há muitos idosos no Uruguai. Nada mais normal, portanto, que um país com elevada proporção de pessoas na terceira idade arque com uma despesa significativa com a sustentação desse contingente populacional.

O Brasil, porém, já gasta muito com Previdência, mesmo tendo uma população ainda relativamente jovem, que só agora está começando a envelhecer. Isso é uma anomalia que o país se recusa a reconhecer. As causas desse processo estão ligadas a três razões. A primeira delas é a benevolência da legislação ou, no caso do Brasil, da própria Constituição. É ela que permite que haja aposentadorias que em outros países do mundo simplesmente não existiriam. Quando uma pessoa no meio rural se aposenta por idade aos 55 anos ou uma mulher no meio urbano se aposenta por tempo de contribuição aos 51 anos, a estatística do que o país gasta com Previdência em relação à sua capacidade produtiva é pressionada e o país se destaca – negativamente, em termos fiscais – na comparação com os demais países.

A segunda razão pela qual o Brasil gasta muito com Previdência é a superindexação dos benefícios de um salário mínimo. Estes, há mais de uma década, passaram a ter aumentos reais significativos. Consequentemente, além da pressão demográfica, que faria aumentar o estoque de beneficiados, o fato de apro-

---

[2] A esse respeito, ver a análise feita há aproximadamente uma década pela OECD (2000), o robusto estudo feito no âmbito do Banco Mundial por Holzmann e Hinz (2004) e os dados acerca de como os diversos países se programaram para isso em SSA (2006).

ximadamente ⅔ dos benefícios estarem atrelados ao salário mínimo fez com que a massa de remunerações paga pelo sistema previdenciário aumentasse a uma velocidade ainda maior que o quantitativo físico do número de benefícios. Essa é uma das razões para que a relação entre as despesas previdenciárias e o PIB se tenha elevado tanto depois de meados dos anos 1990.

Finalmente, a terceira razão que explica o alto coeficiente observado no Brasil entre as despesas previdenciárias e o PIB é, naturalmente, o baixo crescimento do PIB nos últimos 30 anos. É evidente que, sendo esse coeficiente uma relação entre a despesa e o PIB, quanto maior for o denominador, menor será o coeficiente. Por outro lado, o fato de o Brasil ter despesas previdenciárias tão elevadas é uma das causas do baixo investimento público, fenômeno que está por trás do baixo crescimento do PIB no período.

O entendimento convencional no meio político é de que falar de Previdência "deselege", ou seja, tratar da possibilidade de tornar as regras de aposentadoria mais restritivas tira votos, por estar associado a uma "agenda negativa". E o que seria uma "agenda positiva", que "dá" em vez de "tirar" votos? Promessas, como aumentar o valor das aposentadorias ou favorecer as condições para a obtenção do benefício. Em outras palavras: agravar o já sério quadro fiscal relacionado com o elevado gasto da Previdência.

Mais de um arguto observador externo da vida brasileira reparou que faz parte do caráter nacional uma tendência a protelar as questões mais difíceis e não enfrentar diretamente as questões, tratando os problemas através de meros paliativos. Desde a frase do velho Câmara Cascudo, de que "o Brasil não tem problemas, mas apenas soluções adiadas", passando pelo estudo da alma nacional na obra de Sérgio Buarque de Holanda, até a Constituição de 1988, essas tendências estiveram sempre presentes. Nesta última, nas palavras de um dos seus principais redatores, o então deputado e depois ministro Nelson Jobim, optou-se pela técnica jurídica de deixar muitas questões em aberto e de remeter diversas questões controversas para serem dirimidas por legislação posterior – em muitos casos, até agora não aprovada – ou ficarem sujeitas à interpretação subjetiva dos juízes.

Entretanto, apesar da presença inegável dessas características, o país foi capaz de promover mudanças importantes da sua economia nos últimos 20 anos. No início da década dos 1990, houve uma bem-sucedida abertura da economia, que modernizou os métodos de gestão empresarial; lançou-se um plano de estabilização, em 1994, que rompeu com a inércia inflacionária, aceitando o princípio de reajuste das variáveis pela média real do período precedente, algo que durante muito tempo foi uma verdadeira heresia; em 1995, colocou-se fim aos monopólios estatais nos setores de petróleo e telecomunicações; aprovou-se um severo ajuste fiscal em 1999, mantido nos anos subsequentes; paralelamente, redefiniram-se, de modo radical, as relações entre a União e os governos subnacionais através de discussão e posterior aprovação da Lei de Responsabilidade

Fiscal; também naquele ano, adotou-se um sistema de metas de inflação que virou *benchmark* internacional etc. Todas elas foram medidas importantes, baseadas em legislação, muitas vezes enfrentando duras resistências.

O que se quer enfatizar com isso é que, quando há uma combinação de diagnóstico, discurso e liderança política, é possível promover transformações importantes no país. Só foi possível, por exemplo, implementar o Plano Real porque havia um diagnóstico – sobre a natureza da inflação –, um discurso – a ação pedagógica dos ministros da Fazenda, inicialmente Fernando Henrique Cardoso e posteriormente Rubens Ricupero – e uma liderança do Poder Executivo – o então presidente Itamar Franco, que recrutou a equipe que fez o plano e jogou seu peso político no êxito do projeto.

Com as devidas ressalvas quanto às diferenças entre as situações, o mesmo argumento vale para o tema previdenciário. É natural que, em uma campanha político-eleitoral, como ocorre em qualquer lugar do mundo, quanto mais detalhada for a definição acerca de qualquer coisa, maiores as arestas que tendem a ser criadas e menor o potencial de votos de uma proposta. Ao mesmo tempo, porém, não há razões que impeçam que o tema da Previdência seja tratado de forma mais aberta por parte dos políticos que procuram ascender ao mais alto cargo do país.

Não se deve pretender que um candidato a presidente da República defina exatamente que medidas específicas irá adotar sobre a questão, entre outras coisas porque muito provavelmente esse detalhamento dependerá do que vier a ser decidido em função das discussões internas, no momento do envio de uma proposta ao Congresso. Entretanto, um candidato pode, sim, ter algumas definições sobre o assunto, das quais a mais importante é reconhecer que existem problemas na Previdência brasileira. Mas não apenas isso. Claramente, é possível assumir que o sistema precisa de ajustes, com o estabelecimento de regras mais realistas para o Brasil do futuro, e que esses ajustes devem ser feitos de forma gradual, com regras de transição longas e respeitando os direitos daqueles que já se aposentaram ou que recebem pensão. Por fim, um verdadeiro líder deve assumir que a condução do processo cabe ao Executivo, e não ao Congresso, e que se empenhará pessoalmente no processo. Dificilmente um candidato enfrentaria obstáculos eleitorais intransponíveis com um discurso que assumisse e enfatizasse a ideia de necessidade de reformas.

Com essa atitude e um discurso não excessivamente detalhado a ponto de se tornar um passivo político, mas suficientemente claro no sentido de passar para a população a ideia de que: a) há um problema a ser enfrentado; e b) o futuro governo irá fazer algo a esse respeito, pois estaria pavimentado o caminho para propor ao Congresso uma reforma previdenciária no começo da legislatura seguinte, uma vez empossadas as novas autoridades.

O Brasil tem de romper com o círculo vicioso que faz com que, em uma campanha eleitoral, o tema previdenciário seja considerado tabu e, sendo assim, sua omissão durante a campanha iniba a adoção de reformas profundas por parte do governante eleito. Embora o país tenha assistido a duas reformas previdenciárias, uma no governo FHC e outra no governo Lula, elas foram positivas, porém de intensidade insuficiente face aos desafios demográficos que o país tem pela frente. E uma das razões reside no fato de que, não tendo tratado do assunto na campanha eleitoral, é muito difícil ao governante que acaba de ser eleito colocar o tema na agenda sem ser visto como alguém que está traindo o seu programa eleitoral.

Se durante a campanha se alega repetidamente que não há qualquer problema com a Previdência Social do país e que o governo deve inclusive aumentar a remuneração dos aposentados, o espaço para seguir uma linha contrária, uma vez no governo, é bastante restrito. O problema é que, assim como as ações têm consequências, a falta de ação também tem. De fato, os números impressionam: em 1995, a despesa do INSS, em valores correntes, foi de R$33 bilhões e, em 2010, está prevista em R$248 bilhões. O gasto foi multiplicado por 7,5 em 15 anos! Mesmo quando se inflacionam os dados anteriores pelo deflator implícito do PIB, a despesa de 1995, expressa em reais constantes de 2010, ascende a R$104 bilhões, indicando um aumento real médio de mais de aproximadamente 6% ao ano nesses 15 anos.

Cada país tem as suas idiossincrasias. Para citar circunstâncias drásticas, o povo alemão levou décadas para perceber a sua responsabilidade frente ao fenômeno do nazismo. Em outra dimensão, sem esses componentes trágicos, nossos vizinhos venezuelanos acreditam que é a coisa mais natural do mundo pagar pela gasolina um preço que, para qualquer parâmetro internacional de comparação que for levado em conta, é inteiramente absurdo, de tão barato. Analogamente, o brasileiro médio tem uma opinião que, aos olhos de qualquer observador externo que conheça um pouco do que são os sistemas previdenciários ao redor do mundo, impressiona pelo seu alheamento em relação ao que ocorre no restante do mundo. O cidadão médio julga que os idosos são injustiçados no Brasil, quando os muito pobres recebem um benefício assistencial sem jamais ter contribuído para o sistema; os pobres se aposentam por idade com o salário mínimo, recebendo uma remuneração do INSS cujo valor real aumenta todos os anos; e a classe média se aposenta em idades precoces, o que, em qualquer país com a mesma longevidade de um brasileiro de classe média, seria inaceitável. Não nos enganemos: se continuarmos a nos aposentar cedo e a outorgarmos aumentos reais aos aposentados, estaremos aumentando o bem-estar da nossa geração, à custa de tornar mais sombrio o futuro dos nossos filhos.

Chegou a hora de nossa liderança política fazer com que o país se observe no espelho. Na Introdução, fizemos uma associação entre o problema previdenciário e uma "ameaça invisível". O problema é que essa ameaça vai se tornar cada vez mais visível no futuro. É o que veremos no restante deste livro.

Capítulo 3

"Outra vez?!"

"A primeira metade da vida consiste na capacidade de se divertir sem a possibilidade; a metade final consiste na possibilidade sem a capacidade."

Mark Twain

No dia em que a realização de uma nova rodada de reforma previdenciária entrar na agenda do país, muito provavelmente a reação da maioria das pessoas será: "Outra vez?! Novamente querem que os velhinhos paguem a conta?" Veremos ao longo do livro que, a rigor, não existe uma "conta" paga pelos idosos, pois o que ocorre é o contrário: somando tudo, é o governo que paga aos idosos mais do que deles recebe. Mais precisamente, é a sociedade que transfere renda aos idosos, e o governo é o instrumento dessa transferência. Neste capítulo, porém, o que tentaremos mostrar é que, na verdade, as reformas que tanta discussão causaram nos governos Fernando Henrique Cardoso (FHC) e Lula afetaram um contingente proporcionalmente modesto da população brasileira.

Na raiz da repetição sistemática do argumento de que as reformas representaram uma – utilizando expressão muito popular – "tunga" contra os aposentados, encontra-se a combinação de dois elementos. O primeiro é a natureza da velhice, uma época mais sombria do ser humano e mais propensa à reclamação das pessoas. O segundo é um drama repetido em muitas famílias, mas cuja responsabilidade, raciocinando com frieza, é estritamente individual e diante da qual a grande crítica que pode ser feita ao governo como instituição – não ao governo de A ou B – é apenas o fato de não ser mais eficiente na explicação à população acerca dos riscos envolvidos na decisão individual de se aposentar precocemente.

Esse segundo ponto é representado por atitudes como a de uma pessoa que vamos imaginar que se chame José Fernandes. Digamos que ele tenha começado a trabalhar aos 20 anos e se aposente aos 55 anos. Vamos supor ainda que o seu salário ao se aposentar fosse de R$1.200 e que, com os aumentos ao longo da sua vida, a média contributiva levada em conta para efeito do cálculo da aposentadoria tenha sido de R$900. Com esses parâmetros, como veremos a seguir, o fator previdenciário é de 0,72, o que significa que a aposentadoria do nosso José Fernandes é de 0,72 × R$900 = R$648. Ele não chega a ficar muito preocupado com isso porque, aos 55 anos, são poucos os aposentados que, de fato, colocam o "pijama".

Digamos que ele faça o seguinte raciocínio: "Eu me mato trabalhando e ganho R$1.200 por mês. Agora vou trabalhar um pouco menos e ganhar também um pouco menos, ou seja, R$1.000 por mês, porque vou contar com o dinheiro da aposentadoria, somando ao todo algo em torno de R$1.650."

São poucos, na vida real, os casos daqueles que pedem aposentadoria por tempo de contribuição porque ficaram desempregados. Na maioria das situações, aqueles que se aposentam o fazem porque atingiram o requisito contributivo que lhes permite a elegibilidade para solicitar o benefício do INSS. Ninguém obrigou José Fernandes a se aposentar. Ele poderia ter permanecido um pouco mais de tempo no mercado de trabalho. Se tivesse esperado mais três anos, sua média contributiva poderia, por exemplo, passar de R$900 para R$1.000, e o fator previdenciário, aos 58 anos, com 38 anos de contribuição, seria de 0,88, o que significa que a sua aposentadoria seria de R$880, e não de R$648 – 36% a mais em apenas três anos adicionais.

O problema da opção feita por José Fernandes é que ela é irrevogável e permanente, enquanto a sua melhora é apenas temporária, porque, depois de ganhar mais por algum tempo, somando a remuneração do emprego com a da aposentadoria, mais cedo ou mais tarde, em idade mais avançada, ele acaba em algum momento tendo de abrir mão do emprego, ficando daí para frente com sua única remuneração associada a uma aposentadoria muito inferior ao seu salário. É aqui que, anos depois, há uma revolta contra as condições da aposentadoria. É um drama, sem dúvida, mas a ideia de que o responsável por isso é o governo é um equívoco. A responsabilidade de quem tomou a decisão de se aposentar precocemente coube, de forma exclusiva, à pessoa, não havendo muito a fazer depois que ela foi tomada. A pergunta que cabe é se o fator previdenciário é injusto. É o que discutiremos neste capítulo.

A reforma previdenciária de FHC

O escritor inglês Thomas Fuller disse certa vez que "quem conhece pouco repete muito". A frase cai como uma luva nas críticas à reforma previdenciária feita no governo FHC.[1] A maioria das críticas é de natureza ideológica e/ou desconhece uma série de elementos que estavam presentes na ocasião. É útil lembrar que, em 1997, pouco antes da aprovação da Emenda Constitucional que ocorreria no ano seguinte e representou o marco inicial da reforma previdenciária de FHC, no meio urbano, nada menos que 58% do fluxo de novas aposentadorias pelo INSS ocorreram antes dos 50 anos e 82% antes dos 55 anos. Era uma situação insustentável, em que uma quantia enorme de recursos estava sendo gasta com aposentadorias integrais

[1] A respeito, ver Ornelas e Vieira (1999).

de gente que se aposentava aos 48 ou 49 anos. Não é preciso ser economista para reconhecer que isso era simplesmente absurdo.

A reforma de FHC se dividiu em duas etapas. Na primeira, a Emenda Constitucional retirou da Constituição a menção ao critério de cálculo da aposentadoria do regime geral do INSS – detalhamento que a boa técnica jurídica sugere que fique restrito à legislação ordinária – e adotou o princípio da idade mínima – de 60 anos para os homens e 55 para as mulheres – para aqueles que viessem a ingressar no serviço público a partir dali, com uma regra de transição relativamente suave para os servidores públicos ativos de então. Na segunda etapa, foi aprovada a lei do fator previdenciário, definindo que a aposentadoria do INSS seria resultado da média dos 80% maiores salários de contribuição desde a estabilização de 1994, multiplicada pelo chamado "fator previdenciário". Esse fator é um número da ordem de grandeza da unidade, podendo, porém, ser maior ou menor, dependendo de quais forem a idade e o tempo de contribuição do indivíduo.

Note-se, portanto, que a mudança, primeiro, não afetou aqueles que já estavam aposentados; segundo, não afetou aqueles trabalhadores ativos do setor privado que iriam se aposentar por idade pelo INSS; e terceiro, na média, afetou pouco os servidores ativos que ainda iriam se aposentar, mediante o estabelecimento de um "pedágio" para a obtenção da aposentadoria. Ela afetou mais intensamente os futuros entrantes no serviço público, através da idade mínima, e os futuros aposentados por tempo de contribuição no INSS, através do fator previdenciário.

A reforma de Lula

A reforma do governo Lula de 2003 foi uma espécie de complemento da reforma de FHC.[2] Ela implicou, resumidamente, três medidas: i) elevou o teto de contribuição e de benefícios do INSS; ii) antecipou, já para aqueles que estavam na ativa no serviço público, o princípio da idade mínima, antes adotado apenas para os novos entrantes, mantendo 60 anos no caso dos homens e 55 anos no das mulheres e cancelando a regra de transição;[3] iii) representou uma

---

[2] Sobre essa reforma, ver Zylberstajn *et alii* (2006).

[3] Em Emenda Constitucional suplementar (EC nº 47), aprovada em 2005, foi estabelecida uma regra de transição mais dura para os servidores públicos ativos em relação à regra de transição válida até então. Nessa regra, os ativos devem cumprir os seguintes requisitos: 35 (homens) ou 30 (mulheres) anos de contribuição e 53 (homens) ou 48 (mulheres) anos de idade. A partir desses limites, cada ano adicional de trabalho (e contribuição) reduzirá um ano das idades fixadas de aposentadoria: 60 (homens) ou 55 (mulheres). Assim, por exemplo, um servidor público do sexo masculino que complete 35 anos de contribuição aos 54 anos deverá continuar trabalhando (e contribuindo) até os 57 anos, pois sua idade será igual à idade mínima de aposentadoria reduzida dos anos adicionais de trabalho e contribuição (60 – 3 anos = 57).

taxação de 11% incidente sobre o adicional que excedesse o teto de aposentadoria do INSS. Por exemplo, se o teto[4] do INSS fosse de R$3.500 e uma pessoa recebesse, no serviço público, um salário de R$4.000, ela estaria sujeita a uma taxação de 11% sobre o excedente em relação ao teto (R$4.000 – R$3.500 = R$500 × 11% = R$55) ou 1,4% do salário bruto. Naturalmente, quanto maior o salário, maior é essa taxação incidente sobre o salário bruto. Por exemplo, para uma aposentadoria de R$15.000, os 11% incidem sobre R$15.000 – R$3.500, correspondendo a R$1.265 ou 8,4% do salário bruto.

Ou seja, se no caso daqueles que já estavam na ativa a reforma de FHC foi essencialmente do regime geral do INSS, com reduzido impacto entre os servidores ativos, a reforma de Lula foi o espelho oposto: foi uma reforma essencialmente do regime de aposentadoria dos servidores, sem grande efeito para quem se aposenta pelo INSS, exceção feita à elevação do teto. Nenhuma categoria foi fortemente afetada pelas duas reformas em conjunto: quem foi afetado por uma não o foi pela outra.

Baixando a poeira

Resumidamente, portanto, a reforma Lula só afetou de modo mais significativo os futuros aposentados do serviço público, através do instituto da idade mínima e, no caso daqueles já aposentados, aqueles cuja remuneração fosse superior ao teto do INSS, devido à taxação de 11% sobre os inativos. Ressalve-se, porém, que, em termos de alíquota média, pelo raciocínio antes exposto, a taxação só foi significativa para os salários mais elevados: no caso do governo federal, esse contingente representa uma pequena fração dos aproximadamente um milhão de servidores inativos e algo menor ainda, frente aos aproximadamente 20 milhões de benefícios previdenciários do INSS, na época.

Em outras palavras, as duas reformas (FHC e Lula) afetaram mais intensamente os futuros aposentados por tempo de contribuição do INSS e os servidores que se aposentarão no futuro. No caso dos servidores já aposentados na época, a reforma afetou apenas aqueles com altos valores de aposentadoria ou pensão, pois ficaram sujeitos à taxação. As reformas não afetaram aqueles que já estavam aposentados pelo INSS, nem os futuros aposentados por idade ou por invalidez, também pelo INSS.

A esta altura, seria conveniente saber como se divide o contingente de benefícios do INSS. A resposta está na Tabela 3.1. Observe-se que os benefícios

---

[4] O teto atual está fixado em R$3.416,54. Entretanto, apenas para facilitar o entendimento do leitor para o exercício numérico apresentado, tomamos a liberdade de utilizar um valor ligeiramente diferente.

de aposentadoria por tempo de contribuição são apenas 19% do total. Cabe lembrar, além disso, que uma parte importante deles é de pessoas que já estavam aposentadas quando da aprovação da reforma de FHC e que, portanto, não foram afetadas pelas mudanças.

Tabela 3.1: Composição do estoque do número de benefícios previdenciários – Dez. 2009 (%)

Composição		**(%)**
Aposentadorias		66,3
Idade	34,5	
Invalidez	12,8	
Tempo de contribuição (TC)	19,0	
Pensões		28,4
Auxílio-doença		4,7
Outros benefícios		0,6
Total		100,0

Fonte: Ministério da Previdência Social (*Boletim Estatístico da Previdência Social*).

O que se quer mostrar é que, embora o noticiário sobre o assunto tenda a passar a ideia de que a maioria dos aposentados foi afetada negativamente pela reforma de FHC e posteriormente pela reforma de Lula, quando se analisa o tema mais de perto e se olham os números, a verdade é exatamente oposta: só uma minoria dos aposentados foi atingida pelas reformas de FHC e Lula, e nenhum foi atingido por ambas.

O famoso fator

Vejamos agora com cuidado o tema do fator previdenciário. Ele nada mais é do que o número resultante de uma fórmula que combina idade de aposentadoria, tempo de contribuição e a expectativa de sobrevida apontada pelo IBGE em função das tábuas de mortalidade atualizadas todos os anos. O valor do fator, para as idades de aposentadoria mais comuns, é exposto na forma de uma matriz de combinações na Tabela 3.2.[5] Por exemplo, uma pessoa que se aposente aos 54 anos com 36 anos de contribuição terá um fator de 0,72, o que significa que o valor médio dos 80% maiores salários de contribuição deve ser multiplicado por 0,72, correspondendo a uma redução de 28% em relação ao valor médio das contribuições.

[5] Na tabela elaborada, há casos evidentes de impossibilidade, como, por exemplo, aposentadoria de um homem aos 50 anos com 42 anos de contribuição. Nesse caso, ele teria começado a contribuir aos 8 anos, o que a legislação proíbe e proibia no passado. Outros casos não factíveis – idades relativamente jovens com tempos de contribuição incompatíveis – foram eliminados e não constam da tabela.

Cabe frisar que a legislação do fator concede um bônus de cinco anos para a contagem de tempo contributivo das mulheres, de modo que uma pessoa do sexo feminino que, por exemplo, comece a contribuir com 20 anos e se aposente aos 50, após 30 anos de contribuição, terá esse tempo contabilizado como 35 anos, ficando sujeita então a um fator de 0,60.

Tabela 3.2: Fator previdenciário: casos selecionados

Tempo de Contribuição (anos)	Idade de Início do Benefício (anos)										
	50	**51**	**52**	**53**	**54**	**55**	**56**	**57**	**58**	**59**	**60**
35	0,60	0,62	0,65	0,67	0,70	0,72	0,75	0,78	0,81	0,84	0,87
36	0,62	0,64	0,67	0,69	0,72	0,74	0,77	0,80	0,84	0,87	0,90
37	0,64	0,66	0,69	0,71	0,74	0,77	0,80	0,83	0,86	0,89	0,93
38	0,66	0,68	0,71	0,73	0,76	0,79	0,82	0,85	0,88	0,92	0,95
39	0,68	0,70	0,73	0,75	0,78	0,81	0,84	0,87	0,91	0,94	0,98
40	0,70	0,72	0,75	0,77	0,80	0,83	0,87	0,90	0,93	0,97	1,01
41	0,72	0,74	0,77	0,79	0,82	0,86	0,89	0,92	0,96	1,00	1,04
42	0,73	0,76	0,79	0,82	0,85	0,88	0,91	0,95	0,99	1,02	1,06

Fonte: Elaboração dos autores.

Cabe ainda registrar que, se a combinação de anos de contribuição e idade for elevada, o fator pode ter um valor superior à unidade, gerando uma aposentadoria maior do que a média dos salários de contribuição. Por exemplo, uma mulher que tenha começado a contribuir com 22 anos e se aposente aos 59 anos, após 37 de contribuição, na contagem de tempo terá estes registrados como 42, tendo, portanto, um fator de 1,02 ou 102% da média dos salários utilizados para o cálculo da aposentadoria.

Que injustiça?

Costuma dizer-se que o fator previdenciário embute uma grande dose de injustiça, por ser bastante punitivo para quem se aposenta muito cedo, como pode ser visto na Tabela 3.2. Com base na tabela completa do fator previdenciário, foram extraídos os casos específicos para homens e mulheres das Tabelas 3.3 e 3.4, respectivamente, que mostram o valor do fator para diferentes idades de início de contribuição e de aposentadoria.

Alguém, por exemplo, do sexo masculino aposentado aos 55 anos e que tenha começado a contribuir aos 20 anos pode, com um fator de 0,72, considerar-se injustiçado. O mesmo poderia alegar uma mulher aposentada aos 50 anos que tenha começado a trabalhar também aos 20 anos e que esteja sujeita a um fator de 0,60 ("uma perda de 40%!", poderia exclamar).

Tabela 3.3: Fator previdenciário para casos selecionados de aposentadoria masculina

Idade de início de contribuição (anos)	Idade de início do benefício (anos)					
	55	56	57	58	59	60
16	0,81	0,87	0,92	0,99	1,05	1,12
18	0,77	0,82	0,87	0,93	1,00	1,06
20	0,72	0,77	0,83	0,88	0,94	1,01
22	n.a.	n.a.	0,78	0,84	0,89	0,95

Tabela 3.4: Fator previdenciário para casos selecionados de aposentadoria feminina

Idade de início de contribuição (anos)	Idade de início do benefício (anos)					
	50	52	54	56	58	60
16	0,68	0,77	0,87	0,98	1,11	1,26
18	0,64	0,73	0,82	0,94	1,06	1,20
20	0,60	0,69	0,78	0,89	1,01	1,14
22	n.a.	0,65	0,74	0,84	0,96	1,09

Fonte: Elaboração dos autores. n.a.: Não se aplica.

Há três argumentos, porém, a considerar. Em primeiro lugar, a decisão da pessoa de se aposentar com um fator baixo é estritamente voluntária: ninguém obriga a pessoa a se aposentar cedo.

Em segundo lugar, se a pessoa ficasse mais tempo trabalhando, não haveria perda. Se valesse uma idade mínima de 60 anos para os homens e 56 para as mulheres, por exemplo, o valor do fator previdenciário seria aquele exposto na Tabela 3.5. Uma pessoa do sexo masculino que tenha começado a contribuir aos 20 anos, ao se aposentar aos 60 anos por tempo de contribuição, teria um fator previdenciário de 1,01, ou seja, não haveria perda.[6]

Tabela 3.5: Fator previdenciário em função da idade de início de contribuição com idade mínima de Homens = 60 anos e Mulheres = 56 anos

Idade de início de contribuição (anos)	Homens	Mulheres
16	1,12	0,96
18	1,06	0,91
20	1,01	0,87
22	0,95	0,82

Fonte: Elaboração dos autores.

[6] No exemplo, os valores contemplam uma redução da diferença de idade de aposentadoria entre homens e mulheres de cinco para quatro anos.

Em terceiro lugar, o cálculo do fator se justifica, conceitualmente, por uma questão de justiça, porque a) para certa idade de aposentadoria, implica um fator maior para quem contribuiu por mais tempo, o que é perfeitamente lógico, e b) para certo período contributivo, implica um fator maior para quem tiver maior idade, uma vez que, em termos financeiros, isso corresponde a "gastar" o "capital acumulado" por um menor número de anos, dada a menor expectativa de anos de sobrevida em relação a quem se aposenta mais cedo.

Em quarto lugar, em termos quantitativos, o fator se justifica pelo raciocínio exposto a seguir. Para facilitar, supõe-se uma remuneração estável ao longo da vida e incidência de taxa de juros real de 3% ao ano, com capitalização mensal do saldo. Se uma pessoa contribui com uma alíquota de 31% da sua remuneração,[7] em 35 anos irá dispor de 0,31 × 35 = 10,85 vezes a sua remuneração anual, sem qualquer juro. Acrescido de juros de 3% real ao ano, porém, esse montante sobe para 19 vezes a sua remuneração anual. Aos 55 anos, a expectativa de sobrevida de uma pessoa, na média de ambos os sexos, é de 24,9 anos. Portanto, o valor acumulado sem capitalização representa apenas 10,85/24,9 = 43,6% do valor que a pessoa iria receber tendo uma aposentadoria correspondente à sua média contributiva. Mesmo capitalizado, esse valor representa 19/24,9 = 76,3% do que irá receber.[8] Repare-se que, na Tabela 3.2, o fator nesse caso é de 0,72, o que embute um componente realista de remuneração (uma espécie de "taxa de juros") pela "aplicação" feita na aposentadoria futura. Propor que o fator seja extinto equivale a ter um fator igual à unidade, o que tornaria o valor das aposentadorias muito maior do que o valor recebido pelo governo na fase contributiva da pessoa.

O fator previdenciário é baixo, na maioria dos casos, porque as pessoas que se aposentam por tempo de contribuição o fazem muito cedo. Mais especificamente, na média, aos 54 anos no caso dos homens e 51 anos no caso das mulheres. E não é difícil entender a razão disso, à luz dos dados das Tabelas 3.6 e 3.7.[9]

---

[7] Na realidade, o trabalhador contribui com alíquotas que variam de 8% a 11%, dependendo de sua remuneração. O empregador, porém, complementa a contribuição, que em geral é de 31% no total.

[8] Em qualquer dos casos, o cálculo é generoso, pois representa uma situação em que o contribuinte permaneceu ativo, fez todas as contribuições durante 35 anos e não deixou nenhum beneficiário de pensão. Caso tivesse sofrido um acidente que o tornasse inválido ou tivesse deixado um pensionista, os resultados seriam ainda piores.

[9] A tabela traz a agregação das informações. Os dados originais desagregados apontam para uma proporção importante de aposentadorias que ocorrem antes do parâmetro contributivo de 35 anos para os homens e 30 anos para as mulheres, em função da existência de diversos casos especiais.

Tabela 3.6: Frequência do tempo de contribuição das aposentadorias por tempo de contribuição em 2008: Homens (%)

Tempo de contribuição (anos)	Frequência simples	Frequência acumulada
Até 35	73,1	73,1
36	11,0	84,1
37	6,3	90,4
38	3,9	94,3
39	2,3	96,6
40 ou mais	3,4	100,0

Fonte: Cálculos de L. Rangel (IPEA), com base em dados da Secretaria de Previdência Social do Ministério de Previdência Social. Dados apresentados em palestra para a Comissão de Finanças do Congresso Nacional, no debate sobre projeto substitutivo do fator previdenciário (abril de 2008).

Tabela 3.7: Frequência do tempo de contribuição das aposentadorias por tempo de contribuição em 2008: Mulheres (%)

Tempo de contribuição (anos)	Frequência simples	Frequência acumulada
Até 30	78,2	78,2
31	8,5	86,7
32	4,8	91,5
33	2,9	94,3
34	1,7	96,0
35 ou mais	4,0	100,0

Fonte: Cálculos de L. Rangel (IPEA), com base em dados da Secretaria de Previdência Social do Ministério de Previdência Social. Dados apresentados em palestra para a Comissão de Finanças do Congresso Nacional, no debate sobre projeto substitutivo do fator previdenciário (abril de 2008).

Os cálculos feitos a partir dos dados ponderados originais – que foram em parte reagregados nas tabelas citadas –, considerando o tempo de contribuição e o peso de cada linha no total do fluxo de aposentadorias por gênero no ano, geram um período contributivo médio – considerando os casos em que a aposentadoria se dá antes do parâmetro legal de anos de contribuição por gênero – de 35 anos para os homens e 30 anos para as mulheres. Isso significa que esse é tanto o valor modal – isto é, o mais frequente – como o valor médio. A combinação de idade média na aposentadoria e número médio de anos de contribuição permite inferir que, na média, o início da contribuição se dá aos 19 anos (= 54 – 35) no caso dos homens e aos 21 anos (= 51 – 30) no caso das mulheres.[10]

[10] É possível, na prática, que seja um pouco menos porque algumas pessoas completam o período contributivo tendo, porém, algumas lacunas sem contribuição no meio.

Em outras palavras, se uma pessoa começa a contribuir em torno dos 20 anos e se aposenta quando completa o período contributivo, isso significa, por definição, que ela irá se aposentar em torno dos 55 anos se for homem e por volta dos 50 anos se for mulher. Isso só deixará de ser assim se a regra mudar, condicionando a concessão do benefício a certa idade mínima – o que irá prolongar o período contributivo – ou, alternativamente, se a exigência de número de anos de contribuição for ampliada. Sendo a decisão de cada indivíduo tomada voluntariamente e estando as regras muito claras, a causa de, na aposentadoria, o fator previdenciário médio ser baixo está ligada diretamente à baixa idade de aposentadoria. Para ter um fator previdenciário maior, há que se contribuir por mais tempo e/ou se aposentar mais tarde. Não há nada de errado nisso.

Um olhar sobre o mundo

A avaliação acerca do que foi feito em matéria previdenciária no Brasil, definindo o fator previdenciário no caso do INSS no final da década passada e aprovando uma idade mínima para os servidores de 60 anos para os homens e 55 anos para as mulheres, na reforma previdenciária aprovada no início do governo Lula, exige um olhar comparativo sobre o mundo.

Argumenta-se com frequência que a situação do Brasil não pode ser comparada com a dos países mais avançados, porque naqueles países a longevidade é maior. O argumento, porém, é errado. O parâmetro que cabe considerar nessas comparações não é a expectativa de vida ao nascer – no Brasil, afetada pela mortalidade infantil, que, embora declinante, ainda é elevada –, mas a expectativa de vida por ocasião da aposentadoria. E o fato é que, no universo daqueles que se aposentam por tempo de contribuição no Brasil, a expectativa de sobrevida ao se aposentar não é muito inferior à da média dos países avançados.

A Tabela 3.8 é útil para dar uma ideia ao leitor de alguns elementos comparativos importantes para a tomada de decisões sobre a matéria no Brasil, nos próximos anos. Ela mostra as idades para aposentaria, por gênero, em diversos países. A amostra inclui não apenas países desenvolvidos, mas também economias emergentes de renda média ou baixa, como é o caso de Chile, México ou Peru.

O que se observa, em linhas gerais, nesses países, é que:

a) as idades de aposentadoria são muito maiores do que as observadas no Brasil no regime de aposentadoria por tempo de contribuição;
b) em muitos países, as regras de aposentadoria das mulheres são idênticas às que prevalecem para os homens.

Tabela 3.8: Idades de aposentadoria em países selecionados (anos)

País	Homens	Mulheres	Igualdade de gêneros[a]
Alemanha	65	65	Sim
Argentina	65	60	
Austrália	65	60	
Áustria	65	65	Sim
Chile	65	60	
Coreia do Sul[b]	65	65	Sim
Costa Rica	62	60	
Dinamarca	67	67	Sim
El Salvador	60	55	
Espanha	65	65	Sim
Estados Unidos[c]	67	67	Sim
Finlândia	65	65	Sim
Grécia	65	60	
Holanda	65	65	Sim
Hungria	62	62	Sim
Islândia	67	67	Sim
Itália	65	60	
México	65	65	Sim
Noruega	67	67	Sim
Peru	65	65	Sim
Polônia	65	60	
Portugal	65	65	Sim
Reino Unido[d]	65	65	Sim
Suíça	65	65	Sim

Fonte: Cechin e Cechin (2007), Tabela 7, com base em OECD (2003).
[a] Os casos em branco implicam diferença de tratamento entre gêneros.
[b] Regra prevista para 2033.
[c] Regra prevista para 2027.
[d] Regra válida para os homens. Para as mulheres, o limite valerá em 2020.

É verdade que, em vários desses países, existe a possibilidade de aposentadoria antecipada. No fundo, esse é um mecanismo de mitigação das tensões sociais, nos casos em que, a partir de certa idade, o fenômeno do desemprego torna mais difícil a ocupação de postos de trabalho por antigos empregados e a sociedade não quer que essas pessoas caiam em um limbo dramático alguns anos antes de aceder à aposentadoria plena.

Nos casos de aposentadoria antecipada, porém, em primeiro lugar no resto do mundo são raros os episódios em que a saída da vida ativa se dê antes dos 60 anos, ou seja, antes dessa idade o indivíduo simplesmente não pode se aposentar, exceto por doença ou invalidez. E, em segundo lugar, no caso em que é dada permissão de aposentadoria antecipada, há perdas importantes associadas a ela.

Uma situação típica é, por exemplo, ter uma regra que permite a aposentadoria plena aos 65 anos, com possibilidade de aposentadoria antecipada a partir dos 60 anos, mas com perda de 8% por ano de antecipação. Isso significa que aos 60 anos a aposentadoria é de 60% do seu valor integral – o que corresponderia a um "fator previdenciário" de 0,60 –, sendo de 68% aos 61 anos, 76% aos 62 anos, e assim sucessivamente, até fazer jus a 100% da aposentadoria plena aos 65 anos.

No Brasil, um homem que tenha começado a contribuir aos 20 anos, após 40 anos de contribuição, fará jus a um fator de 1,01, o que significa que não terá a incidência de qualquer perda em uma idade na qual, em outro país, poderia perder 30% ou 40% da remuneração.

Olhar para o que acontece no resto do mundo é sempre uma boa forma de avaliar determinada situação. No caso do regime de aposentadoria, o Brasil é um "ponto fora da curva" em diversas comparações que podem ser feitas com outros países. Antes de mostrar algumas dessas comparações referentes a algumas regras específicas, vamos ver em mais detalhes os dados do Brasil. É o que faremos a seguir.

Capítulo 4

A revisão do IBGE: o furo que ninguém deu

"Qué difícil es morirse!"

(frase atribuída pela escritora chilena Isabel Allende a seu avô Agustín, que viveu até quase 100 anos)

A crise econômica mundial de 2008 foi a maior desde a famosa crise de 1929, mas foi passageira e, na altura de 2011 ou 2012, talvez esteja apenas na lembrança. Jovens que estiverem ingressando no mercado de trabalho no Brasil em torno de meados da década de 2010 poderão se lembrar dela vagamente como algo associado a comentários já longínquos que seus pais faziam. Aquilo que tomou rios de tinta nos jornais e ocupou o noticiário on-line durante um ano pertencerá, cedo ou tarde, ao passado.

Em compensação, a notícia mais importante do ano, quando se avalia a perspectiva do Brasil para as próximas duas ou três décadas, passou em brancas nuvens naquele ano. Muitos jornais nem comentaram, e aqueles que o fizeram trataram do assunto em página interna, sem destaque na primeira página e apenas como uma atualização de informações sem a menor relevância. Referimo-nos à revisão das projeções demográficas do IBGE feita em 2008.

O IBGE realiza, a cada 10 anos, os censos populacionais. Como é muito longo o espaço entre dois censos, ele também faz revisões no período intercensitário. Como se dá esse processo? A instituição tem uma série de pontos de uma curva associados aos números de cada um dos censos anteriores. De posse deles, ela projeta o que entende que será a evolução demográfica do país nos 10 anos posteriores ao último censo. O ponto exato em que o país estará 10 anos depois somente será conhecido quando for feito o novo censo, mas o IBGE conta com um poderoso instrumento que o auxilia na tarefa de ir corrigindo suas estimativas regularmente: a Pesquisa Nacional por Amostra de Domicílios (PNAD).

Nessa pesquisa, feita com base em amostras representativas da população, ele vai colhendo informações acerca, por exemplo, de que trajetória estão seguindo alguns parâmetros como a taxa de fecundidade das mulheres. Dispondo desses dados, com intervalos regulares entre uma e outra, ele refaz seus cálculos e divulga a revisão das projeções populacionais. A revisão de 2008, que sucedeu a que tinha sido feita em 2004, não poderia ter sido mais eloquente sobre a importância de o país mudar o enfoque acerca do tema do envelhecimento da sua população.

O furo que ninguém deu

Há sempre muitos políticos dispostos a defender os aposentados, com retórica inflamada. Além do já preocupante problema com o qual o país tem de lidar, associado ao fato de que a cada ano cresce, aproximadamente, 4% o número de aposentados e pensionistas, nossos representantes querem conceder aumentos reais a todos os aposentados. De vez em quando, uma das comissões do Congresso aprova algum desses projetos que aumentam a remuneração real dos aposentados a taxas espantosas. O nosso projeto preferido era um que aumentava o valor real das aposentadorias de acordo com o crescimento do PIB, indefinidamente. Se o PIB crescesse 4% a.a., com o citado crescimento físico do número de aposentados, a despesa real do INSS aumentaria 8,2% a.a. Em 20 anos, isso elevaria a despesa do INSS dos atuais 7,1% do PIB para inacreditáveis 15,6% do PIB! Como financiar isso? A ninguém ocorreu fazer essa pergunta desagradável. Não há limites para a irresponsabilidade em um Parlamento que pode aprovar qualquer coisa, sabendo que os projetos mais absurdos serão vetados pelo Executivo. Como já dizia o ator inglês Peter Ustinov, "diplomatas são pessoas que não gostam de dizer o que pensam e políticos são pessoas que não gostam de pensar no que dizem".

O Brasil já tinha de lidar, felizmente, como a maioria dos países do mundo, com o desafio representado pelo fato de que as pessoas vivem, em média, cada vez mais. Em linhas gerais, os países estão gastando cada vez mais recursos públicos com seus sistemas de aposentadoria, pela simples e singela razão de que há cada vez mais idosos na população, seja no Brasil, nos Estados Unidos, na Nova Zelândia ou na China.

O que confere uma particularidade rara ao caso brasileiro é que o Brasil é um país que gasta muito dinheiro com Previdência, mesmo tendo uma população ainda relativamente jovem. Diversos estudos comparativos mostram que, quando cotejado o caso brasileiro com o de diversas outras nações, o perfil de gasto com Previdência no Brasil é completamente anômalo no contexto mundial.[1]

Tipicamente, o Brasil é um país ainda relativamente jovem que gasta com Previdência uma fração do PIB comparável à de economias com uma proporção de idosos correspondente ao dobro ou ao triplo da observada no país.

---

[1] Ver Caetano e Miranda (2007) e Rocha e Caetano (2008).

O que o IBGE nos informou em 2008, no furo que nenhum jornal deu e que não gerou um único discurso de preocupação no âmbito do Congresso, foi que, além de termos de lidar com uma população que vive cada vez mais, o Brasil das próximas décadas terá de lidar com outro problema, já conhecido, mas numa escala muito mais intensa do que se imaginava no passado: haverá cada vez menos jovens no país.

A consequência disso é que o "bônus demográfico" com o qual se esperava contar devido à transformação desses jovens em adultos que iriam compor a População Economicamente Ativa (PEA) será então menor. Durante anos, pensou-se que o problema para as contas públicas decorrente da maior presença de idosos na população pudesse ser contrabalançado pelo aumento da população jovem, pois haveria ao longo do tempo um crescimento importante da população em idade de trabalhar. Com mais idosos, mas, ao mesmo tempo, mais adultos para trabalhar e gerar riquezas, esse ônus demográfico poderia ser sustentado, ainda que à custa de algum agravamento. O que o IBGE mostrou é que não teremos tantos jovens quanto se supunha e que essa tendência, a se confirmarem as projeções que se podem fazer à luz das PNADs, será muito mais grave do que se poderia imaginar.

A Tabela 4.1 dá uma ideia do desafio. Em 2010, para cada 100 pessoas com idades de 15 a 64 anos, há 10 idosos com 65 anos ou mais. Em 2050, serão 36 idosos para cada 100 membros da população de 15 a 64 anos. A proporção é 20% superior à que tinha sido revelada pelo IBGE na revisão de 2004.

Tabela 4.1: Brasil: População de 65 anos ou mais/ População de 15 a 64 anos, ambos os sexos (%)

Ano	Projeção 2004	Projeção 2008
2010	10,10	10,10
2050	29,72	35,51

Fonte: IBGE (projeções demográficas de 2004 e 2008).

A herança maldita

O que explica os novos números do IBGE? Como se justifica uma revisão que, em termos demográficos, é tão substancial? O leitor pode pensar que, talvez, uma revisão de 20% não seja significativa, sobretudo porque se refere a uma projeção para 2050, 40 anos adiante. Lembremos, porém, que estamos falando de algumas dezenas de milhões de pessoas a menos para sustentar aquelas que já estiverem aposentadas. A explicação para o que aconteceu com a revisão de 2008 aparece na Tabela 4.2.

Tabela 4.2: Brasil: Taxa de crescimento da população (% a.a.)

Período	População de 0-14 anos	População de 15-59 anos	População de 60 anos ou mais	População total
2000/2010	−0,31	1,59	3,32	1,21
2010/2020	−1,72	0,98	3,92	0,70
2020/2030	−1,22	0,14	3,63	0,44
2030/2040	−1,20	−0,35	2,55	0,12
2040/2050	−1,40	−0,89	2,10	−0,17
2010/2050	−1,38	−0,03	3,05	0,27

Fonte: IBGE (projeções demográficas 2008).

Os números mais importantes da tabela são os seguintes:

a) considerando as posições de final de década, a população total do país começará a declinar entre 2040 e 2050;
b) a população na faixa etária de 15 a 59 anos começará a cair, já na década de 2030;
c) a população com idade entre 0 e 14 anos sofrerá uma redução acumulada de 43% entre 2010 e 2050; e
d) a população idosa (60 anos ou mais) em 2050 será mais de 4,5 vezes maior do que era em 2000.

A evolução do grupo etário de 15 a 59 anos ao longo do tempo pode ser compreendida ao se fazer uma analogia com um reservatório de água. De um lado, entra água e, de outro, há escoamento dessa água. O nível do reservatório vai depender, então, dos fluxos de entrada e de saída. Algo similar ocorre na demografia. O estoque do reservatório é composto pelo grupo intermediário de pessoas na composição etária da população (indivíduos de 15 a 59 anos); a "entrada de água" é dada pelo número de crianças que nascem, aqui representada pela população de 0 a 14 anos; e a "saída de água" é representada pelas pessoas que se aposentam (o grupo etário de 60 anos ou mais). O estoque do reservatório irá aumentar ou diminuir dependendo de quão intenso for o processo de saída de pessoas para o grupo superior com o envelhecimento dessas pessoas, comparativamente ao movimento oposto de ingresso de jovens na população adulta.

O que o IBGE está nos dizendo é que, paulatinamente, o efeito associado à população idosa será cada vez mais expressivo em relação à intensidade de transformação de crianças em adultos. Haverá muitos idosos a sustentar – e o número de pessoas a sustentar esses idosos tende à estagnação e, posteriormente, à queda. Nossa geração está agindo com egoísmo em relação a essa questão. Simplesmente não estamos fazendo nada a respeito. A sociedade brasileira está deixando para a geração dos nossos filhos um ônus muito pesado. Daqui a 20, 30 ou 40 anos, eles talvez tenham de enfrentar uma verdadeira herança maldita.

Preste atenção nisto

Se pararmos para refletir sobre os dados da Tabela 4.2, poderemos encontrar alguns resultados notáveis, especialmente se levarmos em consideração o cenário de longo prazo. Dois deles são especialmente relevantes. O primeiro é que, na média, nessas próximas quatro décadas a população brasileira deverá crescer a uma taxa de 0,3% a.a. Essa é uma informação importante porque, no imaginário coletivo do brasileiro, há forte lembrança, com certa dose de nostalgia, de uma época em que o Brasil crescia a 7% ao ano. O que interessa, porém, para o bem-estar dos indivíduos e dos países é a variação da renda *per capita*, e esta depende também do quanto cresce a população. Nessa mesma época saudosa para muitos, a população se expandia a um ritmo anual de 3%, o que significa que o crescimento do bem--estar era de menos de 4% ao ano. Por definição, se a população praticamente não aumenta, então o crescimento da renda *per capita* tende a ser muito parecido com o crescimento do PIB. Isso abre uma janela de melhoria nas condições de vida da população, pois praticamente qualquer crescimento do PIB equivalerá a aumento da renda *per capita*, mas, ao mesmo tempo, imaginar, como fazem alguns, um crescimento da economia de 4-5% todos os anos, durante décadas – que nas condições demográficas das próximas décadas, implica ter um crescimento da renda *per capita* de magnitude similar –, é algo muito pouco provável à luz das condições estruturais do país, com baixo investimento, escassa educação, processo de urbanização já completado, população já não tão jovem etc.

A segunda informação importante da Tabela 4.2 torna-se ainda mais relevante se comparada aos dados de estimativa de população feita em 2004. Se considerarmos apenas o grupo etário de 15 a 59 anos, na projeção de 2004 esse conjunto teria um crescimento médio anual de 0,46% entre 2010 e 2050. Isso significa que, em 2050, o número de indivíduos dessa faixa etária seria 20% maior do que em 2010. Na revisão de 2008, no entanto, como mostra a Tabela 4.2, esse mesmo grupo, para o mesmo período, terá crescimento médio anual virtualmente nulo (na realidade, sutilmente negativo). Isso mesmo. Teremos, em 2050, praticamente o mesmo número de indivíduos entre 15 e 59 anos que em 2010. Como daqui a quatro décadas a população idosa será muito mais numerosa do que a atual, terá de ser sustentada pela renda gerada por uma população em idade de trabalhar praticamente igual à de hoje! Haja aumento de produtividade para poder arcar com esse ônus...

As mulheres vão dominar o mundo

Há duas tendências demográficas, observadas em todo o mundo, às quais os países vão paulatinamente se ajustando e diante das quais o Brasil parece fechar os olhos. A primeira é que as pessoas vivem cada vez mais, razão pela qual as regras de aposentadoria vão sendo adaptadas gradualmente, de modo a ficarem ajustadas a essas mudanças. E a segunda é que o fluxo de aposentadorias femininas está aumentando, reflexo de sua crescente participação no mercado de trabalho. Mantendo-se alheio a essas tendências, o Brasil até agora não aprovou uma idade mínima de aposentadoria no regime geral do INSS, e a diferença de requisito de idade e de tempo de contribuição entre homens e mulheres (cinco anos) continua sendo a mesma de quando foi aprovada a Constituição de 1988.

A combinação de regras legais anacrônicas – constitucionais ou infraconstitucionais – com a realidade demográfica nos dá o seguinte quadro: as mulheres vivem mais e se aposentam muito mais cedo. A Tabela 4.3 fornece alguns números interessantes.

Tabela 4.3: Participação feminina na população, segundo grupos etários (%)

Ano	60 anos e mais	80 anos e mais
2010	55,7	59,2
2050	55,8	62,4

Fonte: IBGE (projeções demográficas 2008).

No universo de pessoas de 60 anos e mais, as mulheres são 56%, proporção que não se espera que se modifique nas próximas décadas. Já no grupo específico de pessoas com 80 anos ou mais, devido à maior incidência de mortalidade na população masculina nas idades anteriores, a proporção de mulheres é maior (59%), podendo-se antever inclusive um novo aumento desse percentual, para 62% em 2050.

Note o leitor que o peso das mulheres na composição das aposentadorias se dá de duas formas. Por um lado, a demografia desempenha papel importante, apontando para o fato de que no conjunto da população idosa há preponderância da população feminina. Por outro, as regras de aposentadoria acentuam o ônus que isso impõe para as contas públicas, pelo fato de fazer com que, na população ainda em idade de trabalhar, na faixa de 50 a 60 anos, o peso das mulheres que recebem benefícios previdenciários seja dominante, uma vez que muitos homens nessa idade ainda estão contribuindo e não se aposentaram. Em outras palavras, no que se refere ao peso representado pelo fenômeno sobre as contas públicas, a legislação agrava a tendência que já seria determinada pela demografia.

A matemática neoliberal

A Tabela 4.4 complementa as anteriores. Ela indica que, no período que abrange "apenas" os próximos 15 a 20 anos, primeiro a taxa de variação do número de mulheres com 60 anos ou mais será maior que a dos homens; segundo, no conjunto de ambos os sexos, a taxa de variação dessa população será crescente a "curto" prazo e tendente a 4% ao ano.

Tabela 4.4: Brasil: Taxa de crescimento da população idosa (% a.a.)

	População com idade igual ou maior a 60 anos		
Período	**Homens**	**Mulheres**	**Total**
2005/2010	3,2	3,6	3,4
2010/2015	3,6	4,0	3,8
2015/2020	3,9	4,1	4,0
2020/2025	3,9	4,1	4,0

Fonte: IBGE (projeções demográficas 2008).

Isso significa que, se assumirmos o crescimento da população idosa como uma *proxy* da variação da população de aposentados e pensionistas, o número destes tenderá a crescer em torno de 4% a.a. por muito tempo. Ainda que a economia cresça a essa velocidade – o que fará com que, mesmo sem uma reforma previdenciária, a relação entre as despesas do INSS exclusivamente decorrentes da expansão populacional desse grupo etário e o PIB se mantenha estável –, o peso relativo dos gastos previdenciários tenderá a aumentar como proporção do PIB, caso complementarmente a maioria dos benefícios – aqueles atrelados ao salário mínimo – continue tendo seu valor incrementado em termos reais indefinidamente.

É por essa razão que, nos debates sobre o tema, nunca devemos perder de vista o fato de que, embora a Previdência Social não possa ser considerada uma simples questão matemática e atuarial – por envolver considerações de natureza política, social e ética, ligadas à noção de solidariedade –, ela envolve também questões que são eminentemente matemáticas e atuariais e que não podem ser ignoradas.

Pode haver técnicos que propõem um sistema previdenciário baseado pura e simplesmente em modelos matemáticos e de racionalidade econômica, completamente desvinculados da realidade e com escassa sensibilidade acerca de como as pessoas irão encarar o assunto. Nesse caso, tais técnicos estão sendo muito pouco práticos e revelando a sua falta de capacidade de convencimento, além de inabilidade para transitar no mundo de regras e ritos específicos da política.

Por outro lado, o político que, em nome da ideia de que "o importante é pensar nas pessoas, não em números", ignora completamente as tendências demográficas e se recusa a analisar as consequências de longo prazo associadas à falta de ação das autoridades diante do agravamento das tendências previdenciárias pode ficar em paz com sua consciência, ganhar aplausos e ser eleito. Porém, a longo prazo, estará conseguindo apenas uma coisa: tornar mais sombrio o futuro da geração dos nossos filhos.

[illegible]lianta querer estabelecer regras imutáveis quando a sociedade e a de[illegible] mudam ao longo do tempo. Louva-se sempre, e com razão, a Constitu[illegible] dos Estados Unidos, que em quase dois séculos e meio sofreu apenas umas poucas Emendas, em contraste com a brasileira, modificada dezenas de vezes desde 1988 – sem contar as diversas Constituições feitas ao longo dos séculos XIX e XX. Entretanto, se a Constituição norte-americana foi, em essência, preservada intacta, é porque ela é aquilo que uma Constituição deve ser. Ou seja, um conjunto de regras e princípios que regulam as relações entre os homens de uma sociedade, deixando seu detalhamento a cargo da legislação ordinária. Como essas regras e princípios, em geral, não têm por que serem mudados ao longo do tempo, a Carta Magna, nesses casos, pode ser mantida sem alterações.

Em contraposição a tal modelo, quando essa Carta, em vez de ser uma carta de princípios, regula uma diversidade imensa de detalhes – como, apenas para citar um caso emblemático, o percentual da remuneração da hora extra – e, além disso, incorpora dispositivos que dizem respeito a parâmetros que mudam com o passar dos anos, a tensão é inevitável. Concretamente, se a Constituição determina que as pessoas podem se aposentar em função de uma idade X e a demografia se altera ao longo das décadas, de duas, uma: ou a Constituição se adapta à demografia ou a demografia vai ignorar a Constituição – uma vez que ela não vai se adaptar ao que estiver escrito no artigo Y ou Z.

Os dados da Tabela 4.5 apontam para mudanças drásticas. A proporção da população com 60 anos ou mais em relação à população total, no Brasil, vai simplesmente triplicar nos próximos 40 anos. A proporção daqueles com 65 anos ou mais vai se multiplicar por um fator 3,3 nesse mesmo período. Por sua vez, no grupo com 80 anos ou mais, a mudança é ainda mais impressionante: passará de 1% para 6% da população em apenas 40 anos. Hoje vemos poucas pessoas muito idosas na rua; em 2050, elas constituirão um cenário comum. A cegueira ideológica leva muitos a considerar que as propostas de mudança de regras de aposentadoria são "coisa de tecnocrata", "manifestações da direita" ou "imposição do consenso de Washington". A realidade é muito mais singela. Não se trata de aprovar uma "tese neoliberal". Trata-se de encarar um problema prático.

Tabela 4.5: Brasil: Proporção de idosos na população total, ambos os sexos (%)

Ano	60 anos ou mais	65 anos ou mais	80 anos ou mais
2010	10,0	6,8	1,4
2020	13,7	9,2	1,9
2030	18,7	13,3	2,7
2040	23,8	17,5	4,3
2050	29,8	22,7	6,4

Fonte: IBGE (projeções demográficas 2008).

Questões para pensar

Nos próximos capítulos, mostraremos as consequências da atitude complacente que o país teve em relação à questão previdenciária ao longo das duas últimas décadas. Antes de entrarmos nessas questões e de esmiuçarmos em detalhes as causas da trajetória da despesa previdenciária ao longo dos anos, deixamos ao leitor duas questões para ir pensando.

A primeira delas é: deve o país conservar intacta a diferença de requisito de aposentadoria entre homens e mulheres, quando o peso das aposentadorias e pensões será cada vez mais associado às mulheres? A Tabela 4.6 ajuda a dimensionar o peso disso. Ela mostra o peso crescente das mulheres: em 2010, a relação população com idade de 65 anos ou mais/população com idade entre 15 e 64 anos das mulheres é 24% superior à dos homens. Em 2050, essa mesma relação, além de para ambos os sexos ser muito maior que hoje, no caso das mulheres será 31% superior à dos homens. Será que não cabe discutir, à luz disso, alguma revisão da diferença de regras de aposentadoria entre os sexos?

Tabela 4.6: Brasil: População de 65 anos ou mais/15-64 anos (%)

Ano	Homens	Mulheres	Total
2010	9,0	11,2	10,1
2050	30,7	40,2	35,5

Fonte: IBGE (projeções demográficas 2008).

A segunda questão que deixamos à consideração do leitor é: faz sentido deixar intactas as regras de aposentadoria quando a demografia se altera? Complementando o que foi dito e mostrado até agora, é útil olhar os dados do Gráfico 4.1, construído com base nas tábuas de mortalidade do IBGE. Ele mostra a esperança de vida, em média, para ambos os sexos, dos brasileiros que atingem os 60 anos. Hoje, um homem que chega a essa idade "espera" viver ainda mais 20 anos. Nas mesmas condições, a mulher "espera" viver mais 23 anos. Em 2030, conforme as projeções demográficas do IBGE, na mesma idade de 60 anos serão mais 22 anos, no caso dos homens, e mais 26 anos, no das mulheres. Tomando como referência o Censo de 1991 – realizado três anos depois da aprovação da Constituição de 1988 –, em apenas 39 anos, entre 1991 e 2030, essa expectativa de sobrevida terá aumentado cinco anos no caso dos homens e seis anos no caso das mulheres. Nesse contexto, é razoável conservar a mesma idade de aposentadoria que em 1988, quando a Constituição foi aprovada? Nos próximos capítulos, veremos essas questões mais de perto.

Gráfico 4.1: Brasil: Esperança de vida aos 60 anos (anos)

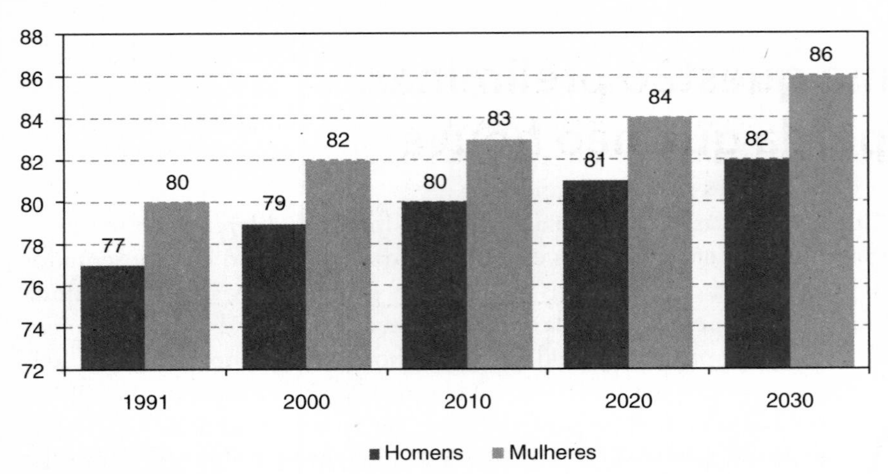

Fonte: IBGE (2006).

Capítulo 5

Uma questão preliminar: a perda que não houve

"Em política, a versão é mais importante do que o fato."

Máxima política

Antes de nos aprofundarmos no tratamento das questões anunciadas em capítulos anteriores, é necessário destinar um capítulo a um ponto cujo esclarecimento é crucial para poder avançar: as supostas "perdas dos aposentados que ganham acima de um salário mínimo". Isso porque praticamente não se passa um dia sequer sem que a seção de cartas de leitores de alguns dos grandes jornais do país não tenha pelo menos uma carta de um aposentado indignado com o que seriam as perdas que sua aposentadoria teria sofrido ao longo do tempo. Não apenas aposentados reclamam dessas "perdas". Diversos políticos têm enveredado no mesmo raciocínio e atuado no sentido de se estender a todos os aposentados reajustamento igual ao concedido ao salário mínimo. Vamos analisar a realidade.

Um argumento apelativo

Nietzsche dizia que "o maior inimigo da verdade não é a mentira, mas a convicção", e este parece ser mais um caso da comprovação da veracidade da assertiva. Vejamos por quê. Uma dessas cartas típicas mencionadas no parágrafo anterior seria mais ou menos a seguinte (o nome do governante pode variar, porque a crítica é sempre a mesma): "Mais uma vez, o governo concede um reajuste ridículo aos aposentados, que são chamados a pagar a conta dos desmandos administrativos que ocorrem no país. Entra ano, sai ano, e a realidade é sempre a mesma: a de que os aposentados que ganham acima de um salário mínimo são submetidos a perdas sucessivas. Agora, o salário mínimo acaba de ser aumentado em mais de 11% e os aposentados vão ser 'brindados' com uma correção de 5,87% das suas remunerações. É assim que se premia aqueles que tanto se esforçaram para que o país pudesse evoluir e prosperar." O leitor que não é aposentado lê essa carta e tende naturalmente a se solidarizar, concluindo que "é verdade, o Brasil trata muito mal os seus idosos. É triste chegar ao final da vida e ser submetido a essa degradação constante todos os anos".

O senador Paulo Paim fez do tema o mote das suas campanhas eleitorais. Depois de ter defendido durante toda a sua vida política o aumento do salário mínimo e ter se tornado o algoz do ministro da Fazenda de plantão todas as vezes que o assunto era discutido, declarou recentemente na TV, em defesa do seu projeto de reajustar todas as aposentadorias pelo mesmo valor, que, "se o salário mínimo continuar aumentando, vai chegar um dia em que todos os aposentados vão ganhar apenas um salário mínimo!". Em outras palavras, ele percebeu que, em uma fração, quando o denominador aumenta, o quociente diminui. Se uma variável é igual a duas vezes o valor de X e este X é multiplicado por dois, então a variável se torna igual a X. Consenso sobre os números é o primeiro passo para o entendimento.

A verdade nua e crua

A verdade dos números aparece claramente exposta na Tabela 5.1. Ela mostra que, nos 15 anos transcorridos entre o reajuste observado no começo do Plano Real e o reajuste verificado em 2010, as aposentadorias acima de um salário mínimo tiveram um aumento real acumulado de 25,2%. Deve ser esclarecido que o reajuste ficou concentrado em 1995, quando todas as aposentadorias – e não apenas aquelas indexadas ao salário mínimo – tiveram o seu valor nominal reajustado em 43%, quando a inflação começava a "rodar" em torno de 20%, o que fez com que o valor real do rendimento dos aposentados desse um salto, na ocasião. Daí em diante, basicamente as aposentadorias acima do valor de um salário mínimo acompanharam a inflação, com pequenas exceções, como em 1996, quando ficaram um pouco abaixo da variação do INPC, em função do indexador escolhido na época; ou em 2006, quando, pelo fato de ser um ano eleitoral, o presidente Lula ordenou conceder um aumento real de pouco menos de 2% aos aposentados que não haviam sido beneficiados pelo aumento que o salário mínimo teve na ocasião.[1]

Isso significa que uma pessoa que tenha se aposentado, por exemplo, em 1994, com um poder aquisitivo de 100 tem hoje uma remuneração real de 125, enquanto alguém que se aposentou depois não teve tal ganho. O fato de não ter havido um ganho é uma coisa. Que haja existido uma perda, porém, é algo completamente diferente: ela simplesmente não ocorreu. Parodiando o ex-juiz Arnaldo César Coelho, com seu famoso bordão "a regra é clara", podemos dizer que "a Tabela 5.1 é clara": as aposentadorias acima do salário mínimo acompanharam, *grosso modo*, a inflação, a partir de meados da década passada.

---

[1] Observe-se, na Tabela 5.1, que esse mesmo recurso foi repetido em 2010. Por coincidência, outro ano eleitoral.

Tabela 5.1: Variação do valor real das aposentadorias acima de um salário mínimo (%)[a]

Ano	No ano	Acumulada
1995	22,63	22,63
1996	–2,72	19,29
1997	–0,52	18,67
1998	0,05	18,73
1999	1,38	20,37
2000	0,45	20,91
2001	–0,06	20,84
2002	0,16	21,03
2003	–0,61	20,30
2004	–0,04	20,25
2005	–0,24	19,96
2006	1,73	22,03
2007	0,00	22,03
2008	0,03	22,07
2009	0,00	22,07
2010	2,60	25,24

[a] Compara o reajuste observado com a variação do INPC acumulada entre o reajuste precedente e o mês imediatamente anterior ao reajuste.

Fonte: Elaboração dos autores, com base no valor do salário mínimo.

Separando o joio do trigo

Com o que foi dito, queremos dizer que os aposentados vivem bem e não têm razão para se queixar? Não: aqui é preciso separar o joio do trigo. O Estado brasileiro oferece serviços vergonhosos em várias áreas. Duas delas sempre são motivo de destaque no noticiário – e com razão. Referimo-nos ao atendimento nos postos do INSS – que, em geral, deixa muito a desejar, para dizer o mínimo – e aos problemas do setor de saúde – que dispensam maiores comentários porque são conhecidos por todos. Ambos afetam de forma mais concentrada os idosos: os postos do INSS, porque são eles os principais usuários do serviço – é pouco comum uma pessoa de 30 ou 40 anos ter de ir a um posto do INSS, a não ser em nome de um parente impossibilitado de fazê-lo; e os hospitais públicos, porque a frequência da ocorrência de problemas médicos e de necessidade de internação aumenta com a idade. Os serviços públicos do Brasil, nessas áreas, são precários, e o descaso administrativo e a falta de zelo pelo bom atendimento são fenômenos conhecidos. É direito de todo cidadão ser bem atendido e, não sendo esse o caso, nada mais legítimo do que alguém que se sentir prejudicado protestar.

Essa fonte de reclamação por parte dos idosos é pertinente e justíssima. Porém, muitas vezes, a pessoa, não sendo corretamente tratada pelos representantes do Estado, descarrega no tema da remuneração que recebe do INSS toda a sua compreensível revolta diante do Estado que atende mal – mas, nesse caso, no que se refere à remuneração, a reclamação deixa de ser procedente.

É útil esclarecer mais uma vez o ponto: não estamos querendo dizer, evidentemente, que todos os aposentados ganhem bem, nem mesmo que o que recebem lhes permite uma vida digna e compatível com suas necessidades. O que queremos apontar é que, se um aposentado recebe uma remuneração de, por exemplo, R$800, é porque provavelmente contribuiu sobre um valor que, atualizado e multiplicado pelo fator previdenciário, gerou tal número, e não porque anos antes recebia um valor real maior, que foi corroído pela inflação. Se for aceito o princípio de que cada um deve ganhar na aposentadoria um valor correspondente ao das suas contribuições, não há qualquer injustiça nesse fato.

Alguns alegam que o valor das contribuições não deveria ser um indicador de quanto os aposentados deveriam receber, porque na terceira idade as despesas com saúde aumentam. Aumentar o valor da aposentadoria, porém, não deveria ser a resposta para isso. Primeiro, porque, embora seja verdade que os gastos com saúde aumentam, por outro lado um idoso típico já deixou de incorrer em compromissos com os quais teve de arcar na sua vida adulta (criação e escola dos filhos, alimentação da família, constituição de um patrimônio para aquisição de casa própria ou automóvel, no caso dos que têm esses bens etc.), além de, em geral, as pessoas nessa faixa etária terem menos despesas com transporte e fazerem menos viagens longas de lazer. Segundo, porque a reação adequada do poder público para lidar com questões de saúde pública deve ser dada pela política de saúde, melhorando os hospitais ou tendo programas específicos para grupos sujeitos a custos de saúde especialmente caros.

Raízes do equívoco

Para quem não está familiarizado com questões de economia, parece intuitivamente correta a argumentação de que, se um aposentado originalmente ganhava X salários mínimos e hoje recebe uma aposentadoria de Y salários mínimos, sendo $Y < X$, então ele sofreu uma "perda". Será que o raciocínio é procedente? Vimos anteriormente que, na verdade, as aposentadorias acima do mínimo, de modo geral, acompanharam a inflação depois de 1995. O que aconteceu desde então é que o salário mínimo teve aumento significativo do seu poder de compra. Desse modo, tudo o que for expresso em número de salários mínimos teria sofrido uma perda, não apenas as aposentadorias acima do mínimo. A Tabela 5.2 mostra o caso de uma pessoa que tenha uma renda de aluguel. Digamos que essa pessoa, proprietária de um apartamento, tenha assinado um contrato com o inquilino no mês de janeiro de 1995 no valor de

R$500, contrato esse que estabelecesse que, daí em diante, em todos os meses de janeiro, o aluguel seria reajustado em função da variação do INPC nos 12 meses anteriores ao reajuste. Naquela ocasião, o salário mínimo era de R$70, de modo que o aluguel correspondia a 7,1 salários mínimos. Quinze anos depois, em janeiro de 2010, a prática costumeira da indexação anual levou o aluguel a R$1.504,73, um aumento nominal expressivo, mas que basicamente repôs a inflação, ou seja, o seu valor real é o mesmo que em janeiro de 1995. Ninguém, nem o proprietário nem o inquilino, ganhou ou perdeu em termos reais. É um valor justo, entendido como "justo" aquele valor real que corresponde às condições originalmente pactuadas. O problema é que, em janeiro de 2010, o salário mínimo era de R$510, de modo que o mesmo valor real do aluguel correspondia agora em termos nominais a "apenas" três salários mínimos.

Tabela 5.2: Valor hipotético de um aluguel de R$500 em 1995, corrigido pelo INPC em janeiro, expresso em número de salários mínimos

Ano	Aluguel (R$)	Variação INPC ano (%)	Salário mínimo (R$)[a]	Aluguel (em SM)
1995	500,00	21,98	70,00	7,1
1996	609,90	9,12	100,00	6,1
1997	665,52	4,34	112,00	5,9
1998	694,40	2,49	120,00	5,8
1999	711,69	8,43	130,00	5,5
2000	771,69	5,27	136,00	5,7
2001	812,36	9,44	151,00	5,4
2002	889,05	14,74	180,00	4,9
2003	1020,10	10,38	200,00	5,1
2004	1125,99	6,13	240,00	4,7
2005	1195,01	5,05	260,00	4,6
2006	1255,36	2,81	300,00	4,2
2007	1290,64	5,16	350,00	3,7
2008	1357,24	6,48	380,00	3,6
2009	1445,19	4,12	415,00	3,5
2010	1504,73	–	510,00	3,0

[a] Valor no mês de janeiro.
Fonte: Elaboração dos autores.

Ora, não faz sentido considerar que o proprietário teve uma "perda" de mais de 50% do valor real do seu aluguel. Se o argumento fosse válido, ele teria de aumentar o valor real do aluguel em mais de 100%. Imagine o leitor a satisfação com que o inquilino receberia a notícia... O mesmo vale para qualquer outro preço da economia.

Na verdade, para entender a essência do problema, nem é preciso lidar com números afetados pela inflação. Basta pensar em duas situações:

a) se uma pessoa A recebe uma aposentadoria de um salário mínimo, atualmente de R$510, e outra, B, o dobro disso, ou seja, R$1.020, e o salário mínimo, por hipótese, dobra para R$1.020, a capacidade de aquisição de bens de B não se modificou, mas apenas A se igualou a ele. Com base em que critério, ligado ao poder aquisitivo, B poderia se julgar mais pobre?[2]
b) pensemos agora na situação oposta, apenas para efeito de raciocínio, já que o caso, evidentemente, não é realista, mas apenas para mostrar ao que nos levaria o raciocínio das "perdas". Digamos que um aposentado ganhe dois salários mínimos (R$1.020) quando o salário mínimo é de R$510 e que determinado dia o salário mínimo diminua para R$255, sem mudança do valor da aposentadoria citada. Nesse caso, ela passaria a ser de quatro salários mínimos. Será que faria sentido considerar que o aposentado teve um aumento real de 100% da sua remuneração? Claro que não.

Exatamente por esse mesmo raciocínio, quando o salário mínimo aumenta, os aposentados que ganham acima de um salário mínimo deixam de ganhar, mas não perdem nada. A expressão "perda", em matemática, tem um significado muito claro e ele não se aplica a esse caso.[3]

O valor do teto

Cabe, por último, analisar outro argumento citado com muita frequência nas críticas ao sistema de aposentadoria: a ideia de que alguém contribuiu ou se aposentou pelo teto e hoje recebe muito menos do que o teto. Aqueles que começaram a contribuir há muito tempo têm, de fato, razões para se queixar

[2] É claro que dobrar o salário mínimo teria efeitos sobre certos preços, especialmente de serviços, que estão intimamente ligados ao salário mínimo, como, por exemplo, empregadas domésticas, serviços de higiene pessoal, beleza etc. Esses preços tenderiam a subir. Mas, nesse caso, não apenas os aposentados que ganham mais do que um salário mínimo teriam perda de poder aquisitivo, mas todos os trabalhadores e toda a sociedade em geral.

[3] Do ponto de vista matemático e econômico, não há elementos para se falar em "perdas". Contudo, há uma "sensação" de perda por parte dos aposentados que ganham benefícios superiores ao salário mínimo. Trata-se, obviamente, de uma hierarquização de valores. Receber anos atrás quatro salários mínimos "revelava" que aquele aposentado tivera uma carreira profissional que correspondia a aproximadamente quatro vezes a remuneração que um trabalhador sem qualificação – ou de muito baixa qualificação – poderia obter. Ao receber hoje apenas dois salários mínimos de aposentadoria, ele sente que foi "rebaixado" na hierarquia social.

porque, até os anos 1980, a contribuição se dava sobre um valor maior que o de hoje e essas pessoas sofreram, de fato, uma perda. Isso, porém, deve ser relativizado, uma vez que o conjunto de trabalhadores que recebiam salários altos era bastante reduzido, dada a distribuição de rendimento do país à época. Com o passar dos anos, a parcela de aposentados que contribuíram sobre valores mais elevados tenderá a se tornar desprezível. Imaginemos uma pessoa do sexo feminino que se tenha aposentado, por exemplo, no ano de 2003, com 30 anos de contribuição e 50 anos de idade, tendo começado a contribuir em 1973 e que pelo menos até 1984 teve remuneração igual ou superior a 20 salários mínimos. Suas contribuições entre 1973 e 1984, baseadas nesse teto, não foram devidamente contabilizadas pelo seu valor.[4] Ocorre que, primeiro, elas correspondem a aproximadamente ⅓ de seu histórico contributivo. Segundo, mesmo com esse vício de contagem referente ao período mencionado, a pessoa receberá benefícios por praticamente o mesmo período que contribuiu. Terceiro, de qualquer forma, a regra de aposentadoria do fator previdenciário, para evitar uma controvérsia jurídica interminável acerca de como indexar os valores da época de alta inflação, contabiliza os anos efetivamente trabalhados para efeitos de contagem do tempo, mas define o período de cálculo da aposentadoria como aquele iniciado em julho de 1994, e isso já passou até mesmo pelo crivo do Supremo.

O argumento principal de quem se queixa é que o valor que as pessoas recebem mesmo tendo contribuído pelo teto é muito inferior ao teto atual. A razão, porém, não é difícil de entender e está ligada ao fato de que, tanto na reforma constitucional de 1998 como na de final de 2003, o teto do INSS foi fixado em 10 salários mínimos da época, elevando seu valor nominal em relação ao valor vigente na época. O teto, nas citadas reformas, passou para R$1.200 em 1998 – quando o salário mínimo era de R$120 – e para R$2.400 no final de 2003 – quando o salário mínimo era de R$240 (ver Tabela 5.3).

[4] É bem verdade que a Lei nº 6.147, de 29/11/1974, determinou que, a partir de janeiro de 1975, o salário de contribuição fosse definido pela aplicação de "fatores" que reduziam esse teto. A referida lei compunha o leque de instrumentos legais que estabeleciam fórmulas de reajustamento de salários – e também do teto previdenciário –, visando conter a expansão salarial, sobretudo dos salários mais elevados. A Lei nº 6.205, de 29/4/1975, descaracteriza o salário mínimo como fator de correção monetária aplicável aos benefícios e salário-contribuição da Previdência Social. O efeito desses aparatos legais foi reduzir, na prática, o teto de 20 salários mínimos determinado pela Lei nº 5.890, de 8/6/1973. O teto foi definido como de 10 salários mínimos em 1989, com a Lei nº 7.787 e, depois da estabilização de 1994, ele foi, no máximo, de 10 salários mínimos. Para um histórico detalhado da evolução da legislação referente ao teto de contribuição, ver Santos (2009), especialmente Quadro 1.1F.

Tabela 5.3: Relação Teto previdenciário INSS/Piso INSS em dezembro

Ano	Teto (R$)	Piso (R$)	Relação Teto/Piso INSS
2003	1.869,34	240,00	7,79
2004 (janeiro)	2.400,00	240,00	10,00
2004	2.508,72	260,00	9,65
2005	2.668,15	300,00	8,89
2006	2.801,82	350,00	8,01
2007	2.894,28	380,00	7,62
2008	3.038,99	415,00	7,32
2009	3.218,90	465,00	6,92
2010	3.416,54	510,00	6,70

Fonte: Ministério da Previdência Social.

Nessa última reforma, em particular, o teto deu um salto substancial, pois na época era da ordem de apenas R$1.870. Imaginemos alguém que, um dia antes da reforma, tenha se aposentado, no final de 2003, ganhando 100% do teto. No dia seguinte, o teto teve um aumento de 28%, mas o valor de seu benefício permaneceu constante. Para ele, houve uma "sensação de perda" de mais de 20%. Adicionalmente, entre dezembro de 2003 (antes da reforma de Lula que elevou o teto) e janeiro de 2010, o salário mínimo teve um aumento real acumulado da ordem de 60%. Resultado: quem contribuiu pelo teto e se aposentou pelo teto ganha hoje algo em torno de 78% do teto e um número de salários mínimos que é inferior a 65% do número de salários mínimos a que correspondia o benefício no momento de se aposentar. Entretanto, sua aposentadoria foi sempre corrigida pela inflação, ou seja, não apresentou perda alguma!

Capítulo 6

A Previdência em números

"Dans les pages qui suivent, je ne propose rien d'autre que de simples faits et du bon sense."

Thomas Paine, autor franco-americano, em *Common Sense*, 1776

Margareth Thatcher, ex-primeira-ministra inglesa, costumava dizer: "Aprendi uma coisa na política: você não toma uma decisão até que seja necessário." A conveniência de realizar uma nova reforma do sistema previdenciário brasileiro vem sendo exposta pelos especialistas há muitos anos. O fato de ela não ter sido até agora estritamente "necessária", no sentido de que, se não fosse feita, o país teria problemas dramáticos em prazo relativamente curto, explica a atitude protelatória que se tende a adotar nesses casos. Neste capítulo, mostraremos o custo dessa protelação, ou seja, como o adiamento do enfrentamento da questão tende a repercutir em variáveis-chave, como, por exemplo, quanto o país gasta com Previdência Social.

Ao mesmo tempo, pretendemos também expor, sinteticamente, um conjunto de dados que procurem convencer o leitor acerca da importância de que o tema seja finalmente encarado pelo próximo governo. No presente capítulo, iremos apenas expor fatos que permitam que o leitor tenha uma visão panorâmica das principais questões previdenciárias que afligem o Brasil.

Essas questões serão detalhadas nos capítulos da terceira parte do livro, de modo a oferecer ao leitor um amplo conjunto de informações que esmiúçam o que aqui será tratado. Esperamos com isso que cada leitor tire as próprias conclusões.

A lógica da defesa dos interesses populares

Em seu livro de memórias, o ex-presidente Fernando Henrique Cardoso relata as dificuldades que teve para convencer parlamentares de sua própria base aliada a aprovar medidas que ele considerava importantes, entre elas uma reforma previdenciária ampla: "Os parlamentares com interesses clientelísticos (ou outros piores)... se aproveitavam das posições ideológicas das oposições para retardar as votações ou desfigurá-las, embora permanecessem, formalmente, 'governistas'."[1]

---

[1] Cardoso (2006), p. 484.

É interessante ler, no mesmo livro, as passagens que se referem especificamente à reforma da Previdência original por ele proposta e, posteriormente, desfigurada no processo de tramitação legislativa. Na sua concepção original, a reforma contemplava a idade mínima de 60 anos para os homens e 55 para as mulheres. E isso em... 1995! Dezesseis anos depois, em 2011, ou seja, após quatro mandatos presidenciais completos, talvez estejamos discutindo a mesma coisa (isso, na hipótese de não haver nova protelação e o assunto ficar para 2015).

O *script* seguido por muitos parlamentares nessas situações é sempre o mesmo: eles alegam defender o governo "naquilo que ele tem de bom", mas se colocam em defesa "dos interesses da população" quando, supostamente, julgam que há alguma proposta oficial que a prejudique. Na realidade, as motivações são outras: em alguns casos, o que está por trás da atitude é o temor de não serem reeleitos, por serem considerados pelo eleitorado "contra os aposentados". Em outros, o que está em jogo é a velha tática de "criar dificuldades para vender facilidades" e fazer "jogo duro" com o governo de plantão, à espera de alguma vantagem que compense o que o parlamentar vê como um ônus (votar com o governo) em casos controversos.

A saída, para um Poder Executivo comprometido com a realização de reformas, é expor as questões abertamente, mostrando "por A mais B" por que está defendendo uma reforma da Previdência. Os números que amparam isso serão mostrados a seguir. Na terceira parte do livro colocaremos um *zoom* em cada um desses aspectos e os analisaremos em detalhes.

O velho quadro: a "fotografia" *versus* o "filme"

Todas as vezes que um governo tenta aprovar uma reforma da Previdência, começa a aparecer no noticiário um quadro como o exposto na Tabela 6.1. Fa-

Tabela 6.1: Resultado previdenciário: 2009 (% PIB)

Composição	% PIB
Servidores	−1,7
Receita	0,3
Despesa	2,0
INSS	−1,4
Receita	5,8
Despesa	7,2
Total (déficit)	−3,1
Receita	6,1
Despesa	9,2

Fonte: Elaboração dos autores.

zemos alusão a ela pelo fato de ser uma informação que provavelmente o leitor já viu alguma vez, embora, como argumentaremos no próximo capítulo, não nos pareça o melhor argumento em defesa da importância de uma reforma das regras de aposentadoria. A tabela mostra a diferença entre o que se arrecada de contribuições previdenciárias e o que aparece nas estatísticas oficiais como despesa com aposentados e pensionistas e outros benefícios previdenciários, como, por exemplo, o auxílio-doença.

Os que defendem a reforma das regras do INSS apontam para os dados desse regime. Já quem julga que o problema está no regime de aposentadoria dos servidores – tema ao qual voltaremos no próximo capítulo – aponta para a comparação entre os números associados àqueles e os do INSS para fazer o seguinte raciocínio: o desequilíbrio entre receitas e despesas é parecido, só que o desequilíbrio do INSS está associado a mais de 20 milhões de benefícios e o dos servidores, ao pagamento de apenas um milhão de aposentados e pensionistas. Portanto, o problema da aposentadoria dos servidores é o grande nó a ser desatado.

O raciocínio é intuitivamente tentador, mas há dois problemas com ele. O primeiro é que a reforma das regras de aposentadoria dos servidores já foi feita (parte em 1998 e, de forma mais completa, em 2003). Há um desequilíbrio muito grande hoje em dia, porque existe um estoque significativo de servidores aposentados que se aposentaram pelas regras antigas, muito favoráveis, e que têm de ser pagos. Entretanto, aqueles que ingressaram no sistema depois de 2003, e principalmente aqueles que vierem a ingressar uma vez que o fundo de pensão – com teto igual ao do INSS – seja regulamentado, deixarão de pressionar o sistema na mesma magnitude. Portanto, o que há para fazer no caso é regulamentar a adoção do fundo de pensão previsto na Emenda Constitucional de 2003 e esperar que ocorra a transição entre gerações, com a substituição gradativa ao longo das décadas, no estoque de servidores aposentados, daqueles que se aposentaram na época das "vacas gordas" por aqueles que tiverem se aposentado já com as novas regras, com idade mínima para aposentadoria e teto de benefícios.

O segundo problema é a distinção entre a "fotografia" da situação e o "filme" da evolução dos fatos. De fato, quando se olha para a "fotografia" da Tabela 6.1, o fato de haver uma mesma magnitude de desequilíbrio em um caso, para sustentar mais de 20 milhões de pessoas, e, no outro, apenas um milhão, impressiona. Entretanto, quando se olha para o "filme" da trajetória das variáveis ao longo do tempo, a realidade mostra uma faceta bastante diferente.

Com efeito, olhando não para a diferença entre despesa e receita, mas exclusivamente para a despesa, o Gráfico 6.1 mostra o gasto com servidores inativos – que aparece na Tabela 6.1 – ao longo dos anos, indicando que a despesa de 2009 foi praticamente a mesma registrada em 1995. Em outras palavras, embora de

Gráfico 6.1: Despesa com servidores inativos (% PIB)

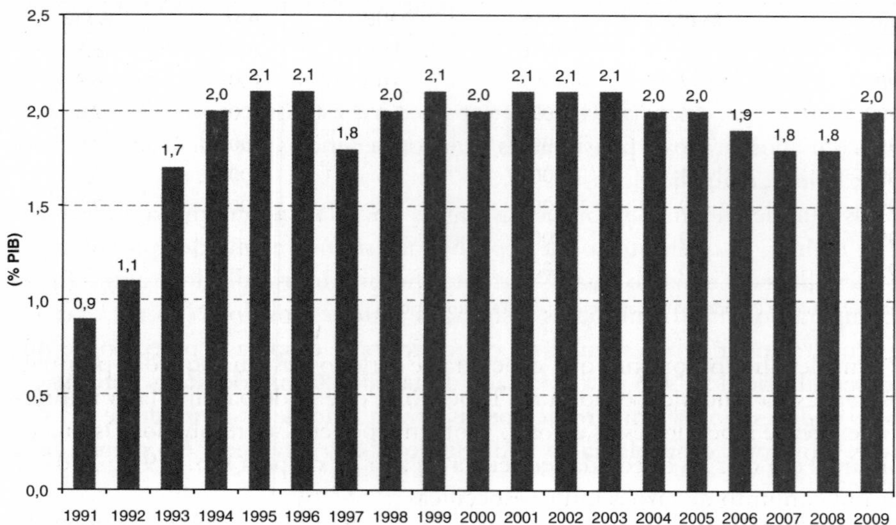

Fonte: Ministério de Planejamento.

fato ele tenha aumentado muito na primeira metade da década de 1990, não foi o dispêndio com servidores inativos que causou uma expansão significativa do gasto público ao longo dos últimos 15 anos.

Em contraste com isso e com a vantagem de o dado retroagir até a década de 1980, podemos ver na Tabela 6.2 que a despesa do INSS aumentou de 2,5% do PIB em 1988 – ano da aprovação, na época, da "Nova Constituição" – para uma despesa de 7,2% do PIB em 2009. Ou seja, estamos falando de uma variável que:

a) praticamente triplicou o seu peso relativo na economia em pouco mais de 20 anos;
b) gerou, dessa forma, uma variação de despesa de quase 5% do PIB;
b) transformou-se na principal rubrica de gasto do orçamento federal.

Lamentavelmente, ninguém gosta de prestar muita atenção nisso. Por que ocorreu esse aumento? Basicamente, pela combinação de: i) regras generosas de aposentadoria e pensão face às tendências demográficas do país; ii) efeito dos reajustes do salário mínimo desde meados dos anos 1990; e iii) baixo crescimento médio do PIB, pelo que alguns denominam "efeito denominador", que "incha" o quociente representado por duas variáveis quando o denominador exibe uma dinâmica desfavorável.

Tabela 6.2: Despesa do INSS (% PIB)

Ano	% PIB	Ano	% PIB	Ano	% PIB
1988	2,5	1996	4,9	2004	6,5
1989	2,7	1997	5,0	2005	6,8
1990	3,4	1998	5,4	2006	7,0
1991	3,4	1999	5,5	2007	7,0
1992	4,3	2000	5,6	2008	6,6
1993	4,9	2001	5,8	2009	7,2
1994	4,9	2002	6,0	–	–
1995	4,6	2003	6,3	–	–

Fonte: Ministério da Previdência Social, Secretaria do Tesouro Nacional.

Um detalhe importante que cabe citar é a razão das duas quedas pontuais observadas na tendência exposta na Tabela 6.2, que pode passar a falsa impressão de que, se repetidos esses casos, o problema poderia ser resolvido. Os únicos dois anos em que há queda da tendência de alta da despesa são 1995 e 2008, e por um conjunto de razões muito específicas.

Em 1995, houve apenas uma distorção estatística. Ocorre que o IBGE, em 2007, fez uma revisão da série histórica do PIB nominal, mostrando um PIB já no primeiro ano da nova série (1995) em torno de 10% superior ao da série original, pelo fato de incorporar novos procedimentos de apuração que permitiram aprimorar o cálculo da produção de bens e serviços no país, captando mais adequadamente o que antes não podia ser captado pelas estatísticas. Na ocasião, a instituição optou por não retroagir a série até 1994, em função dos problemas de mensuração que poderiam surgir pelo fato de ter sido aquele o ano da reforma monetária que criou o Real, o que poderia gerar cálculos distorcidos. O problema é que nada indica que a diferença entre o novo PIB e o PIB original (se fosse calculado) seria muito diferente de 10%, aproximadamente, se o cálculo tivesse recuado a 1994 ou a anos anteriores também. O resultado é que a série do PIB de 1995 em diante aparece "engordada", e a dos anos anteriores, não. Dessa forma, a divisão entre o numerador de uma série – independentemente do PIB, pois apurada pelo Ministério da Previdência Social – e um denominador que em determinado momento dá um "pulo" envolve inevitavelmente uma descontinuidade no momento em que esse "pulo" ocorre, em 1995.

Já em 2008, o que houve foi a superposição de três fatores. Primeiro, por questões administrativas, o pagamento dos benefícios do INSS, que até novembro de 2007 era feito sempre com o mês vencido, passou a ser feito em parte no mês corrente para uma parcela dos beneficiários, que passaram a receber o benefício referente ao mês *t* no final do próprio mês *t*. Com isso, em 2007, em torno de ⅓ dos beneficiários do INSS recebeu 14 pagamentos (os 12 normais, o décimo terceiro e a antecipação), o que, com o quadro já normalizado em função das novas datas, deixou de se repetir em 2008. Isso gerou a impressão artificial de "redução do peso" em 2008. Segundo, em 2008 houve uma grande contenção da despesa com o auxílio-doença, que se expandira muito na década, ao longo de vários anos, por uma série de irregularidades administrativas e que finalmente passou a ser contida de forma eficaz pelas autoridades. Uma vez tomadas as medidas administrativas corretas, esse efeito deve se repetir nos próximos anos, e supõe-se que o auxílio-doença volte a ter o padrão que caberia esperar dele, já sem a ocorrência de desperdícios de todo tipo com pagamentos que não se justificam. Terceiro, o PIB teve um desempenho excelente naquele ano, e é difícil imaginar que, a longo prazo, possa se repetir continuadamente, com a mesma intensidade.

Na ausência desses fatores de natureza aleatória e excepcional, a despesa do INSS tendeu a crescer ao longo do tempo. Ela ficou relativamente estável como proporção do PIB em épocas de forte crescimento, como durante 1993/1994 ou 2006/2008, apenas para voltar a aumentar de peso relativo quando a economia retornava a seu patamar de crescimento mais perene. Não reformar as regras de aposentadoria com base no pressuposto de que isso não seria preciso porque, como já se viu no passado, a relação despesa do INSS/PIB pode se estabilizar se a economia crescer em um bom ritmo, equivale a uma aposta que implica assumir um risco contratado: o de que a economia não cresça tanto e, consequentemente, que a relação gasto do INSS/PIB continue a se elevar.

O salário mínimo

As regras brasileiras de aposentadoria são generosas em relação às vigentes no restante do mundo e, nos últimos 15 anos, explicam em parte a diferença observada entre o crescimento do número de benefícios e o crescimento do PIB. Entretanto, quando se olham os números da década de 2000, especificamente, já passado o efeito das benevolências praticadas na Constituição de 1988 e que provocaram um salto nos benefícios nos anos seguintes – especialmente no meio rural –, a rigor o aumento quantitativo de benefícios não foi drasticamente elevado, sendo, em média, da ordem de 3,5% a.a., como pode ser visto na Tabela 6.3.

Tabela 6.3: Benefícios previdenciários do INSS – Média anual (milhares)

Composição	2000	2009	Taxa crescimento (% a.a.)
Aposentadorias	11.024	14.785	3,3
Idade	5.480	7.687	3,8
Invalidez	2.228	2.871	2,9
Tempo de contribuição	3.316	4.227	2,7
Pensões	4.953	6.368	2,8
Auxílio-doença	472	1.103	9,9
Outros benefícios	127	115	−1,1
Total	16.576	22.371	3,4

Fonte: Ministério da Previdência Social (*Boletim Estatístico da Previdência Social*, diversos números).

A razão para a coexistência de uma expansão ainda moderada dos benefícios com a dinâmica observada na Tabela 6.2, que mostra um aumento da importância relativa dos gastos do INSS, reside no efeito dos aumentos do salário mínimo. De fato, se computado o aumento observado na variável por ocasião do reajuste – anteriormente feito em maio e, nos últimos anos, antecipado para mais perto do começo do ano – com a variação do INPC desde a última data de reajuste, a Tabela 6.4 mostra que, na última década e meia, o salário mínimo teve um aumento de poder de compra de mais de 100%, sendo de 44% nos oito anos do governo Fernando Henrique e 54% no governo Lula.

Tabela 6.4: Variação do valor real do salário mínimo (%)*

Ano	No ano	Acumulada
1995	22,63	22,63
1996	–5,26	16,18
1997	–0,98	15,04
1998	4,04	19,69
1999	0,71	20,54
2000	5,39	27,04
2001	12,18	42,51
2002	1,27	44,32
2003	1,23	46,09
2004	1,19	47,83
2005	8,23	60,00
2006	13,04	80,86
2007	5,10	90,09
2008	4,04	97,77
2009	5,79	109,22
2010	6,02	121,82

* Compara o reajuste observado com a variação do INPC acumulada entre o reajuste precedente e o mês imediatamente anterior ao reajuste.

Fonte: Elaboração dos autores, com base no valor do salário mínimo.

A importância do salário mínimo para o INSS é que ele regula o pagamento de ⅔ dos benefícios de aposentadorias e pensões, em função do dispositivo constitucional que estabelece que nenhum benefício previdenciário pode ser inferior a um salário mínimo. Um efeito colateral da elevação do valor real do salário mínimo é que ele pesa cada vez mais na composição da folha de despesas do INSS. Ou seja, como os demais benefícios acima do piso previdenciário, em linhas gerais, acompanham a inflação, o fato de o salário mínimo aumentar em termos reais tende a elevar, ao longo do tempo, o peso dos benefícios indexados ao salário mínimo no conjunto das despesas do INSS. Se computado o universo das aposentadorias e pensões do INSS, o peso dos pagamentos associados àqueles que recebem estritamente um salário mínimo era de 33% no total no ano 2000 e já é de mais de 40% atualmente, como mostra a Tabela 6.5. Isso significa que, se o salário mínimo tem um aumento real de 5%, a despesa do INSS automaticamente aumenta 2% – que se soma, naturalmente, ao efeito do aumento do contingente numérico de benefícios.

Tabela 6.5: Proporção dos benefícios urbanos e rurais emitidos pelo INSS (estoque de aposentadorias e pensões por morte) no valor de um piso previdenciário em relação ao estoque de aposentadorias e pensões por morte emitidas pelo INSS (%)

Ano	Quantidade	Valor
2000	63,0	33,0
2001	63,9	35,4
2002	63,0	34,9
2003	62,3	34,4
2004	61,9	34,2
2005	62,9	36,3
2006	63,9	39,0
2007	64,3	40,1
2008	64,3	40,7
2009	64,5	41,1

Fonte: Anuário Estatístico da Previdência Social (vários anos). Para 2009, *Boletim Estatístico da Previdência Social*, vol. 14, nº 12, dez/2009.

Vamos ver agora as outras causas que, ao longo dos últimos 20 anos, explicam as pressões gradualmente crescentes sobre as contas do INSS. Referimo-nos à possibilidade de obtenção de aposentadorias em idades relativamente precoces em relação ao restante do mundo e à regra de aposentadoria das mulheres.

A aposentadoria por tempo de contribuição e a regra rural

O Brasil tem uma idade de aposentadoria, para quem se aposenta por idade, muito razoável quando comparada com o restante do mundo. Entretanto, o país destoa do conjunto das economias do mundo por permitir brechas para aposentadorias especialmente precoces para dois regimes: o que vigora no meio rural e o das aposentadorias por tempo de contribuição. A Tabela 6.6 ajuda a compreender melhor a questão.

A tabela revela, para médias formadas a partir de uma amostra de aproximadamente uma centena de países, as idades de aposentadoria e a duração esperada desta considerando a expectativa de sobrevida em cada um dos casos nacionais. Nos 29 países da OECD considerados na amostra, por exemplo, em média, os homens se aposentam aos 64 anos de idade, enquanto, nos sete países contemplados da América Latina, eles se aposentam mais cedo, aos 62 anos. Por outro lado, nos países da OECD há uma expectativa de vida algo maior, que nos casos da tabela e na época à qual os dados se referiam, vai até os 80 anos (= 64 + 16). Isso significa que o tempo de usufruto da aposentadoria, na tabela, é de 16 anos, ao passo que na América Latina, com expectativa de vida um pouco menor (79 anos), o tempo de usufruto da aposentadoria é de 17 anos, um pouco maior que na OECD.

Tabela 6.6: Idade mínima e duração esperada de aposentadoria – Brasil e grupo de países (anos)[a]

	Idade mínima de aposentadoria		Duração esperada de aposentadoria	
Países	**Homens**	**Mulheres**	**Homens**	**Mulheres**
OECD (29)	64	63	16	21
América Latina (7)	62	60	17	21
Outros (66)	62	60	16	21
Brasil: INSS				
ATC[b]	54	51	23	29
Idade (rural)	60	55	19	26
Idade (urbana)	65	60	16	22

ATC: aposentadoria por tempo de contribuição.
[a] Número de países entre parênteses.
[b] Idade média de aposentadoria.
Fonte: Rocha e Caetano (2008), Tabela 3.

Observe-se que, no Brasil – onde a expectativa de vida de 81 anos nessa rubrica, para quem se aposenta, é maior que na média da OECD, pelo fato de ter dados mais recentes –, no caso dos homens que se aposentam por idade, no meio urbano, o tempo de usufruto da aposentadoria é igual ao dos países da OECD (16 anos).[2]

É no caso das aposentadorias por tempo de contribuição e das aposentadorias rurais – antes de entrar na análise do tema específico da aposentadoria das mulheres, que será tratado a seguir – que se verificam as maiores diferenças. Considerando a menor idade de aposentadoria por tempo de contribuição no Brasil – aos 54 anos, em média, para os homens, e 51 anos para as mulheres –, o tempo de usufruto da aposentadoria de quem recebe o benefício por tempo de

[2] Giambiagi e Afonso (2009) discutem como as diferentes situações específicas entre mulheres e homens podem gerar alíquotas diferenciadas hipotéticas, que equilibram o valor das contribuições com o valor do recebimento de aposentadoria, utilizando elementos de cálculo de matemática financeira.

contribuição é de 23 anos para os homens e de 29 anos para as mulheres – no caso destas, praticamente o tempo de contribuição! Não é preciso ser especialista em matemática para perceber que se alguém contribui com 31% do salário por 30 anos torna-se difícil receber aposentadoria por outros 30 anos sem que haja um problema para o país – é exatamente isso o que explica o baixo fator previdenciário das aposentadorias muito precoces! No caso das aposentadorias rurais concedidas por idade – aos 60 anos para os homens e aos 55 anos para as mulheres –, o tempo de usufruto do benefício é de 19 anos para os homens e 26 anos para as mulheres.

As aposentadorias femininas

As mulheres se aposentam, por meio de disposição específica, cinco anos antes dos homens em todas as categorias: por idade, por tempo de contribuição, no meio rural e no regime dos professores, além de ter uma idade mínima de aposentadoria cinco anos inferior à dos homens no regime dos servidores. Essa diferenciação não era um ônus demasiadamente significativo para as contas públicas até alguns anos atrás, porque as mulheres não representavam uma fração muito expressiva do universo de aposentados. Com o passar do tempo, porém, essa realidade foi mudando. Isso é especialmente relevante no caso das aposentadorias por tempo de contribuição do INSS, como mostra o Gráfico 6.2.

Gráfico 6.2: INSS: Estoque de aposentadorias femininas urbanas por tempo de contribuição (mil)

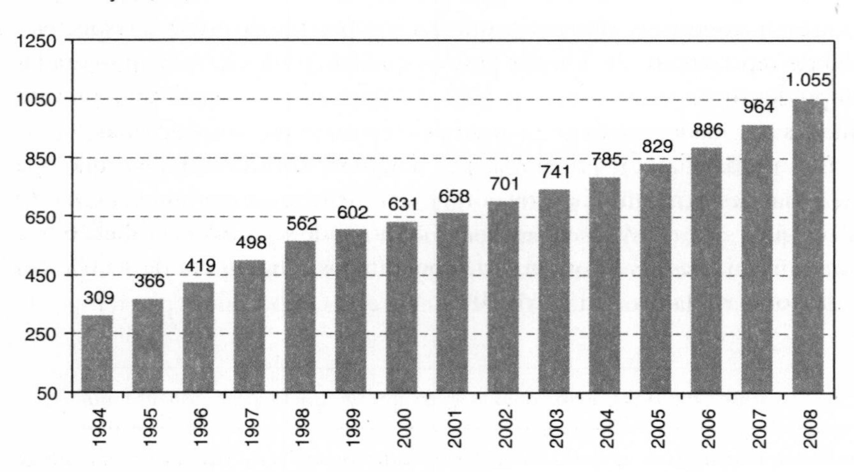

Fonte: Anuário Estatístico da Previdência Social (vários anos).

O gráfico mostra a evolução do estoque de aposentadorias dessa modalidade, desde 1994 – ano do Plano Real – até 2008. Observe que, em 1994, o total de mulheres que estavam aposentadas por tempo de contribuição no INSS era pouco mais de 300 mil pessoas. Em 2008, entretanto, havia saltado para mais de um milhão de pessoas.

A Tabela 6.7 complementa essa informação, para o conjunto de aposentadorias do INSS. Como as mulheres muitas vezes têm seu vínculo contributivo interrompido pela criação dos filhos, a proporção de pessoas que se aposentam por tempo de contribuição é maior para os homens, o que significa, por sua vez, que entre estes muitos não se aposentam por idade, por conquistarem antes o direito de se aposentar por tempo de contribuição. No meio rural, no qual praticamente não há aposentadorias por tempo de contribuição, a presença feminina nas aposentadorias por idade é dominante pelo fato de se aposentarem mais cedo.

Tabela 6.7: Participação feminina das novas aposentadorias ativas do INSS e do estoque de aposentadorias, em dezembro de 2008 (%)

Aposentadoria	Novas Aposentadorias	Estoque de Aposentadorias
Urbanas por tempo de contribuição	34,5	26,1
Urbanas por idade	59,3	64,9
Rurais por idade	57,9	58,6
Total de aposentadorias[a]	48,1	47,0

[a] Os dados dessa coluna incorporam outras espécies de aposentadoria, como a aposentadoria rural por tempo de contribuição e as aposentadorias por invalidez. Também são considerados, apesar de residuais, os casos de sexo ignorado.
Fonte: *Anuário Estatístico da Previdência Social*, 2008.

Nos três subconjuntos, observa-se que, na composição do estoque respectivo, as mulheres representam 26,1% das pessoas que em 2008 estavam aposentadas por tempo de contribuição e mais de 60% das pessoas que naquele ano estavam aposentadas por idade, sendo que o peso é de quase ⅔ nas áreas urbanas.[3]

Mesmo no caso das aposentadorias por tempo de contribuição, em que essa proporção da presença feminina é menor, há dois registros importantes a fazer. O primeiro é que esse peso vem aumentando, como pode ser visto na Tabela 6.8: a presença feminina nesse subconjunto de aposentados urbanos era de 15,6% em 1994 e passou aos citados 26,1% em 2008.

[3] Essa informação somente é extraída do *Anuário Estatístico da Previdência Social*, e a última edição disponível é de 2008.

Tabela 6.8: Proporção das aposentadorias urbanas ativas por tempo de contribuição concedidas pelo INSS a pessoas do sexo feminino, em relação ao total de aposentadorias urbanas ativas por tempo de contribuição concedidas pelo INSS: estoque em dezembro (%)

Ano	%	Ano	%
1994	15,6	2002	20,7
1995	16,4	2003	21,5
1996	16,7	2004	22,3
1997	17,4	2005	23,1
1998	18,2	2006	23,9
1999	18,9	2007	25,0
2000	19,4	2008	26,1
2001	20,0	–	–

Fonte: Anuário Estatístico da Previdência Social (vários anos).

O segundo registro é que cabe esperar que essa tendência continue nos próximos anos, em função do que está acontecendo com a composição dos fluxos. A presença feminina no total de aposentadorias urbanas por tempo de contribuição ainda é minoritária, porque nessa estatística há muita gente idosa de uma época em que poucas mulheres se aposentavam. Na composição do fluxo de novas aposentadorias, porém – que, no curto prazo, afetam apenas marginalmente o estoque, mas em 30 anos renovam praticamente a totalidade do contingente –, a presença feminina é bem maior, chegando a mais de 35%, contra menos de 20% em meados da década passada, como mostra a Tabela 6.9, construída com base em médias, para dar uma ideia da tendência e minimizar o efeito das pequenas flutuações que por vezes se manifestam entre um ano e outro.

Tabela 6.9: Proporção média das novas aposentadorias urbanas por tempo de contribuição concedidas pelo INSS a pessoas do sexo feminino, em relação ao total de novas aposentadorias urbanas por tempo de contribuição concedidas pelo INSS: fluxo (%)

Período	%
1994/1995	19,4
1996/2000	24,4
2001/2005	33,8
2006/2008	35,6

Fonte: Anuário Estatístico da Previdência Social (vários anos).

A longa sobrevida

Encerramos este capítulo lembrando que a oposição a uma reforma das regras de aposentadoria do INSS por parte de muita gente decorre do seguinte raciocínio: se a expectativa de vida de um homem é de menos de 70 anos e ele se aposenta com 65 anos, então tem de contribuir com 35 anos para viver menos de cinco com a aposentadoria: isso não é justo. De fato, não seria justo – se fosse verdade. A rigor, porém, há duas falhas nesse raciocínio. A primeira é considerar que esteja em discussão a ideia de que os homens se aposentem aos 65 anos, o que não é correto. O que está em discussão é se as regras de aposentadoria por tempo de contribuição pelo INSS deveriam incorporar o princípio da idade mínima já vigente para os servidores – para os homens, de 60 anos, e não de 65 anos. E a segunda é considerar como parâmetro relevante a expectativa de vida ao nascer, muito influenciada negativamente pela mortalidade infantil e pelos fatores de incidência de mortalidade que a pessoa enfrenta na fase adulta. O correto é considerar a expectativa de vida de quem se aposenta e que, tendo vencido já vários obstáculos, enfrenta uma expectativa de vida bem maior. Com efeito, uma pessoa do sexo masculino que chega viva aos 60 anos tem a esperança, em média, atualmente, de viver até os 80 anos, enquanto nessa idade a esperança de vida da mulher, em média, vai até 83 anos, como mostra a Tabela 6.10.

Tabela 6.10: Brasil – Expectativa de vida por faixa etária: 2008 (anos)

Idade (anos)	Homens	Mulheres	Ambos os sexos
0	69	77	73
10	72	79	75
20	72	79	76
30	73	79	76
40	75	80	77
50	77	81	79
60	80	83	81
70	83	86	85
80 ou mais	89	90	90

Fonte: IBGE.

Essa realidade mudou muito no Brasil ao longo dos últimos 60/70 anos, como pode ser visto na Tabela 6.11. Na época de Getúlio Vargas, quem chegava vivo aos 60 anos esperava, na média de ambos os sexos, viver apenas até os 74 anos. Hoje, na média, essa expectativa é de mais de 81 anos, graças à redução da mortalidade infantil, aos avanços da medicina e à melhora dos exames preventivos, particularmente no caso das mulheres. Note-se que, na década de 1930, uma mulher com 30 anos de vida esperava viver em média até os 63 anos, e atualmente essa expectativa é de 79 anos.

Tabela 6.11: Brasil – Evolução da expectativa de vida por faixa etária (anos)

Idade (anos)	1930/1940		1970/1980		2000		2008	
	Homem	Mulher	Homem	Mulher	Homem	Mulher	Homem	Mulher
0	39	43	55	60	67	74	69	77
10	55	58	63	67	70	77	72	79
20	58	60	65	68	70	77	72	79
30	61	63	67	70	72	78	73	79
40	64	66	69	72	74	78	75	80
50	68	70	72	74	76	80	77	81
60	73	74	76	77	79	82	80	83
70	78	79	81	81	83	85	83	86

Fonte: Até a década de 1980, Previdência Social (2002), Tabela 2, com base em dados diversos. Para 2000 e 2008, IBGE.

Note-se, ainda, que a realidade dos anos 1980, levada em conta quando foi feita a Constituição de 1988, era que aos 60 anos um homem esperasse viver até os 76 anos e uma mulher, até os 77 anos. Atualmente, essa expectativa é de quatro anos a mais para os homens e seis anos a mais para as mulheres. A realidade continua mudando. A pergunta que cabe diante disso é: vamos manter a Constituição intacta, congelando um pacto que se baseou em outra realidade?

Nos capítulos da terceira parte do livro, analisaremos em detalhes cada um dos aspectos envolvidos nessas discussões. Antes disso, porém, vamos ver como, ao longo dos anos, a inação em alguns casos e a ação insuficiente das autoridades em matéria previdenciária, em outros, acabam afetando, indiretamente, o dia a dia do brasileiro. É o que será visto no próximo capítulo.

Capítulo 7

O orçamento estrangulado

"O senhor esqueceu um aspecto na sua explicação. Esqueceu de lembrar que, nesta casa, a soma das partes é maior do que o todo."

Deputado brasileiro, a um dos autores deste livro, após apresentação sobre o problema previdenciário na Comissão de Finanças da Câmara, fazendo autoironia com a tendência dos seus colegas a aprovarem propostas vistas como simpáticas ao eleitorado, mas sem grandes preocupações com o seu financiamento.

No seu famoso livro *A ética protestante e o espírito do capitalismo*, Max Weber cita a declaração de Benjamin Franklin: "Guarda-te de pensar que tudo o que possuis é propriedade tua e de viver como se fosse. Nessa ilusão, incorre muita gente que tem crédito. Para te precaveres disso, mantém uma contabilidade exata. Se te deres a pena de atentar para os detalhes, isso terá o seguinte efeito benéfico: descobrirás como pequenas despesas se avolumam em grandes quantias e discernirás o que poderia ter sido poupado e o que poderá sê-lo no futuro." O raciocínio se aplica como uma luva ao debate sobre a questão previdenciária. As decisões envolvendo o gasto público costumam não primar por sua consistência. Muitas vezes, determinada decisão é tomada porque "afeta pouco" o resultado fiscal. O raciocínio é sempre que se trata de "apenas 0,1% ou 0,2% do PIB". Ao longo dos anos, porém, quando se leva em conta o efeito acumulado de tais decisões, o impacto é expressivo.

O orçamento e o cotidiano

Nosso personagem José Fernandes é um brasileiro típico. Exceção feita ao fato de que a concentração de azar em um único dia foge realmente ao padrão normal, em que todos os eventos a serem expostos são rigorosamente corriqueiros no dia a dia de muitas pessoas no país.

José Fernandes é pai de família, casado, com 45 anos, morador da periferia da cidade do Rio de Janeiro e tem emprego na mesma cidade. Vamos supor que um dia ele saia de casa às 5:15 da manhã para estar também muito cedo na fila do hospital e poder ser atendido a tempo de ir trabalhar, para averiguar a causa de um incômodo que o está afligindo há vários dias. Depois de levar mais de uma hora para que chegue a sua vez na fila, a consulta dura menos de 15 minutos e o diagnóstico não o deixa satisfeito, ficando com a sensação desagradável de que foi mal atendido.

Como teve de passar antes pelo hospital, ao sair, já está em plena hora do *rush* e, por causa disso, a viagem que normalmente já seria demorada se prolonga por mais tempo: em vez de levar uma hora e 45 minutos para chegar ao trabalho, somando o deslocamento da sua residência até o hospital e deste até o trabalho, terá perdido quase quatro horas – e ainda levará quase duas horas para voltar, às seis da tarde.

Antes disso, porém, no final da tarde, chega a má notícia: a esposa – empregada doméstica na zona sul da cidade – liga para ele a fim de comunicar que, ao retornar com o pagamento quinzenal, foi roubada no ônibus à mão armada e perdeu R$400, com cuja parte a família contava para pagar a prestação da TV naquele mês.

À noite, ao jantar com a família, recebe o golpe de misericórdia desse dia que merece ser esquecido: um dos três filhos, o que está no segundo ano do ensino médio em uma escola pública, pressiona o pai para lhe pagar um cursinho extra no ano seguinte, sem o qual acredita que as chances de ser aprovado numa universidade de boa qualidade por meio do processo seletivo normal seriam simplesmente inexistentes. Para os pais, é uma escolha difícil: recusar pode significar condenar o filho à mesma rotina muito dura que eles levam e abortar qualquer chance de ascensão social. Por outro lado, aceitar significa assumir mais um compromisso financeiro todos os meses, com o qual o nosso José Fernandes não tem a menor ideia de como poderá arcar.

O personagem em questão é o retrato vivo dos problemas causados pela falta de recursos no cotidiano do brasileiro. Nesse pequeno exemplo das nossas mazelas estão expressas as carências em quatro áreas que constituem a razão de ser da existência de um Estado: a saúde, o transporte, a segurança e a educação. A fila nos hospitais públicos é sinal da escassez de verbas em uma área-chave como a saúde. O tempo de permanência na rua é a contrapartida da falta de investimento do poder público no transporte coletivo em grande escala. A repetição sistemática de assaltos é a expressão da quase falência dos sistemas policial, judicial e prisional, entre outras razões, pela falta de verbas. E, por último, as deficiências da educação refletem não apenas, mas também, a insuficiência de verbas para certas atividades de ensino – embora não necessariamente para a educação como um todo, rubrica na qual, diga-se de passagem, se computam as aposentadorias precoces pagas aos professores que se aposentam muito cedo.

O "Leviatã anêmico"

É da combinação entre a constatação do óbvio inchaço do Estado, com a repetição dessas lacunas dramáticas das nossas políticas públicas, com diversas áreas-chave carentes de verbas que Eduardo Giannetti cunhou a feliz expressão "Leviatã anêmico" para definir o Estado brasileiro.

Que esse Estado é pesado e cada vez mais inchado, qualquer cidadão que se tenha defrontado com uma repartição pública certamente terá percebido. Ao mesmo tempo, a ampliação relativa da atuação do Estado na economia se expressa na estatística da participação da despesa primária – ou seja, sem as despesas de juros – do governo central no PIB.

Como se pode ver na Tabela 7.1, o conjunto das despesas do governo central – composto pelo agregado da soma do Tesouro Nacional/Banco Central e INSS – passou de menos de 14% do PIB em 1991 para uma estimativa de mais de 22% do PIB em 2010. Estamos falando de aproximadamente 9% do PIB em 19 anos, o que significa a pressão média de uma variação do gasto público de algo em torno de 0,5% do PIB por ano durante quase 20 anos (ver Tabela 7.1).

Tabela 7.1: Despesa primária do governo central (% PIB)

Ano	% PIB	Ano	% PIB
1991	13,7	2001	19,1
1992	14,2	2002	19,5
1993	15,9	2003	18,7
1994	16,5	2004	19,1
1995	16,2	2005	20,3
1996	16,0	2006	20,9
1997	16,7	2007	21,1
1998	18,0	2008	21,0
1999	17,8	2009	22,3
2000	18,2	2010[a]	22,4

Fontes: Secretaria de Política Econômica/Secretaria do Tesouro Nacional. Para 2010, estimativa dos autores.

O tema previdenciário é importante porque, nessa expansão do gasto antes citada – cuja contrapartida foi o salto notável da carga de impostos e contribuições pagos pelos contribuintes –, a despesa previdenciária desempenhou papel fundamental. A Tabela 7.2 mostra a taxa de crescimento das quatro principais rubricas em que se divide o gasto público agregado da Tabela 7.1: as transferências a estados e municípios, o gasto com pessoal ativo e inativo, o pagamento de benefícios do INSS e as "outras despesas de custeio e capital", que atendem jornalisticamente pelo nome de "OCC".

A decomposição das causas do aumento do gasto público revela que a despesa do INSS foi a que cresceu mais rapidamente e também, como veremos, o item de despesa que se tornou largamente majoritário atualmente.

Tabela 7.2: Taxas de crescimento do gasto público primário real do governo central: 1991/2010 (% a.a.)

Gasto	Crescimento real médio 1991/2010
Transferências a estados e municípios	5,5
Pessoal	4,4
INSS	7,2
Outras despesas de custeio e capital	5,8
Total da despesa primária	5,8
PIB	3,0

Obs.: Para 2010, estimativa dos autores. Deflator implícito do PIB.
Fontes: Secretaria de Política Econômica (1991/1996), Secretaria do Tesouro Nacional (1997/2009).

Há um ponto importante a lembrar, caso alguém julgue que os juros – que não formam parte dessa estatística – é que foram os grandes vilões fiscais do período. A conta de juros reais do setor público consolidado no Brasil, em média, foi de 4,3% do PIB nos 10 anos do período 1985/1994 – até a estabilização – como um todo e de 3,9% do PIB nos quatro anos 2006/2009. Pode-se alegar perfeitamente que a conta ainda foi muito "salgada" nos últimos anos, mas supor que essa rubrica respondeu pela pressão de aumento da despesa pública nos últimos 15 anos é simplesmente errado.

O vilão anão

O outro grande vilão, além da despesa de juros – geralmente mencionada pelos críticos da ortodoxia econômica –, é a despesa com servidores inativos, em particular dos poderes Legislativo e Judiciário. Nesse caso, a menção tem sido feita por aqueles de visão mais liberal. Já vimos, no Capítulo 6, a evolução da despesa com servidores inativos como um todo ao longo dos últimos 20 anos. A Tabela 7.3 mostra como essa variável se decompõe entre suas diversas rubricas.[1]

Como se pode ver, quando se agregam o Legislativo e o Judiciário – sempre objeto de menções muito críticas no noticiário sobre os escândalos no país –, constata-se que, entre 1995 e 2009, a variação da soma da despesa de ambos os poderes com o pagamento dos seus respectivos servidores inativos foi de apenas 0,1% do PIB. Por sua vez, nesse mesmo período de 14 anos, o gasto com benefícios do INSS teve um incremento relativo de mais de 50%, passando de 4,6% para 7,2% do PIB.

[1] A estatística desagregada, porém, só está disponível a partir de 1995.

Tabela 7.3: Despesa com inativos do governo central (% PIB)

Ano	**1995**	**1996**	**1997**	**1998**	**1999**	**2000**	**2001**	**2002**
Executivo	1,36	1,31	1,11	1,20	1,20	1,16	1,12	1,12
Aposentados	0,99	0,95	0,81	0,86	0,85	0,81	0,78	0,78
Pensionistas	0,37	0,36	0,30	0,34	0,35	0,35	0,34	0,34
Legislativo	0,05	0,05	0,05	0,06	0,06	0,05	0,05	0,06
Aposentados	0,04	0,04	0,04	0,05	0,05	0,04	0,04	0,05
Pensionistas	0,01	0,01	0,01	0,01	0,01	0,01	0,01	0,01
Judiciário	0,09	0,09	0,10	0,12	0,12	0,12	0,12	0,13
Aposentados	0,07	0,07	0,08	0,10	0,10	0,10	0,10	0,11
Pensionistas	0,02	0,02	0,02	0,02	0,02	0,02	0,02	0,02
Total de civis	1,50	1,45	1,26	1,38	1,38	1,33	1,29	1,31
Aposentados	1,10	1,06	0,93	1,01	1,00	0,95	0,92	0,94
Pensionistas	0,40	0,39	0,33	0,37	0,38	0,38	0,37	0,37
Militares	0,64	0,62	0,56	0,66	0,67	0,64	0,82	0,77
Aposentados	0,36	0,36	0,31	0,37	0,37	0,36	0,48	0,44
Pensionistas	0,28	0,26	0,25	0,29	0,30	0,28	0,34	0,33
Servidores	2,14	2,07	1,82	2,04	2,05	1,97	2,11	2,08
Aposentados	1,46	1,42	1,24	1,38	1,37	1,31	1,40	1,38
Pensionistas	0,68	0,65	0,58	0,66	0,68	0,64	0,71	0,70
Ano	2003	2004	2005	2006	2007	2008	2009	
Executivo	1,19	1,13	1,10	1,01	0,99	0,98	1,09	
Aposentados	0,84	0,79	0,76	0,68	0,65	0,64	0,71	
Pensionistas	0,35	0,34	0,34	0,33	0,34	0,34	0,38	
Legislativo	0,06	0,06	0,07	0,07	0,07	0,06	0,08	
Aposentados	0,05	0,05	0,05	0,05	0,05	0,05	0,06	
Pensionistas	0,01	0,01	0,02	0,02	0,02	0,01	0,02	
Judiciário	0,15	0,14	0,14	0,13	0,13	0,12	0,13	
Aposentados	0,12	0,11	0,11	0,10	0,10	0,09	0,10	
Pensionistas	0,03	0,03	0,03	0,03	0,03	0,03	0,03	
Total de civis	1,40	1,33	1,31	1,21	1,19	1,16	1,30	
Aposentados	1,01	0,95	0,92	0,83	0,80	0,78	0,87	
Pensionistas	0,39	0,38	0,39	0,38	0,39	0,38	0,43	
Militares	0,71	0,64	0,68	0,65	0,63	0,62	0,69	
Aposentados	0,41	0,37	0,38	0,37	0,36	0,35	0,39	
Pensionistas	0,30	0,27	0,30	0,28	0,27	0,27	0,30	
Servidores	2,11	1,97	1,99	1,86	1,82	1,78	1,99	
Aposentados	1,42	1,32	1,30	1,20	1,16	1,13	1,26	
Pensionistas	0,69	0,65	0,69	0,66	0,66	0,65	0,73	

Fonte: Ministério do Planejamento.

Nota: Para 2009, adotou-se a hipótese de que a taxa de variação da despesa com inativos tenha sido igual à dos ativos.

É natural que, aos olhos de um cidadão comum, os grandes responsáveis pelo aumento da despesa previdenciária sejam ex-parlamentares que ganham aposentadorias elevadas. O que os números mostram, porém, é que, independentemente do mérito acerca da adequação ou justiça dos valores dessas aposentadorias, não foram elas que causaram o notável aumento do gasto público mostrado na Tabela 7.1.

A realidade transparente

Quando o cidadão comum é apresentado a dados como o da expansão do gasto público, sua reação, compreensivelmente, é perguntar: mas, afinal de contas, para onde estão indo os nossos recursos? E o fato é que, por mais que os desmandos administrativos sejam flagrantes no país dos escândalos em que o Brasil tem-se convertido, a maioria dos gastos adicionais é explicada por fatores ligados às chamadas "políticas sociais" do governo.

Cabe lembrar que, quando o governo aumenta seus gastos, deve elevar a carga de impostos para financiá-los e, paradoxalmente, quase metade disso retorna na forma de mais gastos, pelas transferências automáticas para estados e municípios, que são uma fração da receita. Por isso, em muitas estatísticas, essas transferências são deduzidas da receita bruta, chegando ao conceito de "receita líquida de transferências". A Tabela 7.4 mostra a utilização dessa receita líquida em 1991 e em 2010, quando o uso para despesas terá sido 7,2% do PIB maior do que no começo da década de 1990. Observa-se nesse total que 1,1% do PIB esteve associado ao aumento da despesa com servidores inativos – basicamente até meados da década de 1990 –, enquanto 3,7% do PIB foram causados pela variação das despesas do INSS, 0,6% do PIB pelos novos gastos assistenciais com LOAS e Rendas Mensais Vitalícias (RMV) e 1,8% do PIB pelas outras despesas. Entre estas, por sua vez, encontram-se 0,4% do PIB do Bolsa-Família – que não existia naquela época – e um conjunto diverso de despesas agrupadas na rubrica de "gasto social" e que também aumentaram no período, como seguro-desemprego, saúde e despesas com reforma agrária. Conclui-se que mais de 80% do acréscimo de gasto público no período foi com idosos ou despesas sociais. O resultado disso é que sobram poucos recursos para atender a atividades intrínsecas do Estado e que deveriam merecer uma dotação orçamentária maior, como investimentos; preservação e desenvolvimento de pessoal qualificado; melhora da dotação da Polícia Federal para o combate eficiente ao contrabando de armas e de drogas, e das Forças Armadas para o controle de fronteiras, apenas para citar os casos mais evidentes.

Um capítulo especial dessa história de evolução da despesa cabe aos gastos previdenciários e assistenciais com aqueles que recebem exatamente um salário mínimo. A Tabela 7.5 mostra os dados em detalhes.[2] Ela indica que, em 1997, o governo gastava 1,4% do PIB com o pagamento desses benefícios e, em 2009, essa conta havia aumentado para 3,3% do PIB. O fato seria altamente louvável se esses recursos tivessem sido utilizados para o combate à pobreza extrema do país, mas os números indicam que não foi isso o que ocorreu, como veremos na

Tabela 7.4: Composição da despesa primária do governo central, excluindo transferências a estados e municípios (% PIB)

Composição	1991	2010	Diferença	Composição da diferença (%)
Servidores inativos	0,9	2,0	1,1	15
INSS	3,4	7,1	3,7	51
LOAS[a]	0,0	0,6	0,6	8
Outras[b]	6,8	8,6	1,8	26
Total	11,1	18,3	7,2	100

[a] Em 2010, inclui Rendas Mensais Vitalícias (RMV).
[b] Inclui pessoal ativo.
Fonte: Para 1991, Secretaria de Política Econômica. Para 2010, estimativa dos autores.

Tabela 7.5: Despesas previdenciárias e assistenciais com benefícios iguais a um salário mínimo: 1997/2009 (% PIB)

Ano	RMV	LOAS[a]	INSS[b]	Total
1997	0,17	0,08	1,17	1,42
1998	0,16	0,12	1,48	1,76
1999	0,14	0,14	1,67	1,95
2000	0,13	0,17	1,70	2,00
2001	0,12	0,21	1,87	2,20
2002	0,11	0,23	1,93	2,27
2003	0,11	0,26	2,01	2,38
2004	–	0,39	2,01	2,40
2005	–	0,43	2,14	2,57
2006	–	0,49	2,39	2,88
2007	–	0,53	2,45	2,98
2008	–	0,53	2,46	2,99
2009	–	0,60	2,74	3,34

[a] A partir de 2004, inclui RMV.
[b] Exclui RMV.
Fonte: Elaboração dos autores.

[2]A Tabela 7.5 começa em 1997 porque, em 1996, ao contrário do que viria a acontecer nos anos posteriores, o salário mínimo teve um aumento ligeiramente inferior ao do reajuste dos benefícios previdenciários. Com isso, muitos aposentados e pensionistas do INSS que até então recebiam um salário mínimo passaram a receber naquele ano um pouco mais do valor de um salário mínimo, gerando uma pequena distorção na série. Optamos então por mostrar os dados a partir de 1997, já livres dessa distorção.

terceira parte do livro. A conclusão é que o país gasta cada vez mais com uma política supostamente destinada a atacar a miséria, mas que atinge de fato aqueles indivíduos que atualmente se situam, em geral, a partir do quarto décimo da escala de distribuição de renda.

Um esclarecimento importante diz respeito à decomposição rural/urbana dos benefícios do INSS associados a um salário mínimo. Os números indicam que essa proporção não se alterou significativamente: no final da década de 1990, os benefícios rurais indexados ao mínimo eram majoritários, na proporção de 57% da despesa com benefícios de um salário mínimo do INSS apresentada na terceira coluna da Tabela 7.5 e, em 2009, essa proporção era praticamente a mesma nos 2,7% do PIB daquele ano. De qualquer forma, os benefícios urbanos de um salário mínimo estavam longe de ser desprezíveis e também tiveram aumento real significativo nos últimos 15 anos.

A asfixia fiscal

O conjunto de estatísticas e argumentos apresentados converge para a realidade mostrada na Tabela 7.6. Ela apresenta, para o primeiro ano da série das estatísticas fiscais disponíveis no formato atual (1991), o ano correspondente ao final de cada período de governo (1994, 1998, 2002 e 2006), o último dado disponível (2009), o peso das despesas com Previdência (servidores inativos e INSS) e o pagamento de benefícios assistenciais de prestação continuada (LOAS e RMV) em relação à receita líquida do governo central, excluindo as transferências a estados e municípios.

Tabela 7.6: Despesa com Previdência e LOAS (% receita líquida do governo central, excluindo transferências a estados e municípios)

Composição	1991	1994	1998	2002	2006	2009
Inativos[a]	7,6	12,2	12,9	11,6	9,8	10,2
INSS	28,2	29,6	34,4	33,4	36,8	36,8
LOAS[b]	0,0	0,0	0,8	1,3	2,6	3,1
Soma	35,8	41,8	48,1	46,3	49,2	50,1

[a] Refere-se apenas aos servidores inativos (aposentados e pensionistas).
[b] A partir de 2004 (inclusive), inclui Rendas Mensais Vitalícias (RMV).
Fonte: Secretaria de Política Econômica/Secretaria do Tesouro Nacional.

Com o que sobra disso, o governo tem de pagar a sua folha de salários do pessoal ativo; investir; gastar com saúde, educação, Bolsa-Família, seguro-desemprego, precatórios, transferência de recursos para os poderes autônomos (Legislativo e Judiciário); fazer convênios com estados e municípios, pagar os juros da dívida pública e, *last but not least*, arcar com as despesas associadas aos programas de aproximadamente 30 ministérios cuja função intrínseca é utilizar a verba para suas atividades finalísticas. Como as despesas com saúde, educação, Bolsa-Família, seguro-desemprego etc. não podem ser descontinuadas, historicamente o que aconteceu foi o corte de investimento público, que em geral funcionou como a variável de ajuste do processo.

Nota-se que ao longo desses 20 anos houve tendência a um aumento praticamente contínuo da proporção exposta na tabela, apenas brevemente interrompida entre 1998 e 2002, que coincidiu com o salto que a receita deu naqueles anos. Cabe lembrar que o numerador da fração está sendo comparado a um denominador (a receita líquida) que também experimentou um salto significativo entre 1991 e 2009, expresso como proporção do PIB. Estamos, portanto, falando de uma variável que aumentou proporcionalmente em relação a um universo de recursos que também experimentou crescimento significativo. Mesmo assim, é digno de nota que, em 1991, "sobravam" para as diversas atribuições antes listadas, após o pagamento das despesas previdenciárias e assistenciais, 64% da receita líquida e, em 2009, ficavam para esses compromissos apenas 50% do total. O pagamento das despesas previdenciárias e assistenciais está causando verdadeira asfixia fiscal das demais despesas.

A "Previdência superavitária": um argumento surrealista

No debate sobre a conveniência ou não de realizar uma reforma das regras de aposentadoria da Previdência Social, um argumento que frequentemente vem à baila é a ideia de que:

a) se computadas corretamente as fontes de receita no denominado "orçamento da seguridade social", atribuindo-lhe as contribuições hoje registradas na contabilidade do Tesouro e, mais ainda,
b) da despesa da Previdência, fossem retirados itens que deveriam ser considerados estritamente assistenciais, então, no limite, a Previdência Social brasileira seria até mesmo superavitária.

A base do raciocínio é a apresentação oficial das contas do governo central, que computa por um lado o Tesouro (e o Banco Central) e, por outro, o INSS. O argumento desses críticos se baseia na suposta inconstitucionalidade da prática orçamentária que estaria sendo seguida no Brasil desde a Constituição de 1988. Rearranjando receitas e despesas, passando receitas das contas do Tesouro para o INSS e, adicionalmente, passando despesas do INSS para a conta do Tesouro, os problemas do INSS desapareceriam.

O Tesouro e o INSS não são duas entidades que habitam mundos diferentes. Ambos são parte do que, genericamente, se denomina governo central. Ao se pensar em termos do governo central como um todo, e não em termos de Tesouro ou INSS separadamente, o argumento citado beira o surrealismo. O que os defensores da tese da "Previdência superavitária" parecem ignorar são dois elementos fundamentais de tudo o que foi exposto anteriormente. Primeiro, que, ao se consolidarem as informações do Tesouro e do INSS na contabilidade geral do governo, o argumento dos críticos é simplesmente irrelevante. Segundo, o que se discute quando se fala da Previdência não é uma questão contábil, mas um problema concreto, pode-se dizer mesmo um problema físico: nos próximos 30-40 anos, no Brasil, haverá cada vez mais aposentados e pensionistas a serem sustentados, e as regras de aposentadoria deveriam se adaptar a essa realidade, sob pena de tornarmos excessivamente onerosa a conta a ser paga pela geração dos nossos filhos. Não deveria ser algo tão difícil de entender.

Vejamos em mais detalhes em que consiste o argumento dos críticos que se opõem à reforma da Previdência alegando que seria superavitária. Note o leitor que, quando falamos em desequilíbrio da Previdência, estamos lidando com as categorias estatísticas oficiais. O ponto central de tudo o que foi dito, de qualquer forma, não é que o INSS tenha "déficit", e sim que, no "bolo" total de despesas públicas, aquelas associadas ao pagamento de aposentados, pensionistas e assistência social vêm ocupando uma fração cada vez maior do orçamento público. O que nos interessa, portanto, não é discutir a situação do Tesouro ou do INSS em separado e sim: a) qual é o perfil da despesa agregada do governo; e b) o que acontece com o resultado fiscal geral. O Quadro 7.1 ajuda a organizar melhor essas ideias.

Quadro 7.1: Composição do resultado primário do governo central

Composição	Contabilidade oficial	Contabilidade alternativa
Receita do Tesouro	A + B	A
Despesa do Tesouro	C	C + F
Resultado do Tesouro	D = A + B – C	D = A – (C + F)
Receita do INSS	E	B + E
Despesa do INSS	F + G	G
Resultado do INSS	H = E – (F + G)	H = B + E – G
Receita total do governo central	A + B + E	A + B + E
Despesa total do governo central	C + F + G	C + F + G
Resultado do governo central	I = D + H = A + B + E – (C + F + G)	I = D + H = A + B + E – (C + F + G)

Fonte: Elaboração dos autores.

Imaginemos uma simplificação da contabilidade oficial por meio da qual o Tesouro tenha duas fontes de receita (A e B) e uma de despesa (C) e, no caso do INSS, ocorra o contrário: uma fonte de receita (E) e duas fontes de despesa (F e G). As linhas correspondentes a D e H no Quadro 7.1 são, respectivamente, o resultado primário (ou seja, tirando os juros) do Tesouro Nacional e do INSS.

Ao consolidar as informações e pensar em termos da contabilidade do governo central como um todo, a receita total é, por definição, A + B + E, e a despesa total é C + F + G. O resultado primário é igual à diferença entre receitas de um lado e despesas de outro.

O que os críticos da proposta de reforma da Previdência alegam em defesa do *status quo* da legislação – inclusive a constitucional – é que uma parte da receita do Tesouro (digamos, B) deveria ser considerada receita da Previdência Social, com base em certa interpretação jurídica do que diz a Constituição, enquanto parte das despesas do INSS (digamos, F) deveria ser assumida pelo Tesouro, por ser de natureza assistencial.

Mesmo que se concorde com o mérito – e, no caso específico das despesas, esclarecemos que o argumento dos críticos sobre a natureza assistencial de parte das despesas do INSS com benefícios rurais nos parece pertinente –, vejamos o que aconteceria nessa contabilidade alternativa. A receita do Tesouro, em vez de ser a soma de A + B, seria composta apenas por A, enquanto a sua despesa, em vez de ser representada apenas por C, seria resultante da soma de C + F. No caso do INSS, sua receita, em vez de ser apenas E, seria B + E, enquanto sua despesa, agora livre de uma das rubricas, seria dada apenas por G.

O que se pergunta é: o que aconteceu com o resultado agregado das contas do governo? E a resposta, inequívoca, é: rigorosamente nada! Isto é, assim como antes, também nessa contabilidade alternativa a receita continuaria sendo A + B + E, e a despesa, C + F + G. Shakespeare diria, com pertinência, sobre o argumento dos críticos: "*Much a do about nothing*".

Reformas, mais uma vez

Quando se olha para o universo do gasto público primário (tirando os juros da dívida) do governo central como um todo, hoje da ordem de 23% do PIB, é natural ter uma ideia equivocada acerca das possibilidades concretas de se fazer um ajuste fiscal. Digamos que se imagine fazer um corte de 5% da despesa. O leitor certamente não gostaria de sofrer uma redução do seu salário, mas provavelmente a maioria das pessoas poderia se ajustar para viver com 95% do que recebe. É uma perda importante, mas não é drástica, como é, por exemplo, perder 50% da renda familiar ou ficar desempregado. Quem ganha R$1.000 pode viver com R$950 e quem recebe R$10.000 pode viver com R$9.500. A pergunta é: podemos aplicar o mesmo raciocínio para o governo? A Tabela 7.7 permite que o leitor chegue às próprias conclusões.

Tabela 7.7: Estrutura da despesa primária federal em 2009

Composição	% PIB	% Despesa Primária Total
Transferências a estados e municípios	4,1	18,4
Pessoal	4,8	21,5
INSS	7,2	32,3
Outras despesas de custeio e capital (OCC)	6,2	27,8
Seguro-desemprego	0,9	4,0
LOAS/RMVs	0,6	2,7
Subsídios e subvenções	0,2	0,9
Relacionamento com o Banco Central	0,1	0,4
OCC restrito	4,4	19,7
Legislativo + Judiciário	0,2	0,9
Sentenças judiciais	0,1	0,4
Outras despesas correntes	3,0	13,5
Ministério da Saúde	1,5	6,7
Ministério da Educação	0,4	1,8
Ministério do Desenvolvimento Social	0,4	1,8
Outros órgãos	0,7	3,1
Investimento	1,1	4,9
Total	22,3	100,0

Fonte: STN.

A tabela mostra a decomposição da despesa entre as principais rubricas de gasto. Este se divide em quatro grandes agregados: as transferências a estados e municípios, pessoal, INSS e "outras despesas". É impossível, na prática, alterar as transferências, pois são parte fundamental do equilíbrio federativo do país. A despesa com pessoal, a curto prazo, é rígida, devido à impossibilidade de redução de salários e à estabilidade no emprego de que gozam os funcionários públicos. Deixemos de lado, por enquanto, a despesa do INSS, que, de qualquer forma, obviamente também é rígida a curto prazo, uma vez que não há como "demitir" aposentados nem reduzir seus benefícios. Concentremo-nos agora nas "outras despesas de custeio e capital", ou seja, o OCC.

Voltemos ao raciocínio anterior dos 5%. Um corte de 5% incidente sobre uma despesa total da ordem de 22% do PIB equivale a 1,1% do PIB. É bastante, isto é, daria para fazer um bom ajuste ou, alternativamente, reduzir alguns impostos. Como vimos, porém, uma parte da despesa parece "blindada" contra cortes. Alguém, olhando a Tabela 7.7, poderia dizer: "Bom, de qualquer forma, ainda sobram em torno de 6% do PIB de OCC. Como não dá para cortar 5% do total, a parte que dá para cortar deveria sofrer um corte maior, por exemplo, de 10%. Ora, 10% de 6% do PIB resultam em 0,6% do PIB, o que ainda representa um ajuste fiscal razoável." Será que é viável? Vejamos isso mais de perto, colocando uma lupa nos dados.

Desses pouco mais de 6% do PIB, temos 0,9% de seguro-desemprego que, pelo menos por enquanto, não deverá cair. Além disso, quem pretender mudar as despesas assistenciais será taxado de insensível, de tal forma que, realisticamente, os 0,6% de LOAS e RMVs também ficariam de fora dos cortes. Alguns subsídios e subvenções podem ser legalmente cortados, mas parte da despesa corresponde a compromissos contratuais que terão de ser respeitados; e, na parte restante, cada "zero, vírgula qualquer coisa" por cento do PIB tem o seu *lobby* parlamentar específico, que vai fazer uma pressão enorme para manter a verba. Resultado: qualquer governo vai julgar que, politicamente, a relação custo/benefício dessa batalha não compensaria a luta para ganhar o que, provavelmente, se situaria na segunda casa decimal como proporção do PIB. E a despesa com transferências ao Banco Central é essencial ao funcionamento da instituição. Caímos então no universo do que, tirando essas despesas, podemos denominar "OCC restrito", que, em 2009, foi de 4,4% do PIB, conforme indicado na Tabela 7.7.

A essa altura, quem defendia cortes deve estar começando a perceber que a realidade é mais complexa do que supunha. Vamos mostrar como essa complexidade é maior ainda. Desses 4,4% do PIB, temos:

- 0,2% do PIB com despesas correntes do PIB associadas ao Legislativo e Judiciário, que a prudência política recomenda aos ocupantes do Poder Executivo que tentem evitar cortar muito;
- 0,1% do PIB de despesas judiciais, que têm de ser cumpridas;
- 1,1% do PIB de investimento que, a rigor, todos querem que seja maior;
- 3% do PIB de "outras despesas correntes".

Sobra ainda ânimo para tentar cortar alguma coisa? Como se decompõe esse total de 3% do PIB de despesas correntes? Nele, estão 1,5% do PIB do Ministério da Saúde, 0,4% do PIB do Ministério de Educação e outros 0,4% do PIB do Ministério de Desenvolvimento Social (leia-se: Bolsa-Família), que nenhum presidente da República, em sã consciência, vai querer diminuir. "Sobraram", então, 0,7% do PIB. Para quê? Para fazer convênios com 27 estados, mais de 5.500 prefeituras, e atender às demandas setoriais por gastos de 30 ministérios. Uma disposição hercúlea para diminuir desperdícios, brigando-se com governadores, prefeitos e quase todos os ministros, cortando-se 20% dessa fonte de despesa, vai diminuir o gasto público em... 0,1% do PIB!

Aonde queremos chegar com isso? Mostrar que não adianta ter ilusões acerca da possibilidade de aumentar a eficiência do Estado – ainda que isso seja desejável e positivo para o país e para a sociedade –, para com isso "driblar" a conveniência de atacar a principal rubrica de gasto público, que é a despesa do INSS.

Sem reformas mais profundas (que limitem a capacidade de expansão dos gastos correntes do governo; estanquem o processo de aumento sistemático do valor das aposentadorias de dois a cada três aposentados – aqueles que recebem um salário mínimo; e dilatem o tempo de contribuição daqueles que, pelas regras atuais, se aposentam muito cedo), será difícil mudar o quadro exposto. Por sua vez, nesse contexto, com um baixo valor do investimento público, será difícil aspirar a um crescimento sustentado da economia da ordem de 5% a.a. ou mais, em média, durante 20 ou 30 anos. Mais cedo ou mais tarde, a sociedade brasileira terá de se convencer da conveniência de realizar reformas como as que este livro defende.

Nos próximos capítulos, colocaremos uma espécie de *zoom* em cada um dos fatores que pressionam as contas da Previdência Social no país e esmiuçaremos, com mais detalhes, as diversas questões envolvidas na discussão.

Capítulo 8

A política de elevação do salário mínimo: até quando?

Com a colaboração de Márcia Marques de Carvalho

"O Brasil é um país em que as pessoas acham muito, observam pouco e não medem praticamente nada."

Fernando Penteado Cardoso, presidente da Fundação Agricultura Sustentável.

Nos últimos 15 anos, o salário mínimo teve aumentos reais sucessivos em quase todos os anos. Se compararmos a variação do salário mínimo nominal com a variação do INPC desde a data do reajuste imediatamente anterior, chegaremos à conclusão de que ele teve uma variação real de 1995 a 2010 de 121,8%, ou seja, mais do que dobrou o seu poder de compra. Caso tivesse sido corrigido apenas pela inflação, ou seja, caso seu poder de compra tivesse permanecido constante, o valor nominal do salário mínimo seria de R$229,93, em vez dos atuais R$510,00 (Tabela 8.1).

O aumento do valor real do salário mínimo em si não deveria provocar grande impacto sobre as contas públicas. No Brasil, entretanto, aumentar o salário mínimo significa elevar o nível de despesa do sistema previdenciário, uma vez que praticamente ⅔ dos benefícios previdenciários e assistenciais – e mais de 40% do total do gasto da mesma espécie – estão indexados ao salário mínimo. Isso significa que a cada aumento do salário mínimo o governo necessita reduzir outras despesas ou elevar a carga, ou uma combinação de ambos. Como visto em capítulo anterior, reduzir despesas é algo não trivial e, quando acontece, tem sido feito via redução de despesas com investimentos, comprometendo o potencial de crescimento da economia no futuro.

Tabela 8.1: Evolução do Salário mínimo (1994-2010)

Ano	Valor Nominal	SM corrigido pela inflação	Variação real acumulada[a]
1994	70,00	70,00	
1995	100,00	81,54	22,63
1996	112,00	96,40	16,18
1997	120,00	104,30	15,04
1998	130,00	108,61	19,69
1999	136,00	112,83	20,54
2000	151,00	118,86	27,04
2001	180,00	126,30	42,51
2002	200,00	138,58	44,32
2003	240,00	164,27	46,09
2004	260,00	175,87	47,83
2005	300,00	187,50	60,00
2006	350,00	193,52	80,86
2007	380,00	199,90	90,09
2008	415,00	209,84	97,77
2009	465,00	222,26	109,22
2010	510,00	229,93	121,82

[a] Compara o reajuste observado com a variação do INPC acumulado entre o reajuste precedente e o mês imediatamente anterior.
Fonte: Salário mínino: Ipeadata. INPC; IBGE.

Objetivos e funções do salário mínimo

O salário mínimo foi criado no final do século XIX, nos Estados Unidos, Austrália e Nova Zelândia,[1] e era uma reivindicação antiga dos movimentos trabalhistas. É, por definição, a menor remuneração permitida por lei (ou seja, no mercado formal) para os trabalhadores de um país, e sua fixação representa uma intervenção do Estado no mercado de trabalho. Essa intervenção é necessária nos casos em que é comum a remuneração do trabalhador ser inferior ao valor da produtividade do trabalho e, então, o salário mínimo tem a função de dar maior justiça à relação empregador-empregado.

Além de servir como um piso à remuneração dos empregados no setor formal da economia, o salário mínimo desempenha papel de sinalizador. É como uma espécie de indexador informal para os trabalhadores do setor informal da economia e também para outros mercados, como o de aluguel informal de imóveis.

No Brasil, por causa do seu papel de indexador, qualquer aumento do salário mínimo gera impacto sobre a remuneração de trabalhadores formais e infor-

[1] Ver Sandroni (2005).

mais, além de afetar os benefícios previdenciários e assistenciais, como o seguro--desemprego, o abono salarial e o benefício de prestação continuada (BPC).

Até que ponto essa política de significativos aumentos reais do salário mínimo é bem-sucedida em reduzir a pobreza e alterar a distribuição de renda em favor dos mais pobres? Quais razões poderiam justificar essa contínua elevação do poder de compra do salário mínimo? E até quando? Quem são os trabalhadores que recebem o salário mínimo no Brasil? Quem são os beneficiários do piso previdenciário? Qual o impacto do salário mínimo nas despesas previdenciárias? São questões importantes sobre as quais, mais cedo ou mais tarde, a sociedade brasileira terá de deliberar. Essas são as questões que este capítulo discutirá.

Quem ganha salário mínimo no mercado de trabalho? Um retrato de 2008

Nesta seção faz-se uma descrição dos trabalhadores que recebem o salário mínimo (SM) com base nos dados da Pesquisa Nacional por Amostra de Domicílios (Pnad) do IBGE do ano mais recente disponível, que é 2008. O salário mínimo em vigor no mês de referência dessa pesquisa (setembro) era de R$415,00. Consideramos como beneficiários do salário mínimo os trabalhadores não agrícolas com rendimento mensal[2] do trabalho principal entre R$300,00 e R$530,00, ou seja, entre 0,72 SM e 1,28 SM. De acordo com essa classificação, 12% dos trabalhadores não agrícolas ocupados com rendimentos recebiam menos de 1 SM por mês, 30% recebiam 1 SM e 58% recebiam mais de 1 SM.

Iniciando pelas características pessoais, observa-se que os jovens de 18 a 24 anos destacam-se entre os trabalhadores com 1 SM de rendimento mensal, comparados com a PEA ocupada (Tabela 8.2).[3] Os não brancos e mulheres também predominam na categoria com 1 SM quando comparados à PEA.

---

[2] O trabalho pioneiro de Reis e Ramos (1993) sobre salário mínimo no Brasil utiliza o salário corrigido pelo número de horas, que consiste em multiplicar o salário mínimo total pela relação entre o total de horas trabalhadas pelo indivíduo e o número de horas que compõem a jornada legal do país.

[3] Na Tabela 8.2, bem como em outras tabelas deste capítulo, as categorias de rendimento foram divididas entre aqueles que ganham "menos de um salário mínimo", "exatamente um salário mínimo" e "mais de um salário mínimo", desagregação que parece enriquecer bastante a análise. Na explicação das tabelas, porém, para não incorrer numa descrição excessivamente detalhada que poderia ser entediante para os leitores, optamos muitas vezes por nos referir à categoria que ganha "até um salário mínimo", que nada mais é do que a agregação daqueles dois primeiros grupos de pessoas. Os números associados a essa categoria foram calculados pelos autores em função do acesso às fontes primárias de informação, mas não constam diretamente em cada tabela.

Tabela 8.2 Características pessoais dos trabalhadores segundo as faixas de rendimento – Brasil, 2008 (%)

Características Pessoais	Rendimento Mensal do Trabalho Principal							
	< 1SM	= 1 SM	> 1 SM	Total	< 1SM	= 1 SM	> 1 SM	Total
Idade								
10-17	15,7	3,5	0,4	3,1	58,9	33,8	7,4	100,0
18-24	19,6	23,7	12,9	17,0	13,6	42,5	43,9	100,0
25-29	10,5	14,8	15,1	14,5	8,5	31,1	60,3	100,0
30-39	18,3	23,6	28,5	25,8	8,3	27,9	63,8	100,0
40-49	16,2	19,2	25,0	22,2	8,6	26,5	65,0	100,0
50-59	11,4	10,9	14,0	12,7	10,5	26,0	63,5	100,0
60-+	8,3	4,3	4,1	4,7	20,8	28,2	51,0	100,0
Total	100,0	100,0	100,0	100,0	11,8	30,5	57,7	100,0
Cor ou Raça								
Branca	34,5	41,4	59,9	51,3	7,9	24,6	67,5	100,0
Não branca	65,5	58,6	40,1	48,7	15,8	36,7	47,5	100,0
Total	100,0	100,0	100,0	100,0	11,8	30,5	57,7	100,0
Gênero								
Masculino	32,5	47,0	65,1	55,7	6,8	25,7	67,4	100,0
Feminino	67,5	53,0	34,9	44,3	17,9	36,5	45,6	100,0
Total	100,0	100,0	100,0	100,0	11,8	30,5	57,7	100,0
Anos de estudo								
Sem instrução	11,9	6,6	2,3	4,7	29,7	42,7	27,7	100,0
1-3 anos	13,8	8,5	3,9	6,5	25,1	40,1	34,8	100,0
4-7 anos	34,1	26,6	16,1	21,4	18,7	37,8	43,4	100,0
8-10 anos	22,9	22,4	15,9	18,7	14,4	36,6	49,1	100,0
11-14 anos	16,1	33,3	43,1	36,9	5,1	27,5	67,4	100,0
15 anos ou mais	0,8	2,3	18,6	11,6	0,8	6,1	93,1	100,0
Não determinados	0,4	0,3	0,1	0,2	22,2	47,3	30,6	100,0
Total	100,0	100,0	100,0	100,0	11,8	30,5	57,7	100,0
Posição na Família								
Pessoa de referência	33,2	40,7	54,9	48,0	8,1	25,8	66,0	100,0
Cônjuge	30,5	26,7	22,7	24,8	14,4	32,8	52,8	100,0
Filho	29,7	26,4	18,2	22,1	15,8	36,5	47,7	100,0
Outro	6,6	6,2	4,2	5,1	15,2	37,3	47,4	100,0
Total	100,0	100,0	100,0	100,0	11,8	30,5	57,7	100,0

Fonte: Pnad/2008 do IBGE.

Enquanto 33% da PEA ocupada não completaram o ensino fundamental (até sete anos completos de estudo), dentre os que recebem 1 SM, encontra-se uma concentração de 42% de indivíduos com essa escolaridade. Os indivíduos que ganham 1 SM são predominantemente mulheres, jovens, não brancos e que não completaram o ensino fundamental.

O papel da escolaridade é crucial para determinar rendimentos superiores ao salário mínimo. Dentre os que completaram 15 anos ou mais de escolaridade, menos de 7% ganham até um salário mínimo, enquanto praticamente ¾ dos trabalhadores sem instrução ganham até esse valor. Também a experiência profissional desempenha papel relevante porque, entre os jovens de até 24 anos, a maioria ganha até 1 SM, enquanto entre trabalhadores com idade entre 40 e 49 anos esse percentual cai para 35%.

Quanto à característica do trabalho, como mostra a Tabela 8.3, entre os que ganham exatamente 1 SM, os empregados com carteira assinada compõem

Tabela 8.3 Características do trabalho segundo as faixas de rendimento – Brasil, 2008

	Rendimento Mensal do Trabalho Principal							
Características do Trabalho	**<1SM**	**1 SM**	**>1 SM**	**Total**	**<1SM**	**1 SM**	**>1 SM**	**Total**
Posição na Ocupação								
Empregado com CT assinada	1,2	37,2	50,3	40,6	0,3	28,0	71,7	100,0
Conta própria	38,4	17,9	16,5	19,5	23,1	28,1	48,8	100,0
Outro empregado sem CT assinada	30,7	24,6	11,1	17,5	20,6	42,9	36,5	100,0
Trabalhador doméstico	29,2	13,7	2,4	9,0	38,3	46,6	15,2	100,0
Funcionário público estatutário ou militar	0,1	5,4	12,1	8,7	0,1	19,1	80,8	100,0
Empregador	0,5	1,1	7,7	4,8	1,1	6,9	91,9	100,0
Total	100,0	100,0	100,0	100,0	11,8	30,5	57,7	100,0
Atividade principal								
Comércio e reparação	21,0	21,6	20,0	20,6	12,0	32,1	56,0	100,0
Indústria de transformação	15,2	16,0	18,7	17,5	10,2	27,9	61,9	100,0
Educação, saúde e serviços sociais	4,3	10,5	13,2	11,4	4,5	28,2	67,3	100,0
Construção	7,3	9,9	9,0	9,1	9,5	33,4	57,2	100,0
Serviços domésticos	29,2	13,7	2,4	9,0	38,3	46,6	15,2	100,0
Transporte, armazenagem e comunicação	3,1	3,8	8,0	6,1	6,0	18,9	75,1	100,0
Administração pública	1,0	5,0	7,7	6,1	1,9	25,3	72,9	100,0
Outras atividades industriais	0,3	0,5	1,3	1,0	3,8	16,4	79,8	100,0
Alojamento e alimentação	5,1	5,8	3,6	4,4	13,7	40,0	46,4	100,0
Outros serviços coletivos, sociais e pessoais	9,1	5,5	4,3	5,3	20,5	32,0	47,5	100,0
Outras atividades	3,2	7,2	11,8	9,4	4,0	23,6	72,4	100,0
Atividades mal definidas	1,1	0,3	0,1	0,3	50,3	34,0	15,7	100,0
Total	100,0	100,0	100,0	100,0	11,8	30,5	57,7	100,0
Contribuição para Previdência								
Contribuinte	4,9	54,9	76,1	61,2	0,9	27,3	71,7	100,0
Não contribuinte	95,1	45,1	23,9	38,8	28,8	35,5	35,7	100,0
Total	100,0	100,0	100,0	100,0	11,8	30,5	57,7	100,0

Fonte: Pnad/2008 do IBGE.

o maior grupo, com 37,2% do total. Esses mesmos trabalhadores compõem também o principal grupo, com 27,2% entre os que ganham até 1 SM (menos de 1 SM + 1 SM), seguidos por empregados sem carteira assinada (26,3%) e trabalhadores por conta própria (23,6%). Trabalhadores domésticos têm elevada incidência entre os que ganham até 1 SM (18% do total), mais do dobro da incidência dessa categoria profissional na PEA (9%). Também trabalhadores por conta própria e empregados sem carteira assinada têm maior expressão entre aqueles que ganham até 1 SM do que sua participação relativa na PEA. Para os demais, a participação relativa entre os que ganham até 1 SM é inferior à sua respectiva participação na PEA. Chama ainda a atenção o grupo constituído por funcionários públicos estatutários ou militares, pois sua participação na PEA é de 8,7%, enquanto aqueles que ganham até 1 SM somam apenas 3,9%. Sob a ótica da atividade principal do exercício do trabalho, são cinco as atividades nas quais a incidência de indivíduos que recebem até 1 SM é superior à sua participação na PEA: comércio e reparação, serviços domésticos, alimentação e alojamento, outros serviços sociais, coletivos e pessoais, e atividades mal definidas. Entre elas, a incidência de trabalhadores com rendimentos até 1 SM (18%) é o dobro de sua incidência na PEA.

Os não contribuintes para a Previdência Social estão também sobrerrepresentados dentre os trabalhadores com até 1 SM. Assim é que, entre os que ganham até 1 SM, os contribuintes somam 41% do total, enquanto os não contribuintes somam 59% do total. Visto de outra forma, pode-se constatar que, entre os contribuintes da Previdência, apenas 28,3% ganham até 1 SM. Já entre os não contribuintes, esse percentual eleva-se para 64,3%.

Quem recebe benefício de salário mínimo? Um retrato de 2008

Os dados da Previdência Social não permitem que sejam identificados com clareza os indivíduos que recebem benefício de 1 SM. Por essa razão, também nesta seção utilizamos dados da Pnad/2008.

Como o salário mínimo também afeta o valor do benefício das aposentadorias e pensões de um piso previdenciário, é importante comparar o perfil dos beneficiários desse grupo com aqueles que recebem benefícios acima do piso (Tabela 8.4).

O fato de o peso das aposentadorias de pessoas com 60 anos ou mais ser maior no universo daqueles que ganham salário mínimo em relação àqueles que recebem benefícios maiores se deve, essencialmente, ao fato de que a proporção de indivíduos aposentados que recebem salário mínimo é tipicamente maior no universo dos aposentados por idade do que no daqueles que se aposentaram por tempo de contribuição. Como a maioria das aposentadorias por tempo de contribuição se dá antes dos 60 anos, há um contingente proporcionalmente maior de pessoas na faixa de 50 a 59 anos no grupo dos que recebem mais de um salário mínimo, comparativamente à distribuição etária daqueles que recebem o piso previdenciário.

Tabela 8.4: Características dos aposentados e pensionistas, segundo o valor do benefício – Brasil, 2008

Características Pessoais	Valor da Aposentadoria ou Pensão					
	= 1 SM	>1 SM	Total	= 1 SM	>1 SM	Total
Idade						
< 50 anos	7,7	9,1	8,2	61,0	39,0	100,0
50-59	13,8	27,6	18,7	48,1	51,9	100,0
60 e mais	78,5	63,3	73,2	69,6	30,4	100,0
Total	100,0	100,0	100,0	64,9	35,1	100,0
Anos de Estudo						
Sem instrução e menos de 1 ano	41,0	6,6	28,9	92,0	8,0	100,0
1 a 3 anos	21,8	9,9	17,6	80,4	19,6	100,0
4 a 7 anos	25,2	25,9	25,4	64,3	35,7	100,0
8 a 10 anos	6,0	13,6	8,7	45,1	54,9	100,0
11 a 14 anos	5,1	26,5	12,6	26,3	73,7	100,0
15 anos ou mais	0,8	17,5	6,7	7,5	92,5	100,0
Não determinados	0,1	0,0	0,1	70,9	29,1	100,0
Total	100,0	100,0	100,0	64,9	35,1	100,0
Rendimento mensal do trabalho principal						
< 1 SM	39,2	8,5	26,9	87,4	12,6	100,0
1 SM	33,4	16,2	26,5	75,5	24,5	100,0
> SM	27,4	75,3	46,6	35,2	64,8	100,0
Total	100,0	100,0	100,0	59,9	40,1	100,0
Acúmulo de benefícios previdenciários						
Somente aposentadoria	64,5	71,0	66,8	62,7	37,3	100,0
Somente pensão	18,7	18,2	18,5	65,5	34,5	100,0
Aposentadoria e pensão	16,8	10,8	14,7	74,2	25,8	100,0
Total	100,0	100,0	100,0	64,9	35,1	100,0

Fonte: Pnad/2008 do IBGE.

O perfil de distribuição das aposentadorias de um salário mínimo reflete, naturalmente, o elevado peso das aposentadorias rurais e de boa parte das pensões, cujas características sociodemográficas são nitidamente diferenciadas em relação à média das aposentadorias urbanas. É isso que explica por que, entre aqueles que recebem o benefício de um salário mínimo, 43% não têm instrução ou têm menos de um ano de instrução.

Há razão para o aumento real do salário mínimo?

Uma questão inicial sobre o salário mínimo é se haveria alguma razão para ser reajustado sistematicamente acima da inflação. Uma das razões plausíveis é que o longo período de inflação elevada pelo qual passou a economia brasileira acabou por corroer o valor real do salário mínimo, de modo que era necessário e legítimo recuperar seu poder de compra. De fato, como mostra o Gráfico 8.1, desde o final da década de 1970 até aproximadamente a metade da década de 1990, o salário mínimo foi perdendo seu poder de compra. A partir de então, definiu-se uma política voltada para recuperar seu valor, com reajustamentos superiores à inflação. Pode-se notar ainda que tanto os dois governos de FHC como os dois de Lula praticamente tiveram o mesmo comportamento de recuperação do valor de compra do salário mínimo. Essa política fez com que, em dezembro de 2009, o poder de compra do salário mínimo, em R$ constantes de janeiro de 2010 (R$469,09), fosse praticamente o mesmo que a média do período 1979/80 (R$461,42), que é a segunda maior média dessa série. Mas já em 2010, com o reajuste concedido em janeiro, o valor real do salário mínimo atual é aproximadamente 10% superior àquela média.

Uma segunda razão para a elevação do poder de compra do salário mínimo poderia ser seu efeito sobre os níveis de pobreza.

Gráfico 8.1: Salário mínimo real e média móvel de 12 meses (Brasil: 1979-2009)*

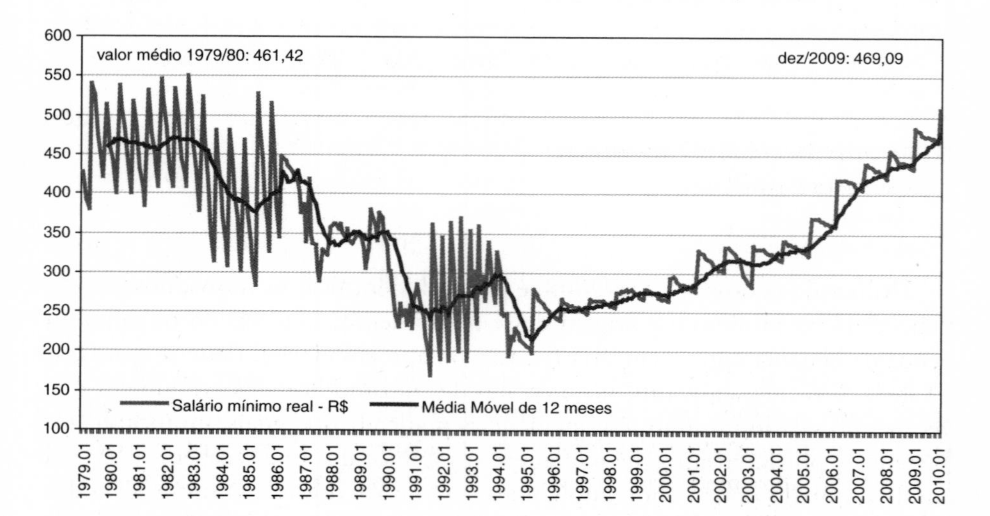

* Valor deflacionado pelo INPC de 1979 a junho de 1994. Em julho de 1994, tendo em vista a enorme discrepância entre o INPC (7,75%) e o IPC/FGV (32,45%), foi utilizado este último, e a partir daí retomou-se o INPC como indicador.

Fonte: Ipeadata.

Como se pode constatar no Gráfico 8.2, a partir de dados das Pnads, entre 1998 e 2008 o aumento do valor do salário mínimo se deu em um ritmo muito mais acelerado do que a renda média dos 20% mais pobres do país. Por consequência, enquanto em 1998 o salário mínimo era apenas 31% superior à renda média dos 20% mais pobres, em 2008 era mais do que o dobro (113% maior). O mesmo aconteceu em relação ao rendimento médio dos indivíduos de 10 anos ou mais com rendimento. Na comparação entre essas grandezas, a importância relativa do salário mínimo praticamente dobrou. O que isso significa? Que o salário mínimo não atinge ou, mais precisamente, atinge muito pouco aqueles indivíduos mais desprotegidos da sociedade brasileira.

Gráfico 8.2: Relação entre o salário mínimo e a renda média dos 20% mais pobres e a renda média mensal das pessoas com 10 anos ou mais de idade, com rendimento

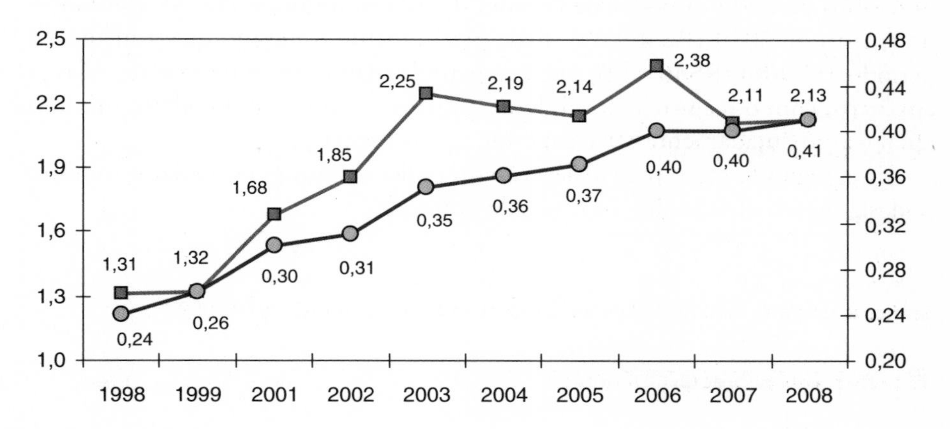

Fonte: Pnad do IBGE, diversos anos.

Utilizando dados da Pnad/2008, é possível identificar os indivíduos que recebem salário mínimo e a origem desse recebimento: se renda do trabalho ou renda de benefício previdenciário (pensão ou aposentadoria). Pode-se constatar (Tabela 8.5) que, enquanto no mercado de trabalho homens e mulheres que recebem o salário mínimo têm incidências praticamente iguais, no tocante aos benefícios previdenciários não acontece o mesmo: dos que recebem o SM, as mulheres predominam com ampla folga – são 63% dos casos contra 37% dos homens. O sistema previdenciário distribui o benefício de 1 SM mais igualmente entre brancos e não brancos (48,4% contra 51,6%). No mercado de trabalho, porém, dentre os que recebem 1 SM praticamente ⅔ são não brancos.

Tabela 8.5: Distribuição dos indivíduos que recebem salário mínimo segundo categorias

		Recebem SM	
Categorias	**Recebem SM**	**Renda do trabalho**	**Benefícios (RGPS + LOAS)**
Total[a]	**22.300.400**	**9.326.326**	**12.974.074**
Homens	42,34	50,21	36,68
Mulheres	57,66	49,79	63,32
Brancos	43,73	37,21	48,41
Não brancos	56,27	62,79	51,59
Chefe	53,77	41,63	62,50
Outro[b]	45,67	57,78	36,96
Pobres (INCIDÊNCIA)	**13,36**	**21,44**	**7,55**
Homens	61,98	71,10	43,37
Mulheres	38,02	28,90	56,63
Brancos	28,30	27,36	30,20
Não brancos	71,70	72,64	69,80
Chefe	67,65	67,91	67,11
Outro[b]	32,05	31,90	32,35
Não pobres (INCIDÊNCIA)	**86,64**	**78,56**	**92,45**
Homens	39,31	44,51	36,13
Mulheres	60,69	55,49	63,87
Brancos	46,11	39,90	49,90
Não brancos	53,89	60,10	50,10
Chefe	51,63	34,45	62,13
Outro[b]	47,77	64,85	37,34
Extremamente pobres (INCIDÊNCIA)[c]	**1,35**	**2,40**	**0,60**
Homens	74,54	82,52	51,64
Mulheres	25,46	17,48	48,36
Brancos	24,49	24,01	25,89
Não brancos	75,51	75,99	74,11
Chefe	73,93	76,47	66,62
Outro[b]	25,78	23,34	32,77

[a] A soma de pobres e não pobres é inferior ao total devido à falta de declaração de renda de algum membro da família.
[b] A diferença em relação ao total explica-se pela exclusão de outras categorias.
[c] Extremamente pobre é um subconjunto de pobres e, por essa razão, não deve ser adicionado ao total.
Fonte: Pnad/2008 do IBGE. Tabulação dos autores.

Refletindo a composição da família do idoso, entre os que recebem benefício de 1 SM, 63% são chefes da família, enquanto no mercado de trabalho entre os que recebem 1 SM apenas 42% são chefes da família.

A mesma tabela revela ainda que, entre os indivíduos que recebem salário mínimo no mercado de trabalho, apenas 21,4% são pobres, 2,4% são extremamente pobres e praticamente 80% não são pobres.[4] Mais impressionante ainda é a situação dos que recebem benefícios previdenciários de 1 SM: somente 7,6% são pobres e apenas 0,6% dos que recebem esse valor são extremamente pobres, ou seja, vivem em famílias com renda *per capita* inferior à metade da linha de pobreza, o que indica sua baixíssima penetração no segmento mais desprovido de proteção.

Esses resultados mostram que o efeito do SM sobre a pobreza é quase residual. Do total de indivíduos que recebem esse valor (mercado de trabalho + benefícios), apenas 13 em cada 100 são pobres e pouco mais de um em 100 é extremamente pobre. Em poucas palavras, quem recebe salário mínimo já saiu da pobreza. Isso implica que, daqui para frente, aumentos reais do salário mínimo tendem a produzir apenas "conforto" àqueles que já não são mais pobres.

Ainda assim, seria possível argumentar-se a favor da manutenção da política de elevação real do SM, que, apesar de atingir poucos pobres (apenas 13 em 100), tem efeitos positivos sobre a desigualdade intrarregional, ou seja, atuaria de forma decisiva para reduzir a desigualdade nas regiões brasileiras.

A Tabela 8.6, porém, mostra com clareza que exatamente nas regiões mais pobres do país o SM está muito acima do valor de outros indicadores de renda da população. Enquanto para a média nacional o SM é mais do dobro da renda média dos 20% mais pobres do país, no Nordeste é quase 4,5 vezes essa renda; no Norte, quase três vezes, e no Centro-Oeste mais de 1,5 vez. Considerado o grupo dos 50% mais pobres do país, ainda assim o SM é superior à renda média desse grupo nas três regiões citadas. Isso revela, com toda clareza, que o efeito do salário mínimo sobre a pobreza atualmente é residual. Ele não mais pode ser entendido como um instrumento de redução da pobreza no país. Na realidade, para essa finalidade, é um desperdício de recurso.

Ora, se o salário mínimo já recuperou seu poder de compra e até ultrapassou seu valor da década de 1970/81 a partir de janeiro de 2010 e se já não funciona

---

[4] A definição de pobreza aqui utilizada está relacionada ao conceito de valor das linhas de pobreza. Apesar de a pobreza ser um fenômeno multidimensional, as linhas de pobreza referem-se exclusivamente ao consumo e à renda necessária para a efetivação do consumo. As linhas de pobreza são construídas segundo três princípios básicos: cada região do país tem uma estrutura específica de consumo; cada região tem um vetor de preços associado a essa estrutura de consumo; e a unidade básica de consumo e renda é a família. A estrutura de consumo permite, em conjunto com as necessidades básicas de sobrevivência dos indivíduos, definir a cesta básica de consumo familiar. Os vetores de preços determinam o custo de obtenção dessa cesta. As linhas de pobreza são construídas tendo como limite a renda *per capita* familiar suficiente para o consumo dessa cesta básica e, em 2008, o valor aproximado para a média do Brasil era R$200,00. A linha de extrema pobreza – muitas vezes também chamada de linha de miséria – corresponde à metade desse valor. Desde 2001, o IPEA calcula anualmente as linhas de pobreza para 24 regiões, cobrindo todo o território. Para mais detalhes, ver Barros e Mendonça (1999) e Rocha (1997).

como instrumento de redução da pobreza, uma questão importante é: por que manter indexado o benefício do piso previdenciário ao valor do salário mínimo? Veremos isso na seção subsequente.

Tabela 8.6: Relação entre salário mínimo e alguns indicadores de rendimento (rendimento médio mensal das pessoas de 10 anos ou mais de idade, com rendimento)

Região	SM/Renda média	SM/ 20% mais pobres	SM/ 50% mais pobres	SM/ 90% mais pobres
Brasil	0,41	2,13	1,20	0,65
Norte	0,52	2,84	1,37	0,79
Nordeste	0,62	4,41	1,73	1,03
Sudeste	0,35	1,42	0,96	0,54
Sul	0,36	1,40	0,95	0,54
Centro-Oeste	0,33	1,64	1,07	0,58

Fonte: Pnad/2008 do IBGE. Elaboração dos autores.

Há razão para indexar o piso ao SM?

A política de recuperação do valor real do salário mínimo, além de seus efeitos sobre o mercado de trabalho, no caso brasileiro, dada a indexação do piso previdenciário ao SM, também tem impacto sobre a Previdência. Além disso, é inexorável que se questione por que os benefícios previdenciários de um piso têm regra de reajuste diferenciado daqueles situados acima desse valor. De 2003 a 2008, por exemplo, os benefícios previdenciários acima do mínimo foram reajustados em 26,6% (ligeiramente superior ao INPC do período), enquanto os benefícios indexados pelo salário mínimo tiveram um reajuste de 72,9%.

Outra pergunta relevante: faz sentido vincular o reajuste das aposentadorias e pensões, de pessoas que já saíram do mercado de trabalho, pelo mesmo índice daquelas que estão na ativa? Em vários países, o reajuste dos benefícios previdenciários é feito de acordo com a inflação de preços, como no Chile, México, Estados Unidos,[5] Canadá, França e Itália. Na Alemanha, a indexação é por salários, como no Brasil. A Suécia tem um regime misto, utilizando a indexação por salários e pela inflação de preços.

Um argumento moral e economicamente aceitável seria o mesmo utilizado para justificar a recuperação do valor real do salário mínimo utilizado anteriormente, porém com um pequeno acréscimo. Aqueles que no passado

[5] Nos Estados Unidos, a discussão é em torno da criação de um índice de inflação específico para a população de 62 anos ou mais para servir como indexador dos benefícios previdenciários. Para mais detalhes, ver *Bureau of Labor* (2006).

haviam contribuído tomando como referência um salário mínimo, cujo valor foi posteriormente depreciado (eram, portanto, à época da contribuição, mais elevados), teriam na verdade pago mais pelo produto que estavam recebendo, tendo como causa exclusivamente a depreciação do valor do salário mínimo – e dos benefícios previdenciários próximos a esse valor – por causa da elevada inflação.

Outro argumento é que a indexação poderia atender a imperativos de redução da pobreza, sobretudo entre idosos, uma vez que estes, em princípio, não teriam como suprir suas necessidades de renda, dada sua incapacidade de trabalho. Há, de fato, evidências de que, sem a transferência da renda previdenciária, os idosos seriam especialmente pobres. O ponto, entretanto, como já mostrado por Ricardo Paes Barros, é que é possível reduzir parte da transferência para os idosos e deslocar esse recurso para os efetivamente mais pobres, sem impacto significativo na pobreza entre idosos, mas com expressiva redução de pobreza entre crianças e jovens.[6] Paulo Tafner também mostrou que é possível reduzir a transferência da renda da pensão deslocando o recurso poupado via programa de transferência de renda focado nos mais pobres, sem que nenhum idoso fique pobre, mas com redução de mais de oito pontos percentuais nos níveis de pobreza de crianças e jovens do país.[7]

A questão obviamente não é descaracterizar o salário mínimo como um instrumento que pode reduzir a pobreza, mas trazer a público a noção do efeito do "último real" transferido. Para quem tem fome, um prato de comida é crucial para sua sobrevivência, mas o segundo e o terceiro pratos não têm o mesmo valor. Algo similar ocorre com os aumentos do piso previdenciário. Os "primeiros reais" são importantes para retirar indivíduos, sobretudo idosos, da pobreza, mas os reais adicionais – fruto do sucessivo incremento de valor real do salário mínimo – não aliviam a pobreza de quem está fora do sistema previdenciário e são "desperdiçados" via transferência previdenciária, no combate à pobreza.

Como visto nas seções anteriores, a recuperação do valor do salário mínimo se deu de forma bastante rápida e acentuada, estando hoje acima de seu patamar mais elevado das décadas de 1970/81. Também o efeito sobre a pobreza está praticamente esgotado. Atualmente, o salário mínimo é equivalente à renda média do quarto decil da distribuição de renda, portanto longe da renda dos mais pobres e desprotegidos do país. Logo, manter a indexação terá como consequência apenas elevar os gastos previdenciários, pressionar as contas públicas e transferir ganhos para segmentos de renda média que já estão longe da linha de pobreza. É hora, portanto, de pensar no futuro.

---

[6] Ver Barros (2006).
[7] Ver Tafner (2007).

O que fazer?

Hoje, parece inquestionável que a recuperação do valor do SM desde a segunda metade da década passada era imperiosa, tendo em vista a progressiva deterioração de seu valor em anos anteriores por conta da elevada inflação. Por causa da regra de indexação aos benefícios previdenciários (e assistenciais), esse ganho foi também incorporado pelos beneficiários da Previdência Social. Entretanto, uma vez recuperado seu poder de compra, manter sua vinculação aos benefícios previdenciários, além de implicar transferências exageradas a aposentados e pensionistas, ao pressionar as contas públicas, poderá também induzir ações políticas e legislativas visando repassar aos demais benefícios o mesmo padrão de reajustamento, criando sérias limitações de ordem fiscal.

O desafio, portanto, é estabelecer regras que garantam a preservação do valor real do benefício, sem, no entanto, criar um mecanismo que comprometa as contas públicas nem se torne um fator limitante ao crescimento do salário mínimo.

A melhor alternativa é deixar o salário mínimo apenas como instituição intrinsecamente associada ao mercado de trabalho. Uma vez recuperado seu valor histórico real e, consequentemente, atingido o poder de compra do piso previdenciário, promover o reajustamento dos benefícios previdenciários por índice de preços é a melhor opção.

Qual índice é o mais adequado, esse pode ser um objeto de discussão. Segundo os dados já citados do *Bureau of Labor Statistics*, referentes a 2006, nos Estados Unidos, 10,9% dos gastos da população de 62 anos ou mais são com cuidados médicos, enquanto para os consumidores urbanos em geral essa categoria representa 5,1% dos gastos. Por outro lado, os consumidores urbanos em geral gastam com alimentação e bebidas 16,8% de seu orçamento, enquanto a população idosa consome 12,9% de seu orçamento com essa categoria. É crucial, porém, se defina o princípio de que reajustes de benefícios previdenciários devem ser indexados a preços. Ao mercado de trabalho e aos agentes diretamente envolvidos, cabe a tarefa de fixação do salário mínimo, instituição já quase secular das relações trabalhistas.

Todos os argumentos aqui apresentados indicam que o mais razoável seria desvincular o piso previdenciário do salário mínimo. Entretanto, há ainda fortes pressões políticas e desconfianças da sociedade de que a desvinculação possa corroer, ao longo do tempo, o valor real dos benefícios previdenciários. Manter a vinculação, mas estabelecer uma política menos permissiva de reajustamento do salário mínimo, pelo menos por mais alguns anos, parece então ser a solução mais sensata.

Capítulo 9

O país jovem que envelhece

"Entendi, mas quero saber o seguinte: isso estoura neste governo ou não?"

Líder do governo na Câmara de Deputados a um assessor do então ministro do Planejamento brasileiro, após assistir a uma exposição sobre as tendências de agravamento do desequilíbrio previdenciário... em 1982!

Nos sistemas previdenciários baseados no princípio da repartição, como o brasileiro, a geração atualmente ocupada financia os benefícios da geração que já se retirou e será, no futuro, financiada pela nova geração que chegar ao mercado de trabalho. Há, portanto, uma lógica de solidariedade intergeracional – a pessoa paga no presente, na esperança de, com esse esforço, ser compensada no futuro.

Se os parâmetros que regulam o sistema estiverem bem calibrados e se não houver alterações significativas na dinâmica demográfica nem sérias restrições no mercado de trabalho, é possível que o sistema sobreviva sem graves desequilíbrios e não haja déficits nem pressão fiscal. Mas e se isso não ocorrer? Se, por acaso, os indivíduos passarem, por exemplo, a viver mais do que viviam quando o plano de seguridade foi feito? E se, por outro lado, a economia passar a crescer com menores taxas de emprego, de modo que a parcela empregada como proporção do total de pessoas economicamente ativas seja progressivamente menor ou, como é o caso de muitos países latino-americanos, uma parcela significativa estiver envolvida em atividades informais, sem qualquer "solidariedade" com a geração antecessora?

Nessas situações, surgiria um déficit no sistema e começaria uma disputa pela forma de financiá-lo. Para os contribuintes e beneficiários, a melhor solução seria um aumento geral de impostos, de modo a compartilhar os custos com toda a coletividade. Por outro lado, para a sociedade, o melhor seria que o déficit fosse financiado pelos diretamente envolvidos no sistema (contribuintes e beneficiários).

Nessa hipótese, e caso houvesse flexibilidade de ajustamento dos parâmetros, seria possível proceder a um aumento da alíquota da contribuição ou a um aumento do tempo de contribuição, ou ainda a uma redução do benefício, ou a uma combinação deles.[1] Nesse caso, a questão é decidir qual combinação

[1] Isso equivaleria a determinar que todo o direito dos sistemas previdenciários, inclusive o de aposentados ou pensionistas, seria um direito *pro-rata*. O benefício, porém, na prática, não pode ser alterado, pois colocaria incertezas jurídicas eventualmente incontornáveis.

é preferível. Para os trabalhadores jovens, a melhor escolha é reduzir os benefícios correntes e preservar alíquota e tempo de contribuição. No outro extremo, os beneficiários preferem qualquer combinação de aumento de alíquota e aumento de período de contribuição a perdas no valor de seu benefício. Para os trabalhadores que estão próximos de se aposentar, a melhor opção é ter um aumento progressivo e marginal de alíquotas, de modo que seu custo seja o menor possível.

Ora, como, por questões legais, há rigidez de ajustamento dos benefícios em curso, o ônus do déficit sempre recairá sobre os ativos e, entre estes, mais severamente nas gerações mais jovens. Além disso, mesmo sem impedimento legal, a baixa velocidade de ajustamento de parâmetros, visto que demanda reforma legal, faz com que o sistema acumule desequilíbrios e pressione as contas públicas.

Isso não seria problema caso se tratasse apenas de uma possibilidade teórica. O fato, porém, é que mudanças demográficas não apenas ocorrem, como têm ocorrido com regularidade e forte intensidade, mesmos em países demograficamente jovens, como o Brasil. E seu impacto é tão profundo que, na literatura sobre o tema, tem sido chamado de "risco demográfico", denotando um fator que impõe forte constrangimento à saúde financeira e atuarial dos programas de proteção social.

O importante é que o leitor entenda que não se trata de mudanças que alterem significativamente o perfil de um país de um ano para outro ou mesmo entre um governo e outro. Em 30 ou 40 anos, porém, as mudanças são enormes. Isso coloca um desafio importante para a sociedade como um todo, uma vez que aqueles a quem cabe a tarefa de definir os rumos do país – os líderes políticos – costumam tender a "empurrar a questão com a barriga", pois, afinal de contas, é possível postergar a solução do problema. Se essa atitude for adotada sistematicamente, porém, não só os anos, como também as décadas, vão passando, sem que o país se adapte a essa realidade. No que se segue, faremos uma breve apresentação da experiência internacional e, na sequência, veremos o caso brasileiro, tentando mostrar ao leitor a dimensão das transformações pelas quais o mundo e o país passaram e devem passar ainda nas próximas décadas.

O fator demográfico em perspectiva

O mundo experimentou ao longo do século XX uma transição demográfica resultante de três forças motrizes: i) forte elevação inicial da taxa de fecundidade, logo após o término da Segunda Guerra Mundial e que se prolongou por duas décadas; ii) pronunciada redução da taxa de mortalidade entre os segmentos mais velhos da sociedade; e iii) a partir de segunda metade da década de 1970, uma contínua queda na taxa de fecundidade.

O resultado foi um progressivo envelhecimento da população, já que os segmentos mais velhos não apenas começaram a se tornar numericamente mais expressivos no conjunto da população, como, no extremo oposto, a renovação da sociedade, dada a queda na taxa de fecundidade, tornou-se cada vez menor. A Tabela 9.1 apresenta taxas médias anuais de crescimento demográfico para o mundo e os diversos continentes.

Tabela 9.1: Taxa média anual de crescimento demográfico por década (%)

Ano	Mundo	África	Ásia	Europa	Caribe e América Latina	América do Norte	América do Sul	Oceania
1950-1960	1,76	2,26	1,79	1,02	2,77	2,05	2,79	2,27
1960-1970	2,01	2,53	2,28	0,83	2,75	1,75	2,69	2,11
1970-1980	1,84	2,71	2,06	0,55	2,37	1,46	2,38	1,60
1980-1990	1,72	2,81	1,87	0,39	2,07	1,33	2,07	1,61
1990-2000	1,43	2,45	1,50	0,11	1,63	1,37	1,61	1,45
2000-2010	1,18	2,33	1,15	-0,04	1,32	1,07	1,33	1,42
2010-2020	1,05	2,16	0,97	-0,12	1,10	1,01	1,08	1,20
2020-2030	0,85	1,93	0,69	-0,25	0,85	0,89	0,82	0,96
2030-2040	0,67	1,75	0,46	-0,35	0,61	0,74	0,58	0,72
2040-2050	0,53	1,56	0,27	-0,45	0,38	0,64	0,34	0,54

Fonte: Population Division of the Department of Economic and Social Affairs of the United Nations Secretariat, World Population Prospects: The 2008 Revision. United Nations.

É bastante clara a queda generalizada na taxa de crescimento demográfico. Já na primeira década do século XXI, todos os continentes, com exceção da África, apresentam taxas de crescimento demográfico inferiores a 1,5%, sendo que a Europa apresenta taxa negativa. É esperado para a década de 2020 a 2030 que todos os continentes – mais uma vez, com exceção da África – tenham taxas inferiores à unidade, fazendo com que as populações permaneçam praticamente constantes.

Uma forma alternativa porém bastante interessante de analisar esse fenômeno de envelhecimento demográfico é observar a evolução das idades medianas, tal como indicado na Tabela 9.2.

Observe que, entre 1950 e 2005, a idade mediana mundial elevou-se em 3,9 anos (16,35), mas na Europa o aumento foi de 9,2 anos (31%) e, na América do Sul, 6,1 anos (29,9%). Observe ainda que, para o período de 45 anos (2005-2050), a América do Sul terá uma elevação na idade mediana de sua população de 15,6 anos (passando de 26,5 anos para 42,1 anos). Isso equivale a 3,5 anos por década. Até a metade deste século (40 anos, a partir deste momento), a

Tabela 9.2: Evolução da idade mediana segundo continentes por quinquênio*

Ano	Mundo	África	Ásia	Europa	América do Norte	América do Sul	Oceania
1950	24,0	19,2	22,3	29,7	29,8	20,4	28,0
1955	23,5	18,9	21,5	30,1	29,9	20,1	27,6
1960	23,2	18,4	21,0	30,7	29,3	19,7	26,9
1965	22,5	18,0	20,1	31,1	28,1	19,3	25,6
1970	22,1	17,7	19,7	31,8	27,9	19,6	25,3
1975	22,4	17,5	20,2	32,1	28,7	20,2	25,6
1980	23,0	17,5	21,1	32,7	30,0	20,9	26,6
1985	23,7	17,4	22,1	33,7	31,5	21,7	27,7
1990	24,4	17,5	23,0	34,8	32,8	22,7	28,9
1995	25,4	18,0	24,3	36,1	34,0	23,9	30,1
2000	26,6	18,5	25,8	37,6	35,3	25,0	31,3
2005	27,9	19,1	27,4	38,9	36,2	26,5	32,2
2010	29,1	19,7	29,0	40,2	36,9	28,2	33,0
2015	30,2	20,4	30,4	41,5	37,5	30,0	33,9
2020	31,5	21,2	31,9	42,7	38,3	31,9	34,7
2025	32,8	22,2	33,5	44,0	39,1	33,8	35,5
2030	34,2	23,4	35,2	45,3	40,0	35,6	36,4
2035	35,5	24,6	36,8	46,4	40,7	37,3	37,2
2040	36,6	25,9	38,1	46,9	41,3	39,1	37,9
2045	37,5	27,2	39,3	46,8	41,7	40,6	38,5
2050	38,4	28,5	40,2	46,6	42,1	42,1	39,1

* Dados reais até 2005. A partir daí são dados projetados pelas Nações Unidas.
Fonte: Population Division of the Department of Economic and Social Affairs of the United Nations Secretariat, World Population Prospects: The 2008 Revision. United Nations.

população sul-americana não mais será jovem, entendendo-se por jovem aquele indivíduo com até 30 anos.

Entretanto, esse aumento da idade mediana não decorre apenas da redução na taxa de fertilidade, mas também do aumento da esperança de vida, decorrente da redução contínua na mortalidade infantil e, mais recentemente, também da redução da mortalidade em idade adulta.

Como se constata na Tabela 9.3, a esperança de vida entre 1950 e 2000 elevou-se de 46,6 anos para 66,4 anos – um aumento de praticamente 20 anos em meio século, o que equivale a quatro anos de acréscimo por década. Com exceção da Ásia e, especialmente da África, todos os demais continentes já apresentavam, em 2000, esperança de vida ao nascer superior a 70 anos.

Dados continentais são muito interessantes para se ter uma ideia do que ocorre no mundo, mas pouco nos informam sobre cada país. Por outro lado, seria por demais exaustivo analisarmos cada país isoladamente. Como, em ter-

Tabela 9.3: Evolução da esperança de vida ao nascer segundo continentes por década*

Décadas	Mundo	África	Ásia	Europa	América do Norte	América do Sul	Oceania
1950	46,6	38,7	41,2	65,6	68,8	52,0	60,4
1960	52,4	42,7	48,1	69,7	70,1	56,8	63,7
1970	58,2	46,5	56,6	70,8	71,6	60,6	65,8
1980	61,7	50,2	60,9	71,7	74,5	64,9	69,9
1990	64,0	51,6	64,2	72,6	75,9	68,4	72,3
2000	66,4	52,7	67,6	73,8	78,4	71,7	75,2
2010	68,9	56,0	70,3	76,1	80,1	74,1	77,3
2020	71,1	59,5	72,6	78,1	81,1	76,2	79,0
2030	73,1	62,8	74,5	79,6	82,1	77,8	80,4
2040	74,8	65,9	76,1	80,9	83,0	79,2	81,6

* Dados reais até 2005. A partir daí são dados projetados pelas Nações Unidas.
Fonte: Population Division of the Department of Economic and Social Affairs of the United Nations Secretariat. World Population Prospects: The 2008 Revision. United Nations.

mos gerais, os países em desenvolvimento apresentam, em período mais recente, tendências verificadas nos países desenvolvidos a partir da metade do século XX, trazemos um pequeno conjunto de países de cada um desses dois grupos para efeitos comparativos.

Na Tabela 9.4 são apresentados dados de 10 países, sendo cinco da Europa, dois da América e três da Ásia (com exceção do Brasil, que será visto na seção subsequente; os demais BRICs constam da amostra). É interessante notar que todos os casos dessa amostra apresentaram, recentemente, redução da taxa de crescimento demográfico. O ritmo na queda de fecundidade é tão acentuado que metade já tem (como Alemanha, Japão e Rússia) ou terá redução no núme-

Tabela 9.4: Taxas médias anuais de crescimento demográfico de países selecionados por década (%)

Ano	Alemanha	Suécia	França	Itália	Japão	Canadá	Rússia	Índia	China	México
1950-1960	0,63	0,65	0,88	0,66	1,19	2,69	1,56	1,89	1,71	3,17
1960-1970	0,71	0,73	1,06	0,75	1,15	1,95	0,84	2,12	2,36	3,19
1970-1980	0,02	0,33	0,61	0,54	1,12	1,22	0,62	2,28	1,86	2,87
1980-1990	0,15	0,30	0,52	0,12	0,53	1,23	0,66	2,21	1,53	1,93
1990-2000	0,33	0,35	0,40	0,02	0,28	1,03	-0,09	1,92	1,04	1,78
2000-2010	0,00	0,48	0,58	0,51	0,02	1,00	-0,44	1,54	0,67	1,02
2010-2020	-0,20	0,44	0,36	0,05	-0,27	0,91	-0,36	1,19	0,55	0,79
2020-2030	-0,32	0,37	0,24	-0,14	-0,52	0,78	-0,49	0,83	0,22	0,60
2030-2040	-0,45	0,24	0,15	-0,17	-0,67	0,57	-0,53	0,52	-0,05	0,20
2040-2050	-0,54	0,24	0,03	-0,25	-0,77	0,45	-0,51	0,31	-0,26	-0,08

Fonte: Population Division of the Department of Economic and Social Affairs of the United Nations Secretariat. World Population Prospects: The 2008 Revision. United Nations.

Tabela 9.5: Evolução da idade mediana de uma amostra de países (1950-2050)

Ano	Alemanha	Suécia	França	Itália	Japão	Canadá	Rússia	Índia	China	México
1950	35,4	34,3	34,5	28,6	22,3	27,7	25,0	21,3	23,9	18,7
1960	34,7	36,2	33,0	31,6	25,5	26,4	27,4	20,0	21,8	17,1
1970	34,3	35,4	32,5	33,1	28,9	25,9	30,6	19,2	19,7	16,6
1980	36,4	36,2	32,5	34,3	32,6	29,2	31,3	20,2	22,1	17,4
1990	37,7	38,3	34,9	37,1	37,4	32,9	33,3	21,1	25,0	19,8
2000	40,0	39,4	37,7	40,3	41,4	36,9	36,5	22,6	29,6	23,4
2010	44,3	40,9	40,1	43,3	44,7	39,9	38,1	25,0	34,2	27,6
2020	47,9	42,0	42,1	47,0	48,6	41,9	40,0	28,1	37,1	31,9
2030	49,5	42,5	43,6	50,1	52,2	43,7	43,5	31,7	41,1	36,2
2040	51,2	43,6	44,2	50,9	54,4	45,2	45,5	35,3	44,1	40,3
2050	51,7	43,2	44,8	50,5	55,1	45,2	44,0	38,4	45,2	43,9

Fonte: Population Division of the Department of Economic and Social Affairs of the United Nations Secretariat. World Population Prospects: The 2008 Revision. United Nations.

ro de seus habitantes até a metade deste século. Essa tabela é complementada pela Tabela 9.5, que apresenta, para os mesmos países, a evolução da idade mediana.

A análise dessas tabelas oferece elementos interessantes de reflexão: 1) todos os países apresentam trajetória bem pronunciada de redução nas taxas de crescimento demográfico, independentemente da renda *per capita* (ricos, de renda média ou pobres); 2) diversos apresentam ou apresentarão redução no número total de sua população; 3) países como Canadá, China ou México, que chegaram a ter taxas de crescimento demográfico decenal superiores a 20% (1,9% a.a) até 30% (3,2% a.a), chegarão à metade deste século com taxas muito próximas de zero, senão negativas; 4) a idade mediana se eleva consistentemente durante todo o período, porém é muito mais intensa na atual metade de século do que foi na segunda metade do século XX – resultado inequívoco da combinação de maior longevidade e redução na fecundidade; 5) apesar de a média das idades medianas do conjunto de países da amostra crescer durante todo o período, o desvio-padrão da idade mediana aumenta até a década de 1990 e começa a cair a partir de então, revelando que os países caminham para maior homogeneidade demográfica.

A demografia brasileira em perspectiva comparada

A partir da metade do século XX, a dinâmica demográfica brasileira passou a sofrer forte influência de três importantes e sucessivos fatores demográficos: diminuição da mortalidade infantil, queda na fecundidade e redução da mortalidade adulta. Passou a ocorrer no Brasil o que ocorrera antes nos países europeus.

O que há de inusitado é que estamos repetindo o processo demográfico em uma velocidade muito maior.[2]

A primeira mudança ocorreu a partir da década de 1930, quando se reduz a taxa de mortalidade infantil (ver Tabela 9.6). Ela, que era de 134,7 óbitos para cada mil nascimentos, no quinquênio 1950-1955, reduz-se para 90,5 no quinquênio 1970-75 e para 23,7 no quinquênio 2005-10. Nos sessenta anos entre 1950 e 2010, a queda na mortalidade infantil foi superior a 80%, maior do que a média mundial (63,7%). Esse desempenho fez com que o crescimento líquido da população se acelerasse entre 1950 e 1970.

Tabela 9.6: Taxa de mortalidade infantil total e por sexo, por quinquênios (Brasil: 1950-2010)[a]

Período[b]	Ambos os sexos (por 1.000 nascimentos)	Homem (por 1.000 nascimentos do sexo masculino)	Mulher (por 1.000 nascimentos do sexo feminino)
1950-1955	134,7	145,6	123,3
1955-1960	121,9	133	110,3
1960-1965	109,4	119,8	98,5
1965-1970	100,1	110,4	89,3
1970-1975	90,5	103,5	76,9
1975-1980	78,8	91,4	65,5
1980-1985	63,3	70,2	56,1
1985-1990	52,4	58,8	45,6
1990-1995	42,5	48,3	36,5
1995-2000	34,1	38,6	29,4
2000-2005	27,3	30,9	23,4
2005-2010	23,5	26,9	19,9

[a] Dados reais até 2005. A partir daí são dados projetados pelas Nações Unidas.
[b] Os dados disponíveis são apresentados por quinquênios.
Fonte: Population Division of the Department of Economic and Social Affairs of the United Nations Secretariat. World Population Prospects: The 2008 Revision. United Nations.

A partir daí, quando a queda na natalidade se acentua, o ritmo de crescimento da população brasileira começa a se reduzir e passa a se aproximar de taxas de reposição, já na década de 1990.

Comparando o Brasil com alguns de seus vizinhos do continente sul-americano (Tabela 9.7), é possível perceber que, enquanto na década 1950-1960 tínhamos a segunda maior taxa de crescimento demográfico – atrás apenas da Venezuela –, na presente década (2010-2020), as projeções indicam que pas-

[2] Como alertado no primeiro capítulo deste livro, algumas informações demográficas sobre o Brasil, para efeitos de comparação internacional, terão como fonte as Nações Unidas. Outras, porém, que serão explicitamente mencionadas, terão como fonte o IBGE.

Tabela 9.7: Taxa média anual de crescimento demográfico de países sul-americanos por década

Períodos	Argentina	Brasil	Chile	Colômbia	Venezuela	Uruguai	Demais
1950-1960	1,89	3,03	2,32	2,92	4,05	1,27	2,59
1960-1970	1,50	2,81	2,27	2,91	3,53	1,02	2,80
1970-1980	1,61	2,39	1,56	2,34	3,48	0,37	2,73
1980-1990	1,45	2,09	1,67	2,13	2,72	0,65	2,42
1990-2000	1,29	1,53	1,57	1,82	2,14	0,66	1,92
2000-2010	0,97	1,16	1,06	1,53	1,75	0,15	1,40
2010-2020	0,86	0,68	0,84	1,22	1,41	0,35	1,21
2020-2030	0,65	0,38	0,60	0,92	1,06	0,27	0,96
2030-2040	0,45	0,14	0,33	0,60	0,76	0,14	0,67
2040-2050	0,30	-0,07	0,11	0,33	0,49	-0,01	0,40

Fonte: Population Division of the Department of Economic and Social Affairs of the United Nations Secretariat. World Population Prospects: The 2008 Revision. United Nations.

saremos a ter a segunda menor taxa de crescimento demográfico. Somente o Uruguai terá uma taxa inferior à brasileira.

A consequência desse desempenho demográfico brasileiro foi o aumento da esperança de vida ao nascer e da idade mediana. De fato, a idade mediana, que na década de 1950 era de apenas 19,2 anos, em 2000 já era de 25,3 anos, e a partir de 2010 começa a se elevar de forma acentuada, prevendo-se atingir a marca dos 33,6 em 2020 e 45,6 anos, em 2050. Enquanto isso, a esperança de vida salta de 50,9 anos em 1950 para 71,0 em 2000, devendo atingir 75,9 anos em 2020.

Também nessas medidas, a comparação com nossos vizinhos é ilustrativa. Como se pode constatar nas Tabelas 9.8 e 9.9, a evolução da esperança de vida ao nascer no Brasil segue o padrão do continente,[3] com elevação de 20 anos entre 1950 e 2000, e praticamente nove anos até 2050. A idade mediana de nossa população, porém, eleva-se em um ritmo surpreendente. Em apenas um século, a partir de 1950, a idade mediana mais do que dobrará.

É, de fato, surpreendente o processo de envelhecimento da população brasileira. Segundo as Nações Unidas, em 1950 a idade mediana brasileira era de apenas 19,2 anos; em 2000, 25,3 anos (acréscimo médio de 1,22 ano por década); e, em 2050, a idade mediana brasileira deverá atingir 45,6 anos (com elevação média de 4,06 anos por década). De uma amostra com mais de 30 países de diversos continentes, somente o Japão terá processo de envelhecimento superior ao brasileiro, sendo que lá a maior parcela do envelhecimento populacional já ocorreu, enquanto no Brasil está ocorrendo no presente e continuará no futuro próximo.

Agora que temos um quadro da posição relativa do Brasil em termos demográficos, podemos analisar o que esperar para o futuro e os desafios que esse

[3] É importante destacar que, para efeitos previdenciários, mais importante do que a esperança de vida ao nascer é a esperança de vida condicionada à idade de aposentadoria.

Tabela 9.8: Evolução da esperança de vida ao nascer de países sul-americanos (1950-2050)

Períodos	Argentina	Brasil	Chile	Colômbia	Venezuela	Uruguai	Demais*
1950	62,7	50,9	54,8	50,6	55,2	66,3	46,1
1960	65,5	55,7	58,1	57,9	61,0	68,4	50,9
1970	67,4	59,5	63,6	61,7	66,1	68,8	55,8
1980	70,2	63,4	70,7	66,8	68,8	71,0	61,6
1990	72,1	67,2	74,3	68,7	71,5	73,0	66,6
2000	74,3	71,0	77,7	71,6	72,8	75,2	70,9
2010	76,1	73,5	79,1	73,9	74,7	77,1	73,2
2020	77,7	75,9	80,2	75,7	76,3	78,6	75,1
2030	79,1	77,7	81,1	77,3	77,8	79,9	76,6
2040	80,2	79,3	81,8	78,5	79,0	81,0	78,0
2050	80,7	79,9	82,1	79,0	79,5	81,5	78,6
2000-1950	11,6	20,1	22,9	21,0	17,6	8,9	24,8
2050-2000	6,4	8,9	4,4	7,4	6,7	6,3	7,7

* Para o cálculo da esperança de vida dos "Demais", foram utilizados os dados de cada país e ponderados por sua respectiva população.
Fonte: Population Division of the Department of Economic and Social Affairs of the United Nations Secretariat. World Population Prospects: The 2008 Revision. United Nations.

Tabela 9.9: Evolução da idade mediana de países sul-americanos (1950-2050)

Anos	Argentina	Brasil	Chile	Colômbia	Venezuela	Uruguai	Demais*
1950	25,7	19,2	22,2	18,7	18,3	27,8	19,2
1960	27,1	18,6	20,6	16,9	17,2	28,9	18,3
1970	27,6	18,6	20,2	16,8	17,1	29,6	17,8
1980	27,4	20,3	22,6	18,8	19,1	30,1	18,6
1990	27,6	22,5	25,7	21,5	21,0	30,7	20,1
2000	28,1	25,3	28,8	23,8	23,3	31,6	22,1
2010	30,4	29,0	32,1	26,8	26,1	33,7	24,7
2020	32,8	33,6	35,2	29,9	29,3	35,6	27,8
2030	35,6	37,9	38,8	33,3	32,4	38,0	31,3
2040	38,2	41,9	41,7	36,3	35,4	40,5	34,9
2050	40,4	45,6	43,1	39,0	38,3	42,5	38,1
2000-1950	2,4	6,1	6,6	5,1	5,0	3,8	2,9
Variação %	8,3	30,8	28,7	26,3	26,3	12,7	14,3
2050-2000	12,3	20,3	14,3	15,2	15,0	10,9	16,0
Variação %	39,5	69,0	43,5	55,7	56,5	31,3	63,8
2050-1950	14,7	26,4	20,9	20,3	20,0	14,7	18,9
Variação %	56,2	136,5	93,1	107,6	108,3	51,9	97,6

* Para o cálculo da esperança de vida dos "Demais", foram utilizados os dados de cada país e ponderados por sua população.
Fonte: Population Division of the Department of Economic and Social Affairs of the United Nations Secretariat. World Population Prospects: The 2008 Revision. United Nations.

futuro imporá para o nosso sistema previdenciário. Na próxima seção passaremos a utilizar informações do IBGE, tendo em vista que não mais faremos comparações demográficas do Brasil com diversos países.

Brasil: um país que envelhece rapidamente

A combinação da elevação da esperança de vida ao nascer com a redução na taxa de fecundidade resulta no envelhecimento da população. Além disso, como consequência do avanço das condições médico-hospitalares, a esperança de vida condicionada à idade apresentou melhoras ainda mais expressivas. Em 1980, a esperança de vida ao nascer para homens era 58 anos e para mulheres, 66. Vinte anos depois, esses números haviam saltado para 67 anos em relação aos homens e 74 anos para as mulheres. Resultado similar ocorreu com a esperança de vida condicionada à idade de 60 anos. Houve elevação de mais de três anos para homens e de aproximadamente cinco anos para as mulheres.[4]

O resultado foi a mudança acentuada na pirâmide etária brasileira e um aumento expressivo da participação do grupo idoso no total da população, com redução correspondente da participação dos segmentos mais jovens, como pode ser observado no Gráfico 9.1 e na Tabela 9.10, com dados sobre a participação dos grupos mais velhos no total da população, referentes aos anos de 1980, 2000, 2020 e 2040.

Como se constata das informações contidas no Gráfico 9.1 e na Tabela 9.11, a proporção do segmento etário com 60 anos ou mais no total da população brasileira passou de 6,1% em 1980 para 8,1% em 2000, devendo manter forte tendência de crescimento, de modo a mais do que triplicar esta última, nos próximos 30 anos (em 2040), igualando-se à estrutura etária dos países membros da OCDE.

Como reflexo desse processo de envelhecimento, a pirâmide etária perde progressivamente o formato triangular (típica de países jovens) para assumir um formato trapezoidal. Além disso, a faixa etária modal, que em 1980 era 0 a 4 anos, passa para 15 a 19 anos em 2000 e para 35 a 39 em 2040.

Essa transformação é grave em termos previdenciários porque vem acompanhada de crescente participação do grupo etário de 60 anos ou mais no total da população e também do grupo de 65 anos ou mais. Um fato, porém, frequentemente despercebido pelos analistas é a composição etária dentro do grupo de idosos. Em especial, deve ser analisado com cuidado o comporta-

---

[4] Para uma exaustiva análise das mudanças demográficas desse período e detalhes sobre as mudanças de condições sociodemográficas e de saúde, ver IPEA (2006), Capítulo 2.

Gráfico 9.1: Pirâmides etárias brasileiras de 1980, 2000, 2020 e 2040

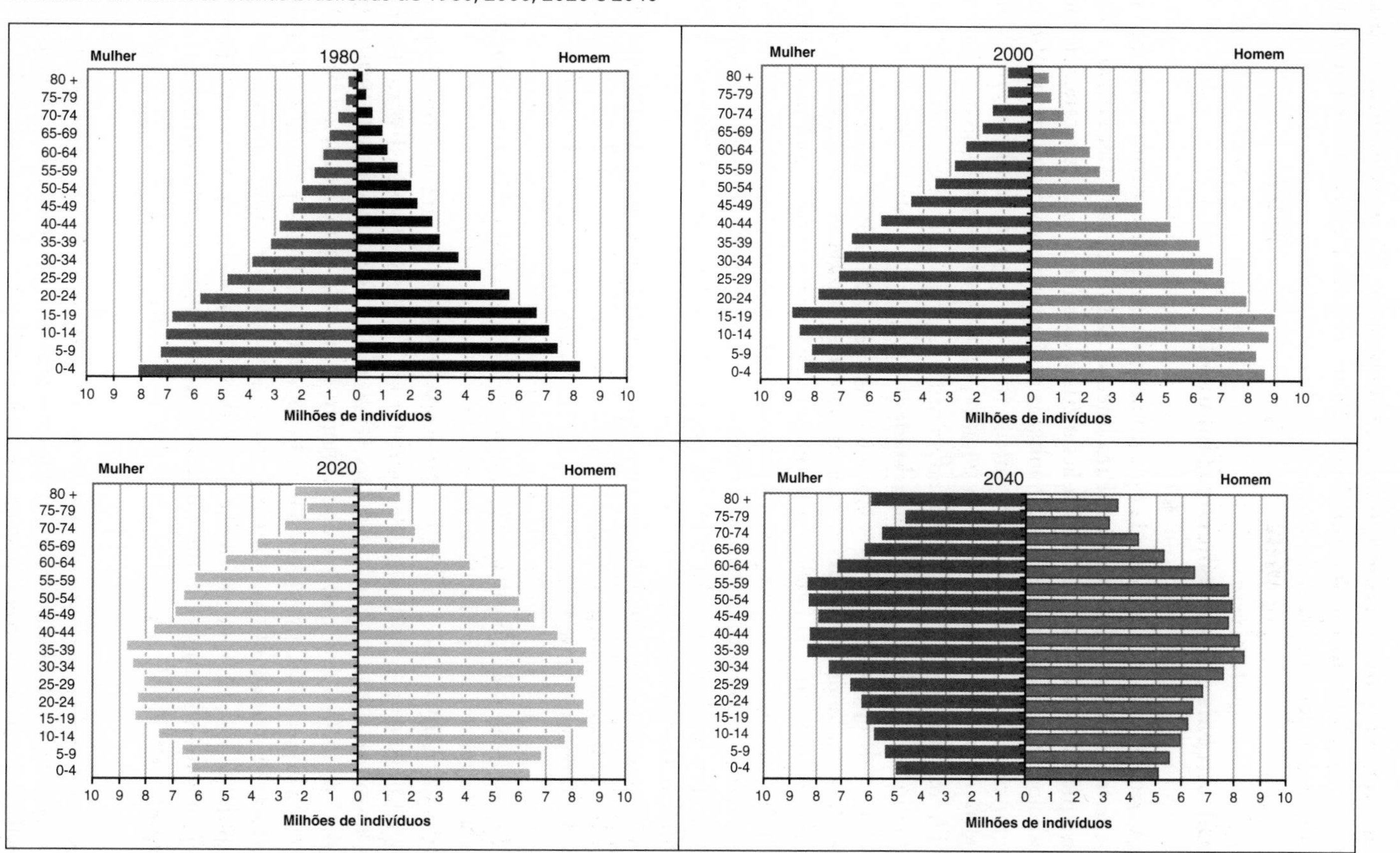

Fonte: IBGE (projeções demográficas 2008).

mento do subgrupo constituído por indivíduos com 75 anos ou mais, pois eles são cruciais para a determinação do tempo de duração dos benefícios previdenciários.

Enquanto para a população com idade até 59 anos a taxa anual de crescimento demográfico vem-se reduzindo desde a década de 1980 (e deverá se tornar negativa em algum ponto na década de 2020), para o grupo etário de 60 anos ou mais há crescimento da taxa até a década de 2010, quando atingirá o ápice de 3,9% ao ano, mais de 1,5 ponto percentual superior ao crescimento da PEA, como mostra a Tabela 9.10. Para o grupo "superidoso" (75 anos ou mais), a taxa permanece elevada até a década de 2040, quando a taxa de crescimento da população em idade ativa (15 a 59 anos) já será negativa há bastante tempo.

Tabela 9.10: Taxas médias anuais de crescimento da população total e segundo grupos etários e PEA[5] por década (Brasil: 2000-2050)

	Grupos etários						
Década	**0 a 59 anos**	**15 a 59 anos**	**60 anos ou mais**	**65 anos ou mais**	**75 anos ou mais**	**Total da população**	**PEA[a]**
2000-2010	1,01	1,59	3,32	3,53	4,47	1,21	3,02
2010-2020	0,28	0,98	3,92	3,78	3,81	0,70	2,23
2020-2030	−0,16	0,14	3,63	4,20	4,23	0,44	1,26
2030-2040	−0,52	−0,35	2,55	2,91	4,52	0,12	0,64
2040-2050	−0,99	−0,89	2,10	2,44	2,79	−0,17	0,13

[a]Para o cálculo da PEA, foram utilizados dados das Pnads, fazendo-se a interpolação geométrica nos anos censitários. Para as projeções dessa variável, foram utilizados os dados das projeções do IBGE (revisão 2008) e projetadas as taxas de participação no mercado de trabalho, por sexo.
Fonte: IBGE (projeções demográficas 2008).

Entre 1980 e 2050, a participação do grupo etário idoso (60 anos ou mais) tende a crescer de 6,1% para 29,8% no total da população (Tabela 9.11), sendo que, entre 1980 e 2030 – 50 anos apenas – sua participação mais do que triplicará, o que certamente ensejará enormes desafios de financiamento de nosso sistema de previdência. Esse resultado indica que, enquanto em 1980 havia 9,2 indivíduos que potencialmente poderiam gerar recursos para cada beneficiário, em 2050 será apenas 1,9. Isso, entretanto, não revela a plenitude da questão demográfica para o sistema previdenciário. Em 70 anos, os "superidosos" (de 75 anos ou mais) terão sua participação relativa na população multiplicada por mais de oito vezes, atingindo mais de 10% do total da população em 2050.

[5] O IBGE define a PEA como o conjunto de indivíduos de 10 anos ou mais que, no período de referência, estavam trabalhando ou procurando trabalho.

Tabela 9.11: Participação dos grupos etários jovem e idoso no total da população e razões demográficas (Brasil: 1980-2050)

	Grupos etários					Razões demográficas			Inverso da razão
Períodos	**0 a 59 (A)**	**15 a 59 (B)**	**60 anos + (C)**	**65 anos + (D)**	**75 anos + (E)**	**C/B**	**D/B**	**E/B**	**C/B**
1980	93,9	55,7	6,1	4,0	1,2	10,9	7,2	2,2	9,2
1990	93,2	57,9	6,8	4,4	1,5	11,7	7,5	2,5	8,6
2000	91,9	62,1	8,1	5,4	1,9	13,1	8,8	3,1	7,6
2010	90,0	64,4	10,0	6,8	2,6	15,5	10,6	4,0	6,5
2020	86,3	66,3	13,7	9,2	3,5	20,6	13,9	5,3	4,8
2030	81,3	64,3	18,7	13,3	5,1	29,1	20,7	7,9	3,4
2040	76,2	61,4	23,8	17,5	7,9	38,7	28,6	12,8	2,6
2050	70,2	57,1	29,8	22,7	10,5	52,1	39,8	18,4	1,9

Fonte: IBGE (projeções demográficas 2008).

As transformações demográficas pelas quais a sociedade brasileira já está passando e as que virão nos próximos anos não podem ser negligenciadas por especialistas e autoridades, pois representam um verdadeiro desafio para nosso sistema previdenciário. Quanto mais as pessoas viverem – o que é excelente para os indivíduos e uma conquista da sociedade brasileira –, mantidas as condições e regras atuais, mais esse fenômeno poderá implicar aumento do passivo previdenciário, demandando maiores parcelas do produto, limitando a capacidade de poupança e de investimento, e impondo um ônus elevado para as gerações futuras.

Capítulo 10

A Escandinávia é aqui: a sobrevida dos que se aposentam

"My fixed idea is the uselessness of men above sixty years of age..."

Dr. William Osler, em sua palestra de despedida da Universidade John Hopkins, em 22 de fevereiro de 1905; Osler, 1910, *apud* Sala-i-Martin, 1995.

Há pouco mais de um século, a vida após os 60 era evento raro e repleto de dificuldades e sofrimentos, mesmo nos países mais avançados, como nos Estados Unidos. Em 1900, segundo dados dos censos demográficos norte-americanos, apenas 64 em cada mil habitantes tinham 60 anos ou mais e tão-somente cinco em cada mil habitantes tinham 80 anos ou mais. Era um país muito jovem, com idade mediana de 21,8 anos. Cinquenta anos foram necessários para dobrar esses números. No meio século seguinte, a porcentagem de pessoas com 60 anos ou mais já era 16,3% para a população como um todo e 18,3% para as mulheres. O mais impressionante, porém, é a participação do grupo com 80 anos ou mais: em um século, foi multiplicada por 6,6 vezes (de 0,4921% para 3,2638%) e, entre as mulheres, esse número foi multiplicado por impressionantes oito vezes – saltou de 0,5317% em 1900 para 4,2708% em 2000 –, conforme indicado na Tabela 10.1. A idade mediana no mesmo período elevou-se de 21,8 para 35,5 anos (62,8%).

Observe que, apesar de a expectativa de vida ao nascer ser de apenas 50 anos em 1900, caso o indivíduo conseguisse sobreviver até os 60 anos – e eram 6,41% dos habitantes –, sua esperança de vida condicionada a essa idade era de 15 anos adicionais, ou seja, em média sobrevivia até os 75 anos.

Por que esses números são importantes? Porque cada estatística nos oferece um conteúdo informativo diferente. Enquanto a esperança de vida ao nascer fornece uma ideia das condições gerais de vida de uma população – quanto maior ela for, menor é a mortalidade infantil, por exemplo, melhores são as condições de abastecimento de água, esgotamento sanitário etc. –, a esperança ou expectativa de vida condicionada à idade (ou, complementarmente, a porcentagem de indivíduos que vivem até idades muito avançadas) indica as condições de vida das pessoas mais velhas e, portanto, ela é especialmente relevante para se avaliar

Tabela 10.1: Participação percentual de grupos etários na população norte-americana e idade mediana: 1900, 1950 e 2000*

Grupos etários		1900	1950	2000
60 anos e mais	Total	6,41	12,13	16,27
	Homem	6,37	11,75	14,16
	Mulher	6,46	12,50	18,31
80 anos e mais	Total	0,49	1,08	3,26
	Homem	0,45	0,94	2,22
	Mulher	0,53	1,23	4,27
Idade Mediana	Total	21,8	29,1	35,5
	Homem	22,4	28,3	34,3
	Mulher	21,4	29,9	36,6
Expectativa de vida ao nascer	Total	49,8	68,9	77,6
	Homem	48,2	66,1	74,8
	Mulher	51,1	72,0	79,8
Expectativa de vida aos 60 anos	Total	14,9	17,4	21,7
	Homem	14,4	15,8	20,0
	Mulher	15,2	18,6	23,2

* Estatística disponível somente para a população branca em 1900 e 1950.
Fonte: U.S. Census Bureau.

a necessidade de financiamento do sistema previdenciário. Quanto maior for a esperança de vida condicionada à idade, maior será o número de anos de recebimento de benefícios previdenciários, aposentadorias e pensões.

Uma breve história extraída do livro *O andar do bêbado*, de Leonard Mlodinow[1] (p. 156), pode bem ilustrar a diferença de significados entre esperança de vida ao nascer e esperança de vida condicionada à idade:

> Em meados dos anos 1960, com cerca de 90 anos e passando por grandes necessidades, uma francesa chamada Jeanne Calment fez um acordo com um advogado de 47 anos: ela lhe venderia seu apartamento pelo preço de um pequeno pagamento mensal de subsistência, com o trato de que os pagamentos cessariam quando ela morresse, e nesse momento o advogado poderia se mudar para o imóvel. É provável que o advogado soubesse que a Sra. Calment já havia excedido a expectativa de vida francesa em mais de dez anos. No entanto, ele talvez não estivesse ciente de que a questão relevante era saber que sua expectativa de vida, dado que ela já chegara aos 90 anos, era de aproximadamente mais seis anos (Ver U.S. Social Security Administration, "Actuarial publications: period life table"). Dez anos depois, presume-se que o advogado já houvesse encontrado algum outro lugar para morar, pois Jeanne Calment celebrou seu 100º aniversário gozando de boa saúde. Embo-

[1] Mlodinow (2008).

> ra sua expectativa de vida nesse momento fosse de mais dois anos, ela chegou ao 110º aniversário ainda recebendo a mísera mesada do advogado. A essa altura, ele já estava com 67 anos. No entanto, mais uma década se passaria até que a longa espera chegasse ao fim, e não da maneira prevista. Em 1995, quem morreu foi o advogado, enquanto Jeanne Calment continuou a viver. Seu dia só chegaria, finalmente, em 4 de agosto de 1997, aos 122 anos. A idade da Sra. Calment ao morrer excedia à do advogado em 45 anos.

Independentemente de considerações sobre modalidades de sistemas previdenciários, por facilidade de exposição dos argumentos, podemos entender um sistema previdenciário como um contrato por meio do qual cada indivíduo de uma coletividade se compromete a pagar certo percentual de sua renda corrente durante dado tempo, para poder receber um valor – normalmente, uma fração de sua renda corrente – depois de se retirar do mercado de trabalho, por estar velho ou por incapacidade física.

Para a sustentabilidade desse contrato, é necessário que o montante de depósitos acrescidos de rendimento seja suficiente para cobrir as despesas quando o trabalhador deixar de contribuir e passar a receber benefícios. Tudo o mais constante, quanto maior for o tempo que o trabalhador receber o benefício, maior terá de ser sua contribuição ao longo de sua vida laboral, de forma a constituir fundos suficientes para o seu período de inatividade.

Suponha o leitor, por exemplo, que o contrato estabelecido preveja que um trabalhador comece a trabalhar aos 20 anos e se aposente aos 55 anos. Suponha ainda que as informações estatísticas indiquem uma esperança de vida de 80 anos. Suponha, por fim, que o plano não preveja a transferência de benefício a dependentes (por exemplo, pensão por morte). Nesse caso, o trabalhador contribuirá por 35 anos e receberá benefícios por 25 anos. É necessário, portanto, que durante os 35 em que fez contribuições – obviamente, acrescidas de rendimentos – seja acumulado um montante tal que garanta seus benefícios durante os próximos 25 anos. Se isso ocorrer, o plano previdenciário estará em equilíbrio.

Agora suponha que, por razões alheias ao contrato – por exemplo, que a indústria farmacêutica produza remédios para tratar de males que atingem pessoas mais idosas –, o período de sobrevida dos aposentados seja elevado em cinco anos. Esse resultado seria ótimo para cada indivíduo e também para a sociedade, pois permitiria que as pessoas pudessem viver mais e melhor. Entretanto, isso se tornaria um problema financeiro para o cumprimento do contrato previdenciário: o montante acumulado durante a fase de contribuição seria agora insuficiente para custear os cinco anos adicionais de vida do aposentado, gerando desequilíbrio entre receitas e despesas, ou seja, um déficit.

Em sistemas de repartição, como o brasileiro, há uma lógica de solidariedade intergeracional. Se os parâmetros que regulam o sistema estiverem bem calibrados e se não houver alterações significativas na dinâmica demográfica nem sérias restrições no mercado de trabalho, é possível que o sistema sobreviva sem graves desequilíbrios e não haja déficits nem pressão fiscal. Mas e se isso não ocorrer? Se, por acaso, os indivíduos passarem, por exemplo, a viver mais do que viviam quando o plano de seguridade – o pacto geracional – foi feito?

Passaria a ocorrer um descasamento entre o total a receber e o total a pagar, ou seja, haveria um passivo a descoberto. No capítulo anterior, vimos que o Brasil tem "envelhecido" de forma muito rápida, e essa trajetória será ainda mais forte nos próximos 20 anos. A seguir, veremos que juntamente com o envelhecimento geral da população tem havido severo aumento da esperança de vida condicionada à idade. Isso significa que está aumentando muito o tempo de duração de benefícios previdenciários, o que implica maiores gastos ao longo do tempo.

Sobrevida dos mais velhos e impactos sobre a sustentabilidade

Tomada uma amostra de 12 países da Europa Ocidental e considerada a expectativa de vida ao nascer e aos 60 anos, os dados indicam que entre 1980 e 2005, para o conjunto de países, houve um aumento médio de 5,1 anos na esperança de vida ao nascer (dois anos por década), representando 7,1% de incremento. Para a esperança de vida condicionada à idade, houve um ganho de 3,4 anos (1,4 ano por década), o que equivale a uma elevação de 19,3% no período. Observe que, em termos percentuais, o aumento da esperança de vida aos 60 anos foi 2,7 vezes superior à esperança de vida ao nascer. Isso significa que não apenas a população em média está ficando mais velha, como os idosos estão ficando cada vez mais velhos (ver Tabela 10.2).

Para ilustrar a problemática tratada neste capítulo, imaginemos que a idade com que os trabalhadores se aposentam nesses países tenha permanecido constante, digamos 65 anos para homens e 60 anos para mulheres,[2] durante todo o período. Se olhássemos apenas a esperança de vida ao nascer, concluiríamos que esses trabalhadores receberiam os benefícios por apenas 5,8 anos (se homem) e 17,5 anos (se mulher) em 1980. Na verdade, caso se tenham aposentado – ou seja, tenham chegado aos 60 anos (mulher) ou 65 anos (homem) –, a esperança média de vida a partir dessa idade seria de aproximadamente 12,7 anos (homem) e 22 anos (mulher) e eles viveriam até os 77,7 anos (homem) e 82 anos (mulher).[3] Isso significa que receberiam os benefícios previdenciários por 12,7 anos (ho-

---

[2] Apesar de ser um dado apenas didático, essas idades de aposentadoria eram reais na época para uma parte desses países.

[3] No caso dos homens, como não há disponibilidade da esperança de vida aos 65 anos, foi utilizada a esperança de vida aos 60 anos e deduzidos cinco anos, com o intuito de ilustrar o exemplo.

Tabela 10.2: Esperança de vida ao nascer (primeira linha) e aos 60 anos (segunda linha), diversos países (1980-2005)*

País	Homens						Mulheres					
	1980 (A)	1990 (B)	2000 (C)	2005 (D)	(D – A)	(D / A) (%)	1980 (E)	1990 (F)	2000 (G)	2005 (H)	(H – E)	(H / E) (%)
Áustria	69,2	72,5	75,5	75,6	6,4	9,2	76,4	79,0	81,5	81,5	5,1	6,7
	16,4	18,0	20,0	20,8	4,4	26,8	20,4	22,2	24,0	24,7	4,3	20,9
Bélgica	69,1	73,5	74,6	76,2	7,1	10,2	75,7	80,4	81,0	81,9	6,1	8,1
	17,2	18,5	19,4	20,4	3,2	18,6	21,8	23,5	24,0	24,5	2,7	12,4
Dinamarca	71,3	72,1	73,4	74,2	2,9	4,1	77,3	77,9	78,3	79,1	1,8	2,3
	18,2	18,5	18,9	20,0	1,8	9,9	21,9	22,1	22,3	23,2	1,3	5,9
Finlândia	70,1	72,1	73,4	75,0	4,9	7,0	78,4	79,7	80,7	82,2	3,8	4,8
	18,1	19,2	19,8	20,6	2,5	13,8	22,3	23,2	24,6	25,5	3,2	14,3
França	69,7	72,0	74,2	75,2	5,5	7,9	77,8	80,3	82,0	82,8	5,0	6,4
	19,1	19,8	20,5	21,5	2,4	12,6	24,3	25,2	25,8	26,3	2,0	8,2
Alemanha	69,6	72,7	74,2	75,2	5,6	8,1	76,3	79,1	80,4	81,2	4,9	6,4
	16,3	17,8	19,6	20,7	4,4	27,1	20,5	22,2	23,9	24,4	3,9	18,9
Islândia	73,4	75,3	77,1	77,6	4,2	5,7	79,3	80,3	81,4	81,9	2,6	3,3
	19,1	20,2	22,0	22,3	3,2	16,8	22,8	23,5	23,8	25,5	2,7	11,8
Itália	70,4	73,1	75,0	75,5	5,1	7,2	76,9	79,6	81,4	81,9	5,0	6,5
	16,8	18,6	20,6	21,4	4,6	27,6	21,1	23,0	25,1	25,7	4,6	21,7
Noruega	72,2	73,0	75,2	76,0	3,8	5,3	78,6	79,8	81,1	81,9	3,3	4,2
	17,9	19,2	20,1	21,3	3,4	19,0	22,6	23,5	24,1	25,1	2,6	11,3
Suécia	72,3	74,3	76,8	77,6	5,3	7,3	78,3	80,3	81,8	82,6	4,3	5,5
	19,3	20,3	20,7	21,5	2,2	11,4	23,1	24,0	24,4	25,0	1,9	8,3
Suíça	72,0	84,0	75,4	75,9	3,9	5,4	78,6	80,7	81,8	82,3	3,7	4,7
	17,9	19,3	21,0	22,2	4,3	24,0	22,4	24,1	25,2	26,1	3,7	16,5
Reino Unido	69,7	72,3	74,7	75,7	6,0	8,6	76,0	77,9	79,7	80,7	4,7	6,2
	16,3	17,7	19,6	20,9	4,6	28,4	20,8	21,9	23,2	23,8	3,0	14,6
Média dos países	70,8	73,9	75,0	75,8	5,1	7,1	77,5	79,6	80,9	81,7	4,2	5,4
	17,7	18,9	20,2	21,1	3,4	19,3	22,0	23,2	24,2	25,0	3,0	13,6

* Apesar de indicados na tabela anos exatos (1970 a 2005), cada país apresenta dados de forma específica: Áustria, Dinamarca e Alemanha utilizam biênios (1970-72; 1980-82; 1990-92); Finlândia, Islândia, Noruega e Suécia utilizam quinquênios (1971-75, 1981-85, 1991-95 e 2005); a Suíça apresenta os dados para os anos 1981, 1991, 2001 e 2005; o Reino Unido utiliza triênios (1980-82; 1989-1991; 1999-2001 e 2004-2006).
Fonte: Todos os dados foram coletados junto aos respectivos centros produtores de estatísticas.

mem) e 22 anos (mulher), respectivamente, 6,9 anos a mais para homens e 4,5 anos a mais para as mulheres.

Em 2005, mantida a idade de aposentadoria constante – o que de fato ocorreu em parte desses países –, os períodos de recebimentos de benefícios seriam, respectivamente para homens e mulheres, 16,1 anos e 25 anos, o que equivaleria a um acréscimo líquido de recebimento de benefícios de quatro anos para homens e 4,7 anos para mulheres.

Admitida a hipótese de que o período de contribuição para a obtenção de benefícios fosse de 40 anos para homens e de 35 anos para mulheres, esse acréscimo do período de recebimento de benefícios exigiria um aumento de depósitos de aproximadamente 26,5% que poderiam ser custeados pela redução do valor do benefício, pelo aumento de alíquota, pelo aumento do período contributivo ou uma combinação qualquer dessas opções. Como, em geral, a primeira alternativa é inviável juridicamente – pelo menos para os que estão em gozo do benefício – e a segunda tem limites relativamente rígidos, os ajustes têm sido feitos no tempo de contribuição e na redução dos benefícios dos que vão se aposentar no futuro.

A Escandinávia é aqui

Como visto no capítulo anterior, o Brasil, apesar de ainda jovem, experimentou, nos últimos vinte anos, acelerado processo de envelhecimento demográfico. Também as estatísticas referentes à esperança de vida caminham na mesma direção: comparado com a média dos países apresentados na tabela anterior, o Brasil experimentou, para o mesmo período, crescimentos superiores tanto na esperança de vida ao nascer quanto naquela condicionada à idade de 60 anos (Tabela 10.3).

Tabela 10.3: Esperança de vida ao nascer (primeira linha) e aos 60 anos (segunda linha) – Brasil e a média dos países da Tabela 10.2 (1980-2005)*

	Homens						Mulheres					
	1970/80	1990	2000	2005		(D / A)	1970/80	1990	2000	2005		(H / E)
Países	(A)	(B)	(C)	(D)	(D – A)	(%)	(E)	(F)	(G)	(H)	(H – E)	(%)
Brasil	55,0	62,9	66,7	68,2	13,2	24,0	60,0	70,9	74,4	75,8	15,8	26,4
	16,0	17,2	18,8	19,2	3,2	20,0	17,0	20,0	21,7	22,3	5,3	31,2
Média dos países europeus	70,8	73,9	75,0	75,8	5,1	7,1	77,5	79,6	80,9	81,7	4,2	5,4
	17,7	18,9	20,2	21,1	3,4	19,3	22,0	23,2	24,2	25,0	3,0	13,6

* No caso do Brasil, como não há informação censitária para 1990, os autores fizeram uma interpolação geométrica utilizando os dados de 1970/80 e 1991.

Fonte: Até a década de 1980, Previdência Social (2002), Tabela 2, com base em dados diversos. Para 1990, IBGE/DPE/Coordenação de População e Indicadores Sociais. Para os demais anos, ver Tábua de Mortalidade 1999-2008 – Expectativa de vida por idade (anos). Para a média dos países europeus, os dados são de seus respectivos centros produtores de estatísticas, com as ressalvas apresentadas na Tabela 10.2.

Observe o leitor que, enquanto o crescimento médio da esperança de vida ao nascer para a média dos países europeus, para homens e mulheres, entre 1980 e 2005, foi de 7,1% e 5,4%, respectivamente para homens e mulheres, no Brasil esses percentuais foram de 24% e 26,4%, respectivamente. Em termos absolutos, o Brasil não apenas foi superior à média dos países europeus, como também foi superior a todos os países individualmente. De fato, entre 1980 e 2005, a esperança de vida ao nascer cresceu 13,2 anos para homens e 15,8 anos para mulheres.

No caso da esperança de vida condicionada à idade de 60 anos, as mulheres brasileiras apresentam melhora superior à média e a todos os países da amostra, tanto em termos absolutos quanto em termos relativos. Entre os homens, apesar de apresentarem desempenho melhor do que a média, tanto em termos relativos como absolutos, Áustria, Alemanha, Itália e Reino Unido apresentam resultados superiores aos brasileiros, tanto em termos relativos como absolutos.

Em síntese, comparada à média daqueles países, a esperança de vida ao nascer no Brasil, em 2005, era 7,6 anos inferior para homens (em 1980 era de 11,1 anos) e 5,9 anos inferior para mulheres (em 1980 era de 11,8 anos). No entanto, quando brasileiros ou "escandinavos" atingem os 60 anos, o que esperam viver dali para frente é muito mais semelhante: os brasileiros esperam viver mais 19,2 anos ("os escandinavos", mais 21,1 anos, com diferença de apenas 1,9 ano); e as brasileiras esperam viver mais 22,3 anos ("as escandinavas", mais 25 anos, com diferença de 2,7 anos).

Escandinávia demográfica e regras tropicais

Na década de 1970, a expectativa de vida ao nascer de um cidadão brasileiro era de 55 anos, se homem, e 60 anos, se mulher. Apenas para ilustrar nosso argumento, no mesmo ano, na Dinamarca, era 70,9 anos para homem e 76,4 anos; na Finlândia, era 66,6 anos para homem e 75 anos para mulher; na Islândia, era 71,4 para homem e 77,4 para mulher; na Noruega, 71,4 para homem e 77,7 para mulher; na Suécia, 72,1 para homem e 77,6 para mulher.

Suponha que dois jovens de 20 anos cada, um de cada sexo, tenham começado a trabalhar no mesmo ano, 1970. As trajetórias profissionais de cada um deles – assim como a de milhões de outros trabalhadores – podem ter sido as mais variadas. Podem ter enfrentado desemprego, variações salariais, bons e maus trabalhos. Por certo, os trabalhadores dos países europeus constantes da amostra da Tabela 10.2 contavam com mais proteção social do que seus pares brasileiros, mas lentamente, também no Brasil, esses direitos foram sendo estabelecidos e hoje contamos com uma razoável rede de proteção social.

Passados vários anos, os ex-jovens se defrontariam com uma questão impensável à época em que começaram a trabalhar: a aposentadoria. No Brasil, a moça, desde que cumpridos 30 anos de contribuição, poderia se aposentar aos 50 anos (em 2000); o rapaz, desde que cumpridos 35 anos de contribuição, poderia fazer o mesmo, aos 55 anos (em 2005). É possível e até provável que tenham enfrentado algumas dificuldades na vida laboral. Como visto no Capítulo 6, a idade média de aposentadoria por tempo de contribuição é de 51 anos para mulheres e 54 para homens. Nessas condições, ela estaria pronta para se aposentar em 2000 e ele em 2005. O mesmo não aconteceria com seus pares escandinavos.

De fato, seus pares escandinavos, consideradas as regras de aposentadoria de seus países, trabalhariam até os 67 anos se dinamarqueses ou se islandeses. Trabalhariam até os 65, se finlandeses. Se fossem suecos, teriam de trabalhar até os 62, se mulher, e até os 65, se homem (ver Tabela 10.4).

Na Tabela 10.4 são apresentadas informações sobre a esperança de vida ao nascer para 1970 e para o ano em que o trabalhador se aposentar. É também apresentada a expectativa de vida condicionada à idade de aposentadoria e os ganhos nessas estatísticas. Na coluna final é apresentado o tempo de duração de benefício para o exercício específico.

Considerando os dados de expectativa de vida ao nascer no momento em que começaram a trabalhar, a moça brasileira esperaria receber benefícios por 11,8 anos e o rapaz, por apenas 2,8 anos. No entanto, no momento em que se aposentaram, a expectativa de vida ao nascer era de 68,2 anos para ele e 74,4 para ela. Somente por esse efeito – decorrente de melhorias das condições gerais da sociedade brasileira –, eles teriam todas as razões para comemorar: ela, em vez de receber benefícios por mais 11,8 anos, passaria a receber, em média, por 26,4 anos (mais do dobro do período), e ele, dos 2,8 anos de 1970, passaria a receber benefícios por 15,2 anos (surpreendentes 5,4 vezes mais).

A estatística a ser usada, porém, não é essa. Dado que ela atingiu 50 anos (em 2000) e ele, 55 (em 2005), as esperanças de vida condicionadas à idade nos respectivos momentos de aposentadoria são 29,7 anos para ela (79,7 anos de vida) e 22,7 para ele (77,7 anos de vida). Ela receberá benefícios por praticamente o mesmo tempo que contribuiu, e ele por aproximadamente 2/3 de seu período contributivo. Viverão praticamente tanto quanto vivem os escandinavos, mas terão trabalhado muito menos tempo do que eles e receberão benefícios por mais tempo do que eles. Os brasileiros receberão, em média, por oito anos a mais do que os escandinavos, se homem, e por mais 10,7 anos, se mulher.

No Brasil, por vezes, quando se discute o tema das regras de aposentadoria, os idosos são retratados como pessoas abandonadas pelo sistema no final da vida, após uma longa jornada de trabalho. É evidente que a vida é muito dura para a maioria dos brasileiros e é claro que, dada certa legislação, nada mais justo que a pessoa se aposente e usufrua os benefícios aos quais fez jus. A realidade, porém, é que, em nome daqueles supostamente "abandonados pelo sistema no final da vida", o Brasil tem perpetuado regras que permitem aposentadorias de pessoas às quais ainda restam muitos anos de vida no momento em que se aposentam. E isso envolve um custo para a sociedade – e, de certa forma, para os próprios aposentados, que, para sustentar o sistema, pagaram na sua vida ativa alíquotas contributivas muito elevadas em termos internacionais.

Tabela 10.4: Dados demográficos e de regras previdenciárias comparativos entre Brasil e países escandinavos*

País	Gênero	Expectativa de vida ao nascer (1970)	Ano de aposentadoria	Idade de aposentadoria	Expectativa de vida ao nascer na aposentadoria	Ganho de expectativa de vida ao nascer	Expectativa de vida condicionada à idade na aposentadoria*	Tempo total de duração do benefício
		(A)	(B)	(C)	(D)	(D-A)	(F)	(G)
Brasil	Homem	55,8	2005	55	68,2	12,4	22,7	22,7
	Mulher	59,8	2000	50	74,4	14,6	29,7	29,7
Dinamarca	Homem	70,9	2019	67	77,4	6,5	20,0	13,0
	Mulher	76,4	2019	67	82,0	5,6	23,2	16,2
Finlândia	Homem	66,6	2017	65	78,1	11,5	20,6	15,6
	Mulher	75,0	2017	65	84,2	9,2	25,5	20,5
Islândia	Homem	71,4	2019	67	81,3	9,9	20,9	13,9
	Mulher	77,4	2019	67	84,5	7,1	24,0	17,0
Noruega	Homem	71,4	2019	67	79,2	7,8	21,3	14,3
	Mulher	77,7	2019	67	83,4	5,7	25,1	18,1
Suécia	Homem	72,1	2017	65	79,6	7,5	21,5	16,5
	Mulher	77,6	2014	62	83,6	6,0	25,0	23,0
Média dos Escandinavos	Homem	70,5	2018	66	79,1	8,6	20,9	14,7
	Mulher	76,8	2018	66	83,5	6,7	24,6	19,0

* Por indisponibilidade de informações para os anos de efetiva aposentadoria, foram utilizados dados de 2005 e idade de 60 anos. Para o caso do Brasil, foram utilizados dados para a idade de aposentadoria por tempo de contribuição.

Fonte: Para dados do Brasil, IBGE, Tábuas de Mortalidade. Para os demais países, Population Division of the Department of Economic and Social Affairs of the United Nations Secretariat. World Population Prospects: The 2008 Revision. United Nations.

Capítulo 11

O mundo é das mulheres

"É mais fácil desintegrar o átomo do que o preconceito de uma pessoa."

Albert Einstein

Homens e mulheres nascem com a certeza de que a riqueza material traz também maior duração de vida. Nascer em um país rico significa ter uma expectativa de viver quase 21 anos a mais para o homem e 23 anos a mais para a mulher, em comparação a seus pares dos países mais pobres (ver Gráfico 11.1). Uma criança de um país pobre viveria, em média, quase 40% a mais, caso tivesse nascido e crescido em um país rico (40,2% se mulher e 38,2% se homem). Esses são os resultados de uma amostra de 186 países de todas as partes do globo.

Chama também a atenção o fato de que, à medida que o PIB *per capita* cresce, pelo menos até certo montante, aumenta a distância de esperança de vida entre ho-

Gráfico 11.1: Esperança de vida ao nascer para homens e mulheres, segundo logaritmo do PIB *per capita* (dados demográficos de 2005 e PIB 2008), amostra de 186 países

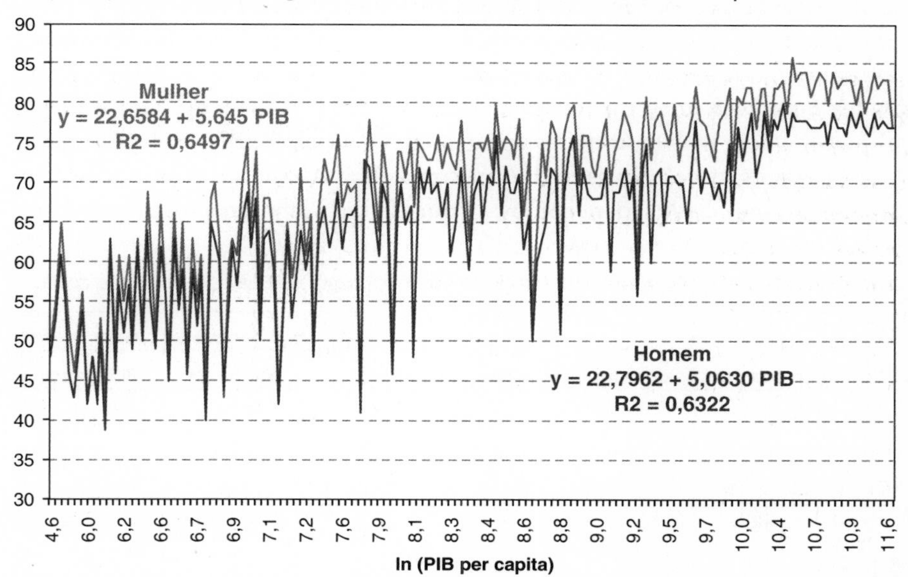

Fonte: Para os dados demográficos, Population Division of the Department of Economic and Social Affairs of the United Nations Secretariat. *World Population Prospects: The 2008 Revision*. United Nations. Para dados de PIB, Banco Mundial.

mens e mulheres. Uma forma de tentar obter uma relação quantificável entre PIB *per capita* e expectativa de vida de indivíduos pode ser feita pelo método probabilístico denominado análise de regressão. No Gráfico 11.1 são apresentados esses resultados para homens e para mulheres. O que se observa é que, para cada unidade de variação do logaritmo da renda *per capita*, a expectativa de vida de homens eleva-se em 5,06 anos e a expectativa de vida das mulheres eleva-se em 5,65 anos. Assim, em relação à variação do PIB, a expectativa de vida da mulher cresce a uma velocidade 10% maior do que a do homem. Ou seja, a esperança de vida da mulher não apenas é maior do que a do homem, como é tanto maior quanto mais rico é o país, pelo menos até o último quartil de renda *per capita*.

Definitivamente, no quesito duração de vida, as mulheres parecem ter sido aquinhoadas pela natureza: nascem em qualquer parte do mundo com uma perspectiva de viver, em média, atualmente, 4,8 anos a mais do que os homens. A partir de uma amostra de 186 países de todos os continentes, de diferentes níveis de desenvolvimento e riqueza, pode-se observar que as mulheres vivem mais do que os homens (ver Tabela 11.1).

Essa diferença eleva-se com o aumento da renda *per capita* até o terceiro quartil da distribuição e se reduz ligeiramente no último quartil. De fato, para os 25% dos países com menor renda *per capita*, as mulheres nascem sabendo que viverão em média apenas três anos mais do que os homens; nos 25% seguintes, essa diferença eleva-se para 4,9 anos e para o terceiro quartil atinge surpreendentes seis anos de diferença de esperança de vida ao nascer em relação ao homem. Entre os mais ricos, essa diferença cai para 5,3 anos. A Tabela 11.1 resume esses dados.

É evidente que, em países muito pobres, homens e mulheres esperam viver muito menos que seus semelhantes que nascem em países ricos: a diferença para homens é de 21,8 anos e para mulheres, 23,1 anos. É evidente também que enriquecer e desenvolver os países significa melhorar as condições de vida tanto para os homens como para as mulheres, com reflexos bastante positivos em termos de esperança de vida para ambos. O que chama a atenção, entretanto, é que

Tabela 11.1: Esperança de vida ao nascer por sexo e diferença, segundo quartis de renda *per capita*

	Esperança de vida ao nascer		
Distribuição por quartis de renda per capita	**Homens**	**Mulheres**	**Diferença**
1º Quartil (51 países)	54,5	57,5	3,0
2º Quartil (42 países)	63,6	68,5	4,9
3º Quartil (46 países)	67,9	73,8	6,0
4º Quartil (47 países)	75,3	80,6	5,3
Média Geral	65,1	69,8	4,8

Fonte: Population Division of the Department of Economic and Social Affairs of the United Nations Secretariat. World Population Prospects: The 2008 Revision. United Nations e Banco Mundial. Elaborada pelos autores.

a melhoria nas condições materiais parece atingir mais fortemente as mulheres do que os homens, pelo menos até certo limite de renda.

A literatura tem explicado essa diferença de expectativa de vida por quatro diferentes conjuntos de elementos: a) as mulheres seriam geneticamente mais longevas do que os homens, embora contra esse argumento pese o fato de que nenhum estudo científico foi capaz, até hoje, de provar essa hipótese; b) as mulheres teriam comportamento mais avesso a risco, diferentemente dos homens;[1] c) as mulheres seriam mais educadas do que os homens, o que as levaria a um comportamento mais responsável, evitando, com isso, práticas que poderiam ser deletérias à saúde;[2] e d) as mulheres adotariam um comportamento mais preventivo do que os homens, frequentando com mais assiduidade médicos e hospitais e fumando e bebendo menos,[3] a despeito de a incidência de obesidade entre os homens ser ligeiramente menor do entre as mulheres.

O que chama a atenção, porém, é que a incidência de tabagismo, bem como o uso de álcool (para o qual não dispomos de dados), fatores frequentemente apontados como determinantes na maior mortalidade masculina, são relativamente maiores para homens em países mais pobres e crescentes para as mulheres à medida que vai aumentando o PIB *per capita*. No entanto, é exatamente nesses países mais pobres que a razão de mortalidade (homens/mulheres) entre adultos (15 a 60 anos) é menor, mesmo descontando-se o efeito da mortalidade materna, uma causa que afetaria particularmente as mulheres de países pobres, com precárias condições médico-sanitárias. A Tabela 11.2 resume esses dados.

Esses resultados sugerem que o crescimento econômico tem efeitos diferenciados nas expectativas de vida de homens e mulheres. No processo de crescimento econômico, as mulheres são inicialmente beneficiadas, elevando rapidamente sua esperança de vida, o que ocorre bem mais tarde – e com mais crescimento econômico – com os homens. Nesse processo, dois fenômenos ocorrem: a) aumento progressivo da esperança de vida para ambos os sexos, porém em ritmo diferenciado (mais intenso para mulheres do que para homens); b) aumento

---

[1] Camarano (2006) mostrou que, da diferença de esperança de vida entre homens e mulheres no Brasil, aproximadamente um terço poderia ser explicado pela ocorrência de morte por causas externas – basicamente homicídio e acidentes de trânsito – no grupo etário jovem (15 a 25 anos) masculino. E isso ocorre, basicamente, devido a um comportamento menos responsável por parte dos jovens do sexo masculino.

[2] Apesar de as mulheres terem maior frequência escolar no ensino médio, à medida que o PIB *per capita* vai crescendo, na média as mulheres têm frequência escolar mais reduzida do que os homens no ensino fundamental e ligeiramente superior no ensino médio. No Brasil, isso também ocorre: as mulheres são, em média, mais instruídas do que os homens.

[3] De fato, *surveys* internacionais parecem indicar que a frequência a médicos, hospitais e ambulatórios é maior entre mulheres do que entre homens, assim como a incidência de tabagismo e o uso de álcool também são menores entre mulheres do que entre homens.

Tabela 11.2: Indicadores de mortalidade, incidência de obesidade, prevalência de tabagismo e percentagem de matrícula nos ensinos fundamental e médio

Variáveis relevantes	Sexo	1º Quartil	2º Quartil	3º Quartil	4º Quartil	Média Global
Matrícula no ensino fundamental	Homens	73,3	88,2	91,2	94,3	86,7
	Mulheres	67,2	87,2	91,1	94,1	84,8
	Diferença	6,1	1,0	0,1	0,3	1,9
% Obesidade pop. 15 anos ou mais[a]	Homens	2,8	18,9	14,4	16,1	15,3
	Mulheres	7,7	29,2	21,5	16,5	19,2
	Diferença	-4,9	-10,3	-7,2	-0,4	-3,9
% de fumantes pop. 15 anos ou mais[b]	Homens	27,7	38,3	38,3	34,5	34,9
	Mulheres	5,2	6,8	17,2	22,1	13,7
	Diferença	22,5	31,4	21,1	12,4	21,2
Mortalidade 15 a 60 anos[c]	Homens	364,9	257,3	239,4	138,0	170,1
	Mulheres	298,8	166,6	136,8	68,1	249,4
	Razão	1,2	1,5	1,7	1,9	1,5

[a] Para essa variável estão disponíveis informações para 54 países.
[b] Para essa variável estão disponíveis informações para 137 países.
[c] Para essa variável estão disponíveis informações para 142 países. Foram utilizados os mesmos limites de corte de renda *per capita*. A mortalidade é expressa por mil habitantes. No caso do sexo feminino foi deduzida a mortalidade materna.
Para todas as variáveis foram utilizados os mesmos limites de corte de renda *per capita*.
Fonte: Dados de Mortalidade, obesidade e prevalência de fumantes, World Health Organization (Statistical Information System, WHOSIS). Dados educacionais, UNESCO.

inicial e posterior redução da diferença de esperança de vida entre mulheres e homens, formando um "U" invertido.

Utilizando a mesma amostra de 186 países, regredimos a diferença de esperança de vida ao nascer entre homens e mulheres contra o logoritmo do PIB *per capita*. O Gráfico 11.2 apresenta os resultados. Cada bolinha do gráfico representa um país, e alguns deles estão assinalados. Tal como feito no gráfico anterior, aqui também se buscou quantificar a relação entre PIB *per capita* e diferença de expectativa entre mulheres e homens. Note que a melhor forma de associar as duas variáveis é por meio de uma parábola (negativa), o que revela que a diferença de expectativa de vida se eleva inicialmente e, em seguida, começa a diminuir.

O Brasil encontra-se praticamente no ponto mais alto da curva, indicando que estamos agora em fase de estabilidade e perspectivas de redução futura da diferença de esperança de vida ao nascer entre mulheres e homens. Se isso se confirmar, os homens passarão a ter ganhos de expectativa de vida superiores aos das mulheres. Ambos viverão mais, mas a diferença entre eles paulatinamente se reduzirá.

Uma maneira aproximada de observar esse fenômeno pode ser feita utilizando vários grupos etários ao longo dos anos e analisando a diferença de expectativa de vida entre homens e mulheres. A partir de dados do IBGE, a Tabela 11.3 apresenta dados sobre diferença de expectativa de vida entre mulheres e homens

Gráfico 11.2: Diferença de expectativa de vida ao nascer entre mulheres e homens, segundo logartimo do PIB *per capita* – amostra de 186 países

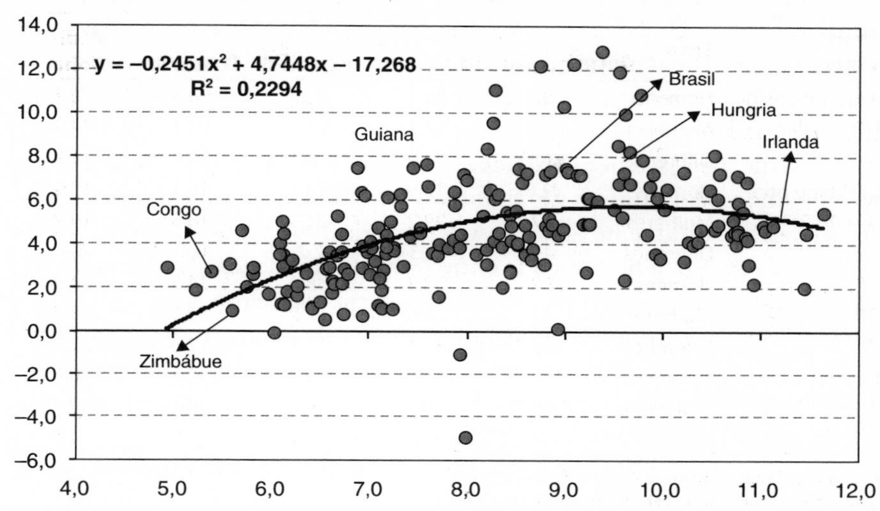

Fonte: Population Division of the Department of Economic and Social Affairs of the United Nations Secretariat. *World Population Prospects: The 2008 Revision*. Nova York: United Nations. Para dados de PIB, Banco Mundial.

Tabela 11.3: Diferença de esperança de vida entre mulheres e homens para diversas idades (Brasil: 1999-2008)

Ano	0 ano	20 anos	40 anos	60 anos	70 anos
1999	7,6	6,7	4,7	2,8	1,8
2000	7,7	6,8	4,7	2,9	1,9
2001	7,7	6,8	4,8	2,9	1,9
2002	7,6	6,8	4,8	2,9	2,0
2003	7,6	6,8	4,9	3,0	1,9
2004	7,6	6,8	4,9	3,1	2,0
2005	7,6	6,8	4,9	3,1	2,0
2006	7,6	6,7	5,0	3,1	2,1
2007	7,6	6,8	5,0	3,2	2,1
2008	7,6	6,8	5,0	3,2	2,2

Fonte: IBGE. Tábuas de Mortalidade, 2008.

para diversas idades. Como se pode constatar, enquanto para o grupo de recém-nascidos a diferença de expectativa de vida permanece praticamente constante, o mesmo ocorrendo com o grupo etário de 20 anos, para os grupos etários mais velhos – que em nossa aproximação representam o Brasil de 30, 40 ou 50 anos atrás – a diferença de expectativa de vida entre mulheres e homens se elevou de 1,8 para 2,2 anos entre 1999 e 2008, representando um acréscimo de 20%.

A diferença de expectativa de vida ao nascer e aos 20 anos entre mulheres e homens, apesar de elevada (em média, 7,6 anos), pode ser reduzida nos próximos anos, caso algumas das causas externas de mortalidade infanto-juvenil entre indivíduos do sexo masculino (homicídios e acidentes de trânsito, principalmente) venham a se reduzir como decorrência da implementação de políticas públicas adequadas.

Na realidade, isso já vem ocorrendo, tanto que a razão de sexos (número de homens dividido pelo número de mulheres) em 2008, como mostrado na Tabela 11.4, é sistematicamente igual ou superior à de 1999 até a faixa etária de 35 a 40 anos. Entretanto, a mortalidade entre homens em idades mais elevadas faz com que a sobrevida feminina para essas idades seja mais elevada.

Na Tabela 11.4, constam a população e a razão de sexos para 1999 e 2008. Como se pode constatar, apesar de nascerem mais homens do que mulheres no Brasil, eles, em 2008, se tornam minoria a partir de aproximadamente 30 anos. Em 1999, isso ocorria em idades entre 20 e 24 anos.

Observe que, em 1999, a razão de sexos era maior do que a unidade até o grupo etário de 15 a 19 anos. Progressivamente, ia caindo até atingir o valor de 0,61, indicando que para a faixa etária de 80 anos ou mais havia apenas 61 homens para 100 mulheres. Em 2008, entretanto, a razão de sexos per-

Tabela 11.4: População brasileira segundo faixas etárias e razão de sexos (1999 e 2008)

Grupos etários	População 1999		População 2008		Razão de sexos	
	Homens	Mulheres	Homens	Mulheres	1999	2008
Total	**81.273.761**	**84.097.732**	**91.302.073**	**95.242.208**	**0,97**	**0,96**
0-4 anos	8.426.244	8.178.067	8.824.520	8.564.465	1,03	1,03
5-9 anos	8.255.326	8.042.690	8.611.784	8.369.030	1,03	1,03
10-14 anos	8.749.918	8.488.666	8.311.137	8.086.578	1,03	1,03
15-19 anos	8.727.351	8.563.439	8.271.890	8.104.031	1,02	1,02
20-24 anos	8.000.377	8.088.604	8.627.491	8.488.272	0,99	1,02
25-29 anos	6.871.793	7.140.229	8.446.375	8.486.385	0,96	1,00
30-34 anos	6.269.548	6.611.260	7.498.102	7.808.049	0,95	0,96
35-40 anos	5.669.429	6.077.426	6.497.166	6.911.911	0,93	0,94
45-49 anos	4.855.394	5.226.134	5.917.945	6.435.608	0,93	0,92
50-54 anos	4.063.301	4.384.651	5.213.471	5.754.515	0,93	0,91
55-59 anos	3.231.736	3.456.436	4.341.608	4.878.749	0,93	0,89
60-64 anos	2.478.944	2.722.274	3.512.243	3.965.495	0,91	0,89
65-70 anos	1.973.716	2.245.323	2.603.611	3.009.031	0,88	0,87
65-69 anos	1.494.342	1.831.607	1.898.513	2.302.331	0,82	0,82
70-74 anos	1.102.157	1.407.795	1.312.568	1.746.510	0,78	0,75
75-79 anos	646.648	884.168	817.957	1.243.286	0,73	0,66
80-+ anos	457.537	748.963	595.692	1.087.962	0,61	0,55

Fonte: IBGE. Estatísticas do Registro Civil e Sistema Integrado de Projeções e Estimativas Populacionais, 2008.

manece acima da unidade até a faixa de 20 a 24 anos, e se mantém igual à unidade para a faixa seguinte. Observe ainda que até a faixa etária de 35 a 40 anos (inclusive) a razão de sexos em 2008, embora inferior à unidade, era superior àquela observada em 1999, o que revela que a mortalidade masculina no período regrediu mais do que entre as mulheres. Porém, a partir do grupo etário de 45 a 49 anos, as razões de sexos de 2008 são sistematicamente inferiores às de 1999 para todos os grupos etários, com exceção do grupo etário de 65 a 69 anos.

Isso significa que a redução de mortalidade de mulheres para os grupos etários superiores a 45 anos foi mais intensa do que a observada entre homens, resultando em maior sobrevida condicionada a essas idades.

A diferença cai, mas a idade aumenta. E isso é muito importante

A despeito dessa relativa estabilidade da diferença de esperança de vida ao nascer, para os grupos etários mais jovens, no período de 1999 a 2008, como visto na tabela anterior, a esperança de vida na idade de aposentadoria tem-se elevado de forma consistente, tanto para homens como para mulheres, porém mais intensamente para as últimas. Entretanto, é exatamente na idade de aposentadoria que a expectativa de vida adicional torna-se relevante para a Previdência. Estatísticas feitas a partir de dados das Tábuas de Mortalidade do IBGE[4] indicam que, entre 2000 e 2008, as esperanças de vida ao nascer, aos 16 anos e aos 60 anos, tanto para homens quanto para mulheres aumentaram (ver Tabela 11.5).

Em apenas oito anos, a esperança de vida ao nascer para os homens aumentou 2,4 anos, um pouco mais do que para as mulheres (2,3 anos). Aos 16 anos, também o ganho de esperança de vida do homem foi ligeiramente superior ao da mulher (1,8 ano e 1,7 ano, respectivamente). Contudo, aos 60 anos, o ganho de esperança

Tabela 11.5: Esperança de vida por sexo no Brasil (2000-2008)

Esperança de sobrevida	2000		2008		Diferença (M-H) e (%)	
	Homens	Mulheres	Homens	Mulheres	2000	2008
Ao nascer	66,7	74,4	69,1	76,7	7,7	7,6
duração da vida	66,7	74,4	69,1	76,7	–	−1,3
Aos 16 anos	53,9	60,9	55,7	62,6	7,0	6,9
duração da vida	69,9	76,9	71,7	78,6	–	−1,4
Aos 60 anos	18,8	21,7	19,5	22,7	2,9	3,2
duração da vida	78,8	81,7	79,5	82,7	–	10,3

Fonte: Tábuas de Mortalidade do IBGE, 2008.

[4] A tabela foi construída a partir de uma similar produzida por Camarano (2006).

de vida das mulheres foi de um ano, enquanto para os homens foi de apenas 0,7, a despeito de a esperança de vida da mulher ser superior à do homem.

Observe ainda que, enquanto a diferença de esperança de vida entre mulheres e homens, entre 2000 e 2008, caiu para os grupos etários jovens, elevou-se aos 60 anos: de 2,9 ano passou para 3,2 (10,3% de aumento). E essa, como dissemos, é a idade crítica para a Previdência.

A despeito do aumento da esperança de vida entre 2000 e 2008 nas três idades indicadas, tanto para homens como para mulheres, o sistema previdenciário brasileiro não incorporou essas mudanças, ainda que o fator previdenciário tenha captado, em parte, esse efeito. Ele continua permitindo que aposentadorias sejam obtidas em idades relativamente precoces, para ambos os sexos, e especialmente para as mulheres. Além disso, como as mulheres têm sobrevida superior à dos homens em qualquer idade, permanecem por quase três décadas recebendo benefícios. O resultado, como visto em capítulos anteriores, é que os homens passam atualmente 23 anos recebendo aposentadoria (39% de sua vida adulta), e as mulheres, 29 anos recebendo o mesmo benefício, ou o equivalente a 46% de sua vida adulta.[5]

Contudo, o benefício previdenciário para as mulheres pode ser ainda maior, como será visto em capítulo específico sobre pensões. Como são as principais beneficiárias (quase 90% das pensões são a elas concedidas) e como nossa legislação permite o acúmulo de benefícios (28% das pensionistas recebem também aposentadoria) e, ainda, como as mulheres sobrevivem, em média, mais do que o homem, o resultado é que terminam por receber, em média e considerado o duplo benefício, o equivalente a 31 anos de benefício.

A crescente participação da mulher no mercado de trabalho

A crescente inserção da mulher no mercado de trabalho é um fenômeno relativamente recente no Brasil. Até o final da década de 1980, apenas 40% das mulheres em idade ativa estavam ocupadas. Hoje, esse número é superior a 50%. O Gráfico 11.3 apresenta as taxas de participação no Brasil, por sexo. Como se pode constatar, enquanto a taxa de participação masculina cai 4 pontos percentuais entre o final dos anos 1980 e 2008, a feminina cresce mais de 8 pontos percentuais.

Uma explicação para essa forte expansão da participação feminina é conhecida como "efeito do trabalhador adicional". Em momentos de baixo crescimento econômico e/ou de queda dos níveis de remuneração, outros membros da família, especialmente a mulher, acabam sendo pressionados pelas circunstâncias a entrar no mercado de trabalho remunerado, com o objetivo de preservar o consumo

---

[5] Considerou-se vida adulta a partir de 20 anos.

Gráfico 11.3: Taxa de participação por sexo – Brasil: 1989-2008 (%)

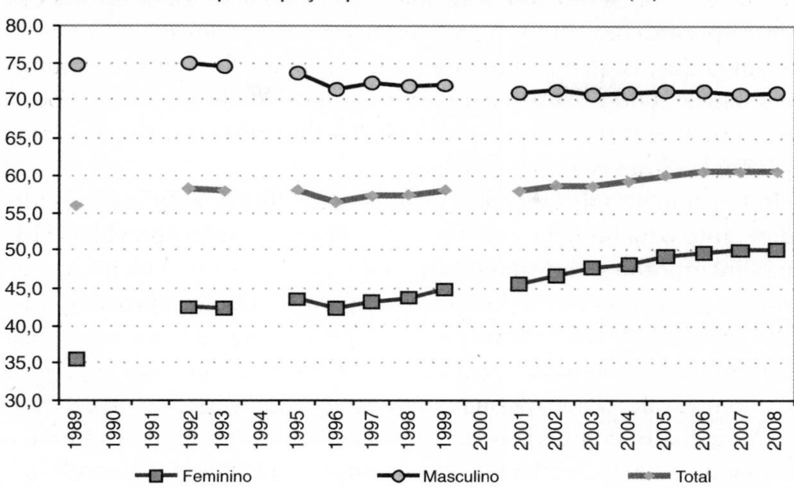

Fonte: Pnad do IBGE, diversos anos.

domiciliar.[6] De fato, a década de 1990 trouxe forte ajustamento no mercado de trabalho brasileiro, com redução no nível de remuneração e perda de postos de trabalhos industriais. Seja por essa ou por outras razões, o fato é que as mulheres ocuparam o mercado de trabalho e atualmente representam algo em torno de 40% do total de pessoas ocupadas. Isso significa que, no futuro, um número crescente de aposentadorias femininas por tempo de contribuição será concedido. Essas aposentadorias são as de maior valor médio (em 2008, por exemplo, o valor médio da aposentadoria urbana concedida por tempo de contribuição era de R$1.137,62, enquanto o da aposentadoria por idade era de R$630,40 e o da aposentadoria por invalidez era de R$824,64).[7] Pelas regras atuais, um número crescente de mulheres poderá se aposentar em idades precoces e usufruirá do benefício por pelo menos nove anos mais do que seus pares do sexo masculino.

Essa conquista feminina no campo do mercado de trabalho, sua maior longevidade e as regras previdenciárias que garantem à mulher a possibilidade de aposentadoria cinco anos mais cedo do que seus pares do sexo masculino certamente exercerão pressão sobre os gastos previdenciários. Essa pressão será exercida por dois vetores que se complementam: (i) as aposentadorias por tempo de contribuição, cujo valor médio é mais elevado do que as demais modalidades de aposentadoria, tenderão a ganhar mais peso no conjunto das aposentadorias femininas; e (ii) a duração média dos benefícios previdenciários femininos tenderá a se elevar pelo incremento do número de aposentadorias por tempo de contribuição feminina.

---

[6] Ver, a respeito, Gonzaga e Reis (2005).

[7] Ver *Anuário Estatístico da Previdência Social*, 2008 (pp. 40 e 42).

A Tabela 11.6, construída a partir de dados da Pnad/2008, mostra que, do total de contribuintes identificados na pesquisa, 41% são do sexo feminino; do conjunto que recebe aposentadoria, as mulheres respondem por 48% – já praticamente igualando-se à participação do homem; do conjunto que recebe pensão, são ampla maioria, respondendo por 88% do total; daqueles que recebem duplo benefício, as mulheres são 86 em cada 100 indivíduos. Esse último grupo, seja por razões demográficas, seja pelo aumento da participação feminina no mercado de trabalho, tenderá a crescer no futuro, e as mulheres, em um par de décadas, serão as "donas da Previdência".

Tabela 11.6: Situação Previdenciária segundo sexo (Brasil: 2008)

Situação	Masculino	Feminino	Total	Participação Feminina
Contribuinte	28.771.236	19.995.836	48.767.072	41,00
Recebe aposentadoria	9.330.968	8.670.576	18.001.544	48,17
Recebe pensão	780.156	5.809.277	6.589.433	88,16
Recebe duplo benefício	249.390	1.557.380	1.806.770	86,20

Fonte: Pnad/2008 do IBGE. Tabulação dos autores.

As regras de concessão de benefícios de nosso sistema previdenciário baseiam-se em princípios que, atualmente, são anacrônicos. A possibilidade de aposentadoria em idades muito baixas – tanto para homens quanto para mulheres, mas especialmente para as mulheres – refere-se a um Brasil de meio século atrás, quando a esperança de vida era muito baixa. A presunção de dependência econômica da mulher para a concessão automática e sem restrições do benefício da pensão também retrata um país no qual as mulheres tinham baixa instrução, não trabalhavam e não tinham, por conseguinte, possibilidade de sobrevivência na ausência do marido. O Brasil de hoje, porém, não é mais assim. As mulheres estão mais escolarizadas do que os homens, têm participação crescente no mercado de trabalho, alcançam progressivamente papéis relevantes na atividade econômica, com reflexos positivos em seus rendimentos e em suas futuras aposentadorias. Muitas são responsáveis pelo domicílio. Em alguns casos, vivem e criam famílias sem a presença masculina no lar. São novos arranjos familiares, somente possíveis com a maior inserção da mulher no mercado de trabalho.

Manter as regras para a concessão de benefícios tanto para homens quanto para mulheres, mas especialmente para as últimas, é permitir que se criem dívidas que talvez tenham de ser pagas em algum momento. Veremos como esse risco poderia ser mitigado quando expusermos as propostas cuja adoção é viável, na parte final do livro.

Capítulo 12

As viúvas e a Viúva-mãe

Com a colaboração de Márcia Marques de Carvalho

"Quando a lenda é melhor que a realidade, publique-se a lenda."

John Ford, em *O homem que matou o facínora*

O direito à pensão foi estipulado no Brasil em 1923 (Decreto nº 4.682, Lei Eloy Chaves) com a criação da Caixa de Aposentadoria e Pensões para os empregados das estradas de ferro existentes no país, no caso de falecimento do empregado aposentado ou ativo que contasse mais de 10 anos de serviço efetivo na empresa. A viúva recebia 50% da aposentadoria do marido ou a que ele tinha direito e não era permitido acumular duas ou mais pensões ou aposentadorias. A viúva perdia o direito à pensão quando contraísse novas núpcias e em casos específicos previstos pela legislação.

Por contraste com essa legislação, atualmente não existe qualquer condição de qualificação para o recebimento do benefício de pensão por morte: ela não requer carência contributiva, o valor do benefício é integral (100% do valor da aposentadoria) e a pensão não apenas exige casamento, como ainda permite o acúmulo com o benefício de aposentadoria e com a renda do trabalho.[1]

Algumas comparações

A ausência de condicionalidades faz com que o benefício de pensão por morte seja o segundo maior benefício previdenciário em quantidade e em valor no Brasil, representando ¼ dos gastos previdenciários em dezembro de 2009. Em média, o valor das pensões nessa data era de R$588, aproximadamente 1,3 salário mínimo da época. Observe, ainda, que o total de benefícios de pensão representa 82,2% do total de aposentadorias por idade – o benefício mais numeroso –, mas é 1% superior em termos de gastos. Isso ocorre pelo fato de o valor médio da pensão ser 23% superior ao da aposentadoria por idade (ver Tabela 12.1).

[1] Também o benefício de aposentadoria permite essas acumulações.

Tabela 12.1: Quantidade e valor dos benefícios previdenciários emitidos, segundo grupo (Brasil: dezembro de 2009)

Grupos de espécies	Quantidade	Valor (R$ milhão)		Valor Médio	
	Total	Total	%	R$	Em SM
Previdenciários	**22.736.409**	**15.016,4**	**100,0**	**660,46**	**1,42**
Aposentadorias	**15.076.295**	**10.370,8**	**69,1**	**687,89**	**1,48**
Idade	7.856.916	3.764,0	25,1	479,07	1,03
Invalidez	2.902.600	1.757,6	11,7	605,51	1,30
Tempo de contribuição	4.316.779	4.849,3	32,3	1.123,36	2,42
Pensões por morte	**6.457.846**	**3.800,3**	**25,3**	**588,47**	**1,27**
Auxílios	**1.130.431**	**815,0**	**5,4**	**720,95**	**1,55**
Doença	1.078.270	790,8	5,3	733,40	1,58
Reclusão	25.516	9,7	0,1	379,61	0,82
Acidente	26.645	14,5	0,1	544,04	1,17
Salário-maternidade	**71.166**	**30,0**	**0,2**	**421,50**	**0,91**
Outros*	**671**	**0,3**	**0,0**	**442,80**	**0,95**

* Abono de permanência em serviço, pecúlio especial para aposentadoria, entre outros.
Fonte: MPS, *Boletim Estatístico da Previdência Social.*

Nossos gastos com pensão por morte são elevados para nosso padrão demográfico. Se considerarmos a razão de dependência da população inativa (65 anos ou mais) sobre a população ativa (15 a 64 anos) como uma medida do padrão demográfico do país e compararmos com a despesa com pensão por morte de países com o mesmo padrão demográfico, o resultado impressiona. Em uma amostra de 32 países, gastamos mais com pensão por morte do que países demograficamente maduros como Áustria, Bélgica, Itália e Polônia, que têm uma razão de dependência três vezes maior que a nossa (ver Gráfico 12.1). Por outro lado, países com o nosso padrão demográfico, como México, Chile e Tunísia, gastam aproximadamente 1% do PIB com despesas relativas à pensão por morte, 2,5 vezes menos que nós.[2]

Uma das razões de gastarmos muito com pensão por morte, comparativamente a outros países, é a ausência de condicionalidades ao acesso à pensão por morte. Em vários países, há exigência de um período contributivo mínimo do segurado e um período mínimo de casamento ou união. Em diversos países, a condição de acesso ao benefício de pensão por morte está vinculada à idade da viúva e ao número de filhos, especialmente filhos menores de idade e que, portanto, não têm condições de trabalhar. Além dessas condicionalidades, em geral,

[2] Nos gastos previdenciários brasileiros, estão incluídas as despesas do INSS e dos regimes próprios dos três níveis de governo (União, estados e municípios).

Gráfico 12.1: Despesa com pensão por morte e razão de dependência (2006)

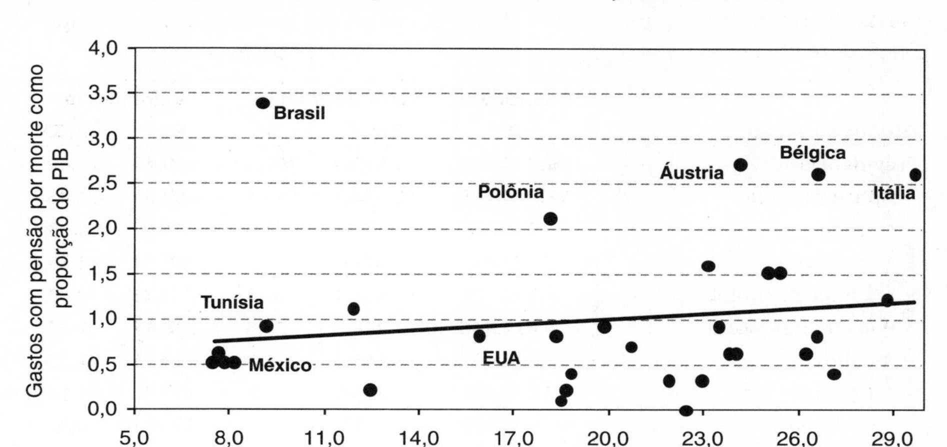

Fonte: OECD (2003).

o valor concedido não é 100%, como no Brasil: varia de 50% a 90%. Mais ainda: em vários países, a pensão não é vitalícia, como no Brasil, e em praticamente todos os países se extingue com o novo casamento.[3]

Na Tabela 12.2 são apresentados, de forma resumida, os critérios de concessão do benefício de pensão de alguns países.

É de se destacar que praticamente todos os países listados apresentam condicionalidades de tempo de contribuição ou fixação de valor do benefício – sempre com reduções – ou de presença de filhos, ou ainda de acumulação de benefícios. Há, ainda, casos em que o tempo de duração do benefício é limitado.

Caso, por exemplo, as condições de acesso à pensão por morte da Finlândia fossem utilizadas no Brasil, apenas 15% das atuais pensões seriam mantidas. Aplicadas as condições de acesso da Suécia, a redução seria de 44% no número de pensões e 55% dos valores pagos. Se o Brasil tivesse o mesmo critério do Chile, país com aproximadamente o mesmo padrão demográfico do Brasil, a redução da despesa com pensões seria de 20%. No caso das condições de acesso dos Estados Unidos, apenas 15% da despesa com benefícios seria mantida e ela seria da ordem de 11% da atual, ou seja, uma economia de 89%. A Tabela 12.3 reproduz os principais resultados obtidos.[4]

[3] Um caso extremo, mas não muito incomum, é o de uma pessoa do sexo feminino que tenha sido contribuinte durante vários anos e, por circunstâncias da vida, tenha ficado viúva e casado de novo. Se, anos depois, o segundo marido falecer, ela chegará aos 70 ou 80 anos com três benefícios: a sua própria aposentadoria e duas pensões.

[4] Ver Tafner (2007).

Tabela 12.2: Critérios de concessão de benefício de pensão por morte de vários países

País	Tempo mínimo de contribuição	Valor da pensão	Restrições à idade da viúva	Cessa com novas núpcias da iúva?	Duração do benefício
Alemanha	5 anos	25% se o pensionista tiver menos de 45 anos; caso contrário, 60% do valor para idade superior a 45 anos ou incapaz para o trabalho ou criando filhos	Sim	Sim	Sem restrições
Espanha	15 anos ou 500 dias. Sem carência em caso de falecimento no trabalho	45% da média dos salários de contribuição passados	Não	Sim	Sem restrições
França	Contribuinte regular	54% do valor da aposentadoria	55 anos e sem filhos	Sim	3 anos se viúva entre 50 e 55 anos. Sem restrição se 55 anos ou mais
Finlândia	Não	Sem informação	Menos de 65 anos e com filhos de até 18 anos	Sem informação	Sem informação
México	3 anos	90% da aposentadoria	Sem informação	Sim	Sem informação
Itália	5 anos	60% se apenas cônjuge; 70% se um filho; 100% se dois filhos	Não	Sim	Sem informação
Noruega	3 anos	Sem informação	Até 60 anos	Sim	Sem informação
Portugal	3 anos	60% da aposentadoria	Menos de 35 anos, exceto se tiver filhos ou incapaz	Sim	5 anos
Suécia	5 anos	55% do valor; 90% do valor se órfão menor de 12 anos	Até 65 anos		10 meses
Áustria	60 meses como segurado nos últimos 120 dias antes do falecimento	40-60% do valor da aposentadoria	35 anos se não tiver filhos, exceção se incapaz	Sim	30 meses se viúva de 35 anos sem filhos
Bélgica	Não	80% da aposentadoria	45 anos se não tiver filhos, exceção se incapaz	Sim	Não
Canadá	Sem informação	37,50%	60 a 64 anos	Sim	É substituído pelo universal de velhice a partir de 65 anos de idade
Estados Unidos	Sem informação	75% do valor segurado	Menos de 50 anos	Sim	Não
Chile	Não	50-60% do valor da aposentadoria	Não	Sem informação	Não

Fonte: Social Security Administration (2006) e MISSOC (2006).

Tabela 12.3: Simulação de despesa com o benefício de pensão por morte no Brasil segundo os critérios de concessão de vários países

País	% de benefícios mantidos		Economia: % da despesa atual
	Quantidade	**Valor**	
Canadá	12,4	7,2	92,8
Estados Unidos	16,5	11,2	88,8
Finlândia	15,1	13,4	86,6
Suécia	56,5	35,4	64,7
Alemanha	100,0	68,6	31,4
Espanha	100,0	69,8	30,2
Itália	100,0	75,9	24,1
Chile	100,0	81,0	19,0
Argentina	100,0	82,3	17,7
Índia	100,0	73,3	26,7
Japão	15,1	13,4	86,6
Costa Rica	100,0	76,2	23,8
Portugal	100,0	73,3	26,7
Rússia	41,8	45,8	54,2

Fonte: Tafner (2007).

Note-se que, em linhas gerais, quanto mais rico é o país, mais restrito é o acesso ao benefício. Isso se deve ao limite de idade do pensionista – em muitos casos, o benefício de pensão é limitado até certa idade – e à existência de crianças vivendo com o/a pensionista – condição ligada à idade do/a pensionista.

A Tabela 12.4 traz informações sobre pensionistas de nosso sistema previdenciário, a partir de dados da Pnad/2008. Como se pode constatar, a pensão é basicamente um benefício associado à mulher, ainda que 10% do total de gastos com esses benefícios sejam concedidos a indivíduos do sexo masculino. São mulheres de baixa escolaridade, pois mais da metade tem até sete anos de estudo e apenas 10% têm nível superior. Observe ainda que as pensionistas com até 49 anos de idade, que tipicamente são aquelas que têm filhos menores, representam apenas 18% do total de gastos com pensão, enquanto mais de 60% dos gastos são destinados a viúvas de 60 anos ou mais de idade e que não têm filhos morando no domicílio. Uma em cada cinco pensionistas trabalhava ou recebia aposentadoria.

Tabela 12.4: Valor dos benefícios de pensão por morte em setembro de 2008

	Pensão de Instituto de Previdência Público	
Variáveis	**Valor (R$ milhões)**	**% do total**
Gênero		
Masculino	501,8	10,3%
Feminino	4.347,6	89,7%
Total	4.849,3	100,0%
Idade		
Até 40 anos	351,3	7,2%
40-49 anos	510,4	10,5%
50-59 anos	978,2	20,2%
60-69 anos	1.187,1	24,5%
70 ou mais	1.822,3	37,6%
Total	4.849,3	100,0%
Nível de educação em anos de estudo		
0 a 7 anos	2.755,4	56,8%
8 a 10	660,0	13,6%
11 a 14	933,7	19,3%
15 ou mais	494,9	10,2%
Total	4.849,3	100,0%
Filhos morando no domicílio		
Não	3.252,6	67,1%
Sim	1.596,7	32,9%
Total	4.849,3	100,0%
Trabalhou em setembro?		
Sim	1.111,2	22,9%
Não	3.738,1	77,1%
Total	4.849,3	100,0%
Recebeu aposentadoria?		
Sim	1.335,2	27,5%
Não	3.514,1	72,5%
Total	4.849,3	100,0%

Fonte: Pnad/2008 do IBGE. Tabulação dos autores.

Mudança comportamental e seu impacto na Previdência: matrimônio intergeracional

Na presente seção, vamos analisar uma importante mudança comportamental que provoca impactos crescentes no equilíbrio do sistema previdenciário brasileiro. Faremos uma análise da mudança de padrão de casamentos no Brasil, em especial o casamento que envolve cônjuges de gerações diferentes.

Como a quase totalidade dos benefícios de pensão é paga a cônjuges, então, como afirma Carvalho,[5] "no caso da pensão por morte, o que importa para a Previdência é a expectativa de vida do cônjuge". Como vimos anteriormente, a expectativa de vida ao nascer, assim como a expectativa de vida condicional da mulher, é superior à dos homens. Isso, por si só, seria um problema, na medida em que a população está vivendo mais, mas é especialmente relevante se houver mudança significativa na estrutura etária do matrimônio.

Segundo dados da Pesquisa de Registro Civil do IBGE, em 2007, para homens entre 55 e 59 anos que contraíram matrimônio, a probabilidade de se terem casado com mulheres mais jovens (com pelo menos uma faixa de idade[6] mais jovem) foi de 83% (ver Tabela 12.5), o que significa que, nesses casamentos, as mulheres mais velhas tinham entre 50-54 anos e todas as demais eram mais jovens do que isso.

Entretanto, para aquele mesmo ano (2007), a expectativa de vida das mulheres dessa faixa etária (50-54 anos) era de aproximadamente 29 anos. Como a mulher é, em geral, o cônjuge sobrevivente, isso significa que, nessa situação, na melhor hipótese para a Previdência – mulher com apenas uma faixa etária mais jovem do que o marido –, a viúva receberá o benefício de pensão por morte pelos próximos 29 anos.

Por que essa questão é importante? Porque, embora o fato ainda não seja excessivamente oneroso, está crescendo o número de casamentos nos quais um homem mais velho casa com mulheres particularmente mais jovens. A legislação brasileira é tão benevolente que, no limite, permite a existência de situações aberrantes. Imaginemos o caso de um homem, inicialmente casado, que tenha começado a contribuir aos 22 anos e se aposentado aos 57 anos, com 35 anos de contribuição, ficando viúvo em algum momento da vigência da sua aposentadoria. Digamos que depois de 23 anos de usufruto da aposentadoria, aos 80 anos, precisando de cuidados, ele contrate uma enfermeira de 25 anos e, com o apego a ela, decida se casar. Pois bem, se ele morrer um mês depois, deixando uma jovem viúva, um indivíduo terá contribuído para a aposentadoria por 35 anos e o Tesouro – a "Viúva-mãe" – terá um fluxo de desembolsos com aposentadoria ou pensões, se a citada enfermeira viver até os 85 anos, durante nada menos que 23 + 60 = 83 anos. Não é preciso ser especialista em matemática financeira para perceber que a contribuição feita não cobre o benefício recebido!

O tempo estimado do benefício de pensão por morte

Como o benefício de pensão por morte é concedido geralmente às viúvas, nesta seção vamos estimar a idade do cônjuge (futuro beneficiário) e, com base na demografia, estimar o tempo de concessão do benefício.

---

[5] Ver Carvalho (2006, p. 8).

[6] Cada faixa de idade corresponde a um intervalo de cinco anos.

Para estimar a idade do cônjuge no momento em que ocorre o óbito do titular, é necessário analisar a idade dos casais. Quanto mais jovem é o homem, maior é a probabilidade de ele se casar com uma companheira da mesma faixa etária. À medida que o homem envelhece, a probabilidade de ele se casar com uma mulher da mesma faixa etária diminui e de se casar com mulheres estritamente[7] mais jovens aumenta (ver Tabela 12.5).

Observe que, para todos os anos da série, apenas até 24 anos os homens se casam com mulheres da mesma faixa etária em maior proporção do que com mulheres mais jovens. A partir dessa idade, eles se casam com mulheres mais jovens, com pelo menos uma faixa etária a menos. E essa proporção cresce até a faixa etária de 55 a 59 anos. A partir dos 60 anos, há oscilação no tempo, ainda que a incidência seja particularmente elevada. Observe também que, já a partir de 45 anos, de cada dez matrimônios contraídos por homens dessa idade, aproximadamente oito são feitos com mulheres pelo menos cinco anos mais jovens. Esses dados encontram-se sintetizados na Tabela 12.5.[8]

Tabela 12.5: Probabilidade de ocorrência de matrimônio com cônjuges da mesma faixa etária ou mais jovem, segundo a faixa etária do marido (Brasil: 1999-2007)*

	1999		2003		2007	
Idade do homem	**mesma faixa etária**	**faixa etária mais jovem**	**mesma faixa etária**	**faixa etária mais jovem**	**mesma faixa etária**	**faixa etária mais jovem**
15-19	69,1	0,0	64,3	0,0	63,0	0,0
20-24	42,6	43,5	48,6	34,7	46,8	33,8
25-29	28,4	61,6	33,1	55,3	36,6	50,7
30-34	20,3	70,7	23,9	66,0	24,3	64,7
35-39	16,6	75,0	18,6	71,6	19,2	69,6
40-44	14,8	76,6	16,0	74,7	17,4	71,9
45-49	13,9	79,0	14,5	77,1	15,5	75,1
50-54	12,2	80,6	12,9	79,9	13,4	78,8
55-59	11,9	82,0	11,4	82,8	11,2	83,3
60 e mais	15,0	83,2	15,2	83,3	15,5	82,8

* Cada faixa etária é constituída por cinco anos.
Fonte: Pesquisa de Registro Civil/IBGE.

[7] Estritamente mais jovens são consideradas as mulheres cuja idade está situada em pelo menos uma faixa etária inferior à do homem.

[8] Chamamos a atenção do leitor para o fato de que, na Tabela 12.5, não estão explicitados os casamentos de homens com mulheres mais velhas. Essa é a razão de a soma não totalizar 100%. Assim, por exemplo, para o ano de 1999 e para a faixa etária do homem 20 a 24 anos, o total é 86,1% (42,6% + 43,5% = 86,1%). A diferença (13,9%) são casamentos de homens com mulheres pelo menos uma faixa etária mais velha.

Com relação ao conjunto de casais já constituídos, qual seria a diferença entre as idades do marido e da esposa? Existem duas situações em que a esposa poderá se tornar pensionista: se seu marido contribuir para a Previdência Social ou se seu marido já for aposentado.

Segundo os dados da PNAD em 2008, 18,040 milhões de contribuintes homens eram casados (64% dos homens), e havia concentração em idades entre 30 e 44 anos. Entre os aposentados do sexo masculino, 70% eram casados (6,508 milhões), com concentração nas idades entre 60 e 74 anos (ver Gráfico 12.2).

Tendo em vista o comportamento dos indivíduos em termos de união matrimonial, a idade do marido é um bom preditor da idade da esposa. E isso também ocorre entre os casais já constituídos. Em média, entre os contribuintes casados, as esposas são oito anos mais jovens e, entre os aposentados casados, seis anos mais jovens.

O fato de as esposas serem mais jovens, tanto num caso como no outro, aumenta a duração do benefício de pensão por morte, uma vez que esse benefício não cessa com novas núpcias, mas somente com a morte da esposa. Por exemplo, se um segurado casado de 40 anos vier a falecer, sua esposa de 33 anos (idade média de esposas de maridos com idade de 40 anos) terá uma sobrevida de 46 anos e receberá o benefício durante todo esse tempo. Se o segurado de 65 anos vier a falecer, sua esposa de 53 anos terá uma sobrevida de 28 anos.

Gráfico 12.2: Perfil etário dos aposentados casados e contribuintes (Brasil: 2008)

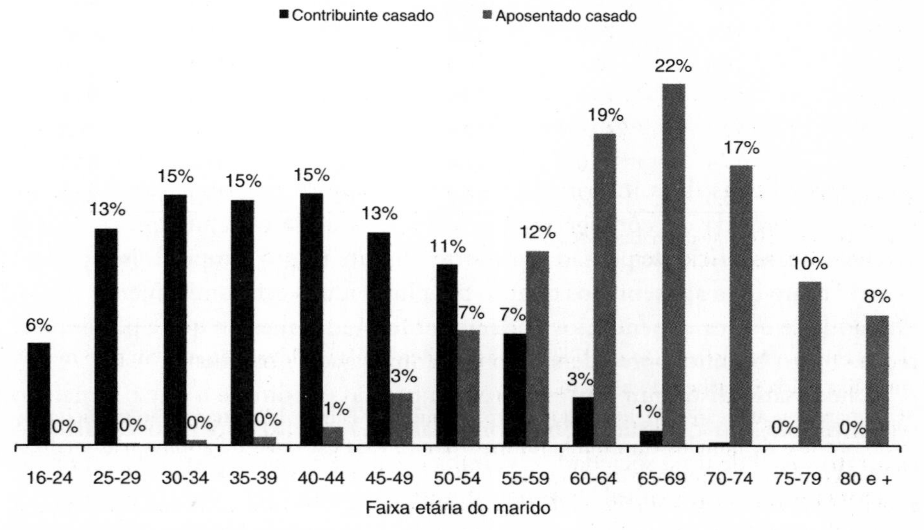

Fonte: Pnad/2008 do IBGE. Tabulação dos autores.

No caso dos aposentados casados, a sobrevida de seus cônjuges é, em média, mais reduzida porque são indivíduos com idade mais elevada. Assim, por exemplo, se um aposentado de 50 anos vier a falecer, sua esposa de 47 anos (em média) terá uma sobrevida de 31 anos (contra os 39 anos, caso o marido ainda estivesse ativo). No caso dos aposentados casados, tem-se que, nas mesmas condições do exercício anterior, na ocorrência de óbito do marido, as viúvas de aposentados poderão receber o benefício de pensão por até 20 anos. Para as idades de maior incidência de matrimônio, em qualquer das duas situações, os dados estão apresentados na Tabela 12.6.

Dados o conjunto de matrimônios, a distribuição etária dos cônjuges e as esperanças de sobrevida condicionadas às idades, tem-se que, em média, na ocorrência de óbito do marido, as viúvas de atuais contribuintes casados poderão receber o benefício de pensão por até 40 anos e suas equivalentes dos atuais aposentados casados poderão receber esse benefício por até 20 anos.

Tabela 12.6: Idade média da esposa e sobrevida segundo a idade do marido contribuinte ou aposentado (Brasil: 2008; anos)

	Contribuinte casado		**Aposentado casado**	
Idade do marido	**Idade média da esposa**	**Sobrevida da esposa**	**Idade média da esposa**	**Sobrevida da esposa**
40	33,3	46,2	38,0	41,7
45	36,5	42,5	42,0	38,0
50	41,1	38,8	47,0	33,5
55	44,4	36,0	51,0	30,1
60	47,1	33,4	55,0	26,7
65	53,5	28,2	59,0	23,5
70	56,5	25,7	63,0	20,4

Fonte: Pnad/2008 do IBGE. Tabulação dos autores.

A partir dessas duas informações sobre a dinâmica da população (idade da esposa e sobrevida do cônjuge remanescente), pode-se concluir que as viúvas receberão o benefício de pensão por morte durante muito tempo. E isso poderá ocorrer tanto para aposentados quanto para indivíduos economicamente ativos. Destaque-se que esses benefícios poderão ser recebidos mesmo que a pensionista receba outro benefício previdenciário ou tenha casado novamente.

É necessário distinguir entre o direito à pensão e o direito a que o benefício seja integral, sem qualquer condicionalidade. O direito à pensão é parte do contrato social de uma sociedade civilizada e é atuarialmente justificável, com as alíquotas vigentes no Brasil. Isso não significa, porém, que não esteja sujeito a algumas restrições. Há duas questões que devem ser avaliadas:

a) faz sentido ter uma legislação tão generosa como a brasileira na concessão da pensão ou seria adequado impor alguma restrição para os casos de viúvas jovens, muitas vezes sem filhos menores ou com pouco tempo de casamento?
b) nos casos de casamentos duradouros e pensionistas de idade mais avançada, sem filhos menores morando no domicílio, o benefício deve ser igual à aposentadoria original ou seria razoável ter uma redução?

O primeiro ponto já foi tratado no capítulo. Vejamos agora o segundo. Pense-se em um caso padrão: um casal de 70 ou 80 anos, já com filhos adultos e nenhum deles morando com os pais. Quando um dos cônjuges falece, há algumas despesas daquela unidade familiar que continuarão sendo as mesmas, como o pagamento de aluguel ou o condomínio, mantidas as condições anteriores. Entretanto, há outras despesas que deverão cair aproximadamente à metade, como aquelas relacionadas com alimentação, saúde e lazer. Se o que se deseja – justamente – é evitar que, além da dor da perda, o homem ou a mulher que perdeu (a)o companheira(o) sofra uma perda de bem-estar econômico, não há por que ter um benefício da pensão que tenha o mesmo valor que o benefício original. É perfeitamente justificável que o valor seja uma proporção – inferior a 100% – da aposentadoria de quem faleceu. O mesmo princípio se aplica perfeitamente à viúva jovem, com capacidade de trabalho e que não tenha prole a criar. Como vimos, 62% das pensionistas têm 60 anos ou mais e dois terços do total de pensionistas não têm filhos morando com elas. Voltaremos a esse ponto posteriormente, neste livro.

Capítulo 13

Assistencialismo – o cidadão não contribui. E daí?

Com a colaboração de Márcia Marques de Carvalho

"É muito perigoso para um político que chega ao poder querer que todos sejam felizes, porque nesse caso ele tende a não ver as contradições da sociedade."

Daniel Cohen-Bendit, líder estudantil de 1968.

A seguridade brasileira está gravada nos artigos 194 a 204 da Constituição Federal (Título VIII, Capítulo 2 – Da Seguridade Social) e compreende um conjunto integrado de ações dos poderes públicos e da sociedade, com o objetivo de assegurar os direitos relativos à saúde, à previdência e à assistência social. Esta última componente é sinteticamente definida por programas de pagamentos em dinheiro ou benefícios de prestação continuada (BPC), distribuição de bens *in natura* e prestação de serviços, prestados segundo o critério de necessidade. Os programas têm por objetivo prover o atendimento das necessidades básicas do indivíduo por meio da proteção à família, à maternidade, à infância, à adolescência, à velhice e à pessoa portadora de deficiência.

Os benefícios pagos são denominados benefícios assistenciais e concedidos sem o pré-requisito da contribuição prévia do trabalhador. Atualmente existem três espécies de benefícios assistenciais:[1] os amparos assistenciais, definidos pela Lei Orgânica de Assistência Social – LOAS (Lei nº 8.742 de 1993), as rendas mensais vitalícias (RMV) e a pensão mensal vitalícia. Este capítulo trata dos amparos assistenciais que correspondem a nove em cada 10 benefícios assistenciais emitidos.[2]

---

[1] A renda mensal vitalícia foi extinta. O registro de concessão desse tipo de benefício se deve a decisões judiciais ou revisões administrativas.

[2] Tanto a LOAS quanto a RMV são divididas entre benefícios aos indivíduos portadores de deficiência e aos indivíduos idosos.

Evolução da LOAS

A Lei Orgânica de Assistência Social (LOAS) classifica os amparos assistenciais em duas espécies: para portadores de deficiência (51% dos benefícios emitidos)[3] e para o idoso (49% dos benefícios emitidos). Esse benefício, desde 1996, vai progressivamente substituindo o benefício RMV (renda mensal vitalícia) para idoso. O valor do benefício do amparo assistencial é de um salário mínimo para ambas as espécies. O benefício é concedido ao idoso de 65 anos ou mais cuja renda mensal familiar *per capita* for inferior a ¼ do salário mínimo. É também concedido às famílias com esse nível de renda *per capita* com pessoa portadora de deficiência. Diferentemente do benefício previdenciário, o assistencial recebido pelo membro de uma família não é considerado para efeitos do cálculo da renda mensal familiar. Como será visto, isso pode produzir graves iniquidades.

Na Tabela 13.1, tendo em vista o caráter similar da RMV (idoso) e da LOAS (idoso), são apresentados ambos os benefícios em termos de quantidade e valor e também algumas informações complementares. O volume de benefícios assistenciais ao idoso cresceu 3,24 vezes nos últimos 13 anos: de aproximadamente 501 mil benefícios emitidos em 1996, passou para 1,626 milhão de benefícios em dezembro de 2009. Isso equivale a uma taxa média de expansão de 9,5% ao ano. O crescimento da concessão desse benefício foi tão acelerado que, nesse mesmo período, mais do que dobrou sua abrangência entre a população com 65 anos ou mais, atendendo em 2009 a cerca de 13% desse contingente.

Como se sabe, o valor desse benefício é o salário mínimo. E este teve expressivos aumentos reais desde meados da década passada. Combinando o "efeito quantidade" (expansão do número de benefícios) com o "efeito preço" (aumento real do salário mínimo), o resultado é que os gastos com esse benefício, entre 1996 e 2009, aumentaram em termos nominais 13,5 vezes no período, como se pode ver na Tabela 13.1: de R$56,1 milhões em dezembro de 1996 saltou para R$755,5 milhões em 2009, no mesmo mês. Esse resultado correspondeu as uma taxa média de expansão do gasto nominal de 22,1% ao ano. Se considerarmos os gastos reais – deflacionando-se pelo INPC –, eles tiveram uma elevação de 495% no mesmo período, o que equivale a um crescimento médio anual de 14,7%. É uma expansão considerável!

---

[3] Dados de dezembro de 2009 do *Boletim Estatístico da Previdência Social*, vol. 14, nº 12. Ministério da Previdência Social.

Tabela 13.1: Número de beneficiários e gastos com RMV e LOAS (idoso) e estatísticas complementares (Brasil: dezembro de cada ano)

Ano	Beneficiados da RMV e da LOAS (idoso)					Gastos (R$ Mil) com RMV e LOAS (idoso)			
	RMV	LOAS	TOTAL	% em relação ao total de benefícios emitidos	% em relação à população de 65 anos ou mais	RMV	LOAS	TOTAL	% em relação ao total de gastos de benefícios emitidos
1996	459.446	41.992	501.438	3,04	6,18	51.433	4.718	56.151	1,71
1997	416.120	88.806	504.926	2,89	6,01	50.122	10.716	60.837	1,57
1998	374.301	207.031	581.332	3,20	6,69	48.774	27.017	75.792	1,74
1999	338.031	312.299	650.330	3,45	7,23	46.154	42.640	88.794	1,87
2000	303.138	403.207	706.345	3,61	7,57	45.926	61.076	107.002	1,99
2001	271.829	469.047	740.876	3,70	7,65	49.134	84.796	133.930	2,16
2002	237.162	584.597	821.759	3,89	8,16	47.614	117.412	165.026	2,26
2003	208.297	664.875	873.172	4,00	8,35	50.182	160.242	210.424	2,32
2004	181.014	933.164	1.114.178	4,81	10,26	47.235	243.553	290.788	2,79
2005	157.860	1.065.804	1.223.664	5,11	10,88	47.544	320.886	368.429	3,25
2006	135.603	1.183.840	1.319.443	5,37	11,35	47.622	415.574	463.196	3,67
2007	115.965	1.295.716	1.411.681	5,61	11,77	44.214	493.809	538.024	3,96
2008	100.945	1.423.790	1.524.735	5,84	12,32	41.874	590.323	632.197	4,16
2009	85.090	1.541.220	1.626.310	6,01	12,73	39.548	715.960	755.508	4,41

Fonte: MPS. *Anuário Estatístico Previdência Social*, diversos anos, *Boletim Estatístico da Previdência Social*, vol. 14, nº 12, dez/2009 e Projeção de População/IBGE – revisão 2008.

Perfil atual dos beneficiários da LOAS e da RMV

Os dados da Previdência Social são insuficientes para a devida caracterização do público beneficiário. Por outro lado, a Pnad tem cobertura parcial desse público porque, muito provavelmente, parte dos respondentes informa receber aposentadoria ou pensão, em vez de informar que recebe benefício assistencial (RMV ou LOAS). De fato, apesar de constar nos registros do MPAS mais de 1,5 benefício assistencial para idosos emitido mensalmente (LOAS e RMV), a Pnad capta aproximadamente apenas 37,5% desse total.

Apesar dessa limitação, é possível utilizar essa base de dados para fazer a caracterização do público que recebe o benefício assistencial ao idoso. A maioria é mulher (64,8%), chefe de família (56,7%) e composta por indivíduos sem instrução (55,4%).

As famílias desses idosos não têm crianças morando com elas (78,8%) e são formadas principalmente por casais que vivem sem filhos ou com filhos maiores de 14 anos (50%). Essa composição familiar explica, em parte, por que elevações no valor do salário mínimo têm pouco impacto sobre a pobreza das crianças.[4] Essas e outras informações são apresentadas na Tabela 13.2.

Esse benefício assistencial retira muitos idosos da pobreza. O reconhecimento disso é fundamental, uma vez que, na defesa das denominadas, genericamente, "políticas sociais", entre as quais o aumento do salário mínimo, os defensores do *status quo* alegam, contra qualquer mudança das políticas, que, se não fosse o benefício assistencial, haveria milhões de indivíduos que cairiam na miséria. No discurso político, essa linha de argumentação passa a impressão de que há

Tabela 13.2: Perfil dos beneficiários da LOAS e da RMV (idoso) – (Brasil: 2008)

Características do Beneficiário	Tipologia	(N)	(%)
Gênero	Homens	198.010	35,20
	Mulheres	364.534	64,80
Condição na família	Pessoa de referência	318.855	56,68
	Cônjuge	124.381	22,11
	Outro parente	119.308	21,21
Recebe pensão	Não	539.084	95,83
	Sim	23.460	4,17
Nível de instrução*	Sem instrução	311.888	55,44
	Fundamental incompleto	227.993	40,53
	Fundamental completo	10.872	1,93
	Médio completo ou mais	9.170	1,63
Nº de componentes da família	1 (idoso mora sozinho)	84.235	14,97
	2 (idoso mais 1 pessoa)	187.310	33,30
	3 (idoso mais 2 pessoas)	133.988	23,82
	4 (idoso mais 3 pessoas)	86.071	15,30
	5 (idoso mais 4 ou mais pessoas)	70.940	12,61
Nº de crianças de 0 a 15 anos na família	Nenhuma criança	443.006	78,75
	1 criança	80.669	14,34
	2 crianças	26.477	4,71
	3 ou mais crianças	12.392	2,20
Tipo de família	Casal sem filhos	149.036	26,49
	Casal com todos os filhos de 14 anos ou mais	132.046	23,47
	Mãe com todos os filhos de 14 anos ou mais	78.039	13,87
	Outros tipos de família	203.423	36,16

* A soma não totaliza 100% porque há indivíduos sem declaração de instrução (0,47%).
Fonte: Pnad/2008 do IBGE. Tabulação dos autores.

[4] Transferências entre membros de famílias que não moram no mesmo domicílio não são detectadas pela Pnad.

quem, no debate, defenda extinguir o benefício da LOAS, o que não passa de uma típica "lenda urbana" da disputa ideológica. A rigor, o que se questiona por parte dos críticos de alguns componentes dessas políticas – incluindo os autores deste livro – não é a existência do benefício em si, mas a eficácia de aumentos contínuos do seu valor, em face dos argumentos aqui expostos. Em outras palavras, o benefício da LOAS de fato tira milhões de pessoas da exclusão, mas aumentar o valor do benefício não cumpre mais esse papel, pelo singelo fato de que, ao se tornar um beneficiário da LOAS, o indivíduo em geral deixa de ser um excluído! A não ser, é claro, que seja o sustento de uma família composta por muitos membros, o que torna o valor *per capita*, nesse caso, pequeno.

Como será mostrado (na Tabela 13.4), após o pagamento do benefício, apenas 9,4% dos idosos que recebem a LOAS continuam sendo definidos como "pobres", e ínfimos 0,8% são considerados "extremamente pobres".[5] Como o número de indivíduos beneficiários é pequeno comparado ao total da população, se esse benefício fosse eliminado, o aumento da pobreza e da extrema pobreza na população como um todo não seria percentualmente expressivo. Entretanto, entre os recebedores da LOAS, especificamente 51,7% passariam a ser pobres e 36,1% se tornariam extremamente pobres. Isso revela que o benefício, apesar do pequeno impacto para o conjunto da população como um todo, tem enorme impacto nos níveis de pobreza e miséria do público beneficiário, o que demonstra estar muito bem focalizado.

Boa focalização, entretanto, não implica que a quantia em reais recebida pelo público beneficiário permaneça igualmente bem focalizada. Veremos isso mais adiante, mas, apenas para deixar claro o que estamos tratando, suponha um pequeno segmento social que seja pobre. Transferir recursos para esse segmento é desejável. Suponha, porém, que a deficiência de renda[6] desse grupo seja de apenas R$50,00. Logo, para retirá-lo da pobreza, bastaria transferir esse montante para cada família, de modo a retirar todos da pobreza. Um programa de transferência de renda que atinja esse público será bem focalizado, mas todo real excedente a partir dos R$50,00 não reduzirá um milímetro a pobreza, ou seja, nesse caso ele deixará de ser focalizado para os mais pobres.

A LOAS incentiva a contribuição?

Comecemos com uma singela pergunta: quem são os indivíduos de hoje candidatos a receber o benefício assistencial de amanhã? Lembremos que a conces-

---

[5] Os critérios para definição de "pobreza" e "extrema pobreza" foram apresentados em capítulo anterior.

[6] Define-se como "deficiência de renda" a distância entre a renda *per capita* desse grupo e uma linha de pobreza ou de extrema pobreza.

são desse benefício não tem a contrapartida da contribuição prévia. É razoável admitir a hipótese de que parte dos atuais trabalhadores que recebem um salário mínimo de rendimento do trabalho, sem instrução ou com poucas perspectivas de melhora de rendimento e que não contribuem para a Previdência, são os potenciais futuros beneficiários do amparo assistencial ao idoso.

Atualmente, 44% dos trabalhadores com rendimento de até 1,2 salário mínimo (SM) não contribuem para a Previdência Social. Para a faixa de rendimento imediatamente seguinte – de 1,21 a 1,99 SM –, esse percentual cai para 28% e, a partir daí, tem ligeiro declínio. Para o conjunto de trabalhadores que recebem mais do que 1,2 SM, a média de não contribuição é de 26%, e para o conjunto com rendimentos de 2 SM ou mais, a média de não contribuição é de 24%. Esse resultado parece indicar que há uma descontinuidade na ausência de contribuição exatamente para os trabalhadores cujo rendimento é limítrofe com o salário mínimo, situando a informalidade em patamar que é o dobro dos demais trabalhadores. A Tabela 13.3 apresenta a incidência de contribuição para diversas faixas de rendimentos expressas em salários mínimos.

Tabela 13.3: Incidência de contribuição e não contribuição previdenciária segundo faixas de rendimento em SM (2008)

Faixa de rendimento	% contribuição	% não contribuição
Até 1,2 SM	56,4%	43,6%
De 1,21 a 1,99 SM	72,1%	27,9%
De 2 a 2,99 SM	73,6%	26,4%
De 3 a 4,99 SM	76,6%	23,4%
De 5 a 6,99 SM	82,3%	17,7%
De 7 a 9,99 SM	77,5%	22,5%
10 ou mais SM	84,5%	15,5%
Média 1,21 ou mais SM	74,2%	25,8%
Média 2 ou mais SM	75,9%	24,1%

Fonte: Pnad/2008 do IBGE. Elaboração dos autores.

Por que, para esses trabalhadores, a falta de contribuição é tão grande quando comparada com a dos demais trabalhadores, mesmo quando são considerados aqueles que ganham de 1,21 a 1,99 SM? Uma das razões poderia ser a insuficiência de renda. Entretanto, devemos destacar, em relação a esse ponto, que, se 56,4% deles contribuem, outros 43,6% não fazem contribuição à Previdência Social!

Uma forma de tentar descobrir essa diferença é analisar cada grupo – o dos contribuintes e o de não contribuintes – e verificar se há algum atributo que pode ser determinante para a não contribuição.

A Tabela 13.4 apresenta dados comparativos para o público que atualmente trabalha (contribuinte e não contribuinte) e recebe até 1,2 SM, para beneficiários de LOAS e RMV e para aposentados e pensionistas – estes divididos entre os que ganham até 1,2 SM e todo o conjunto de aposentados e pensionistas.[7]

Tabela 13.4: Perfil dos trabalhadores de até 1,2 SM e dos beneficiários da LOAS e da RMV (idosos) e de aposentadoria e pensão, segundo categorias (Brasil: 2008)

	Recebe renda de trabalho até 1,2 SM		Recebe benefícios				
			LOAS/ RMV	Até 1,2 SM		Geral	
Características	**Contribui**	**Não contribui**		**Aposentadoria**	**Pensão**	**Aposentadoria**	**Pensão**
Faixa etária							
20 a 29 anos	33,0	30,6	–	4,6	0,5	0,3	4,1
30 a 39 anos	27,7	24,3	–	4,7	1,0	0,9	4,7
40 a 49 anos	23,4	22,5	–	10,3	2,5	3,4	11,1
50 a 59 anos	12,8	14,4	–	18,4	11,9	18,3	19,6
60 a 69 anos	2,8	6,3	37,0	24,7	39,3	38,4	24,5
70 anos ou mais	0,3	1,9	63,0	37,4	44,8	38,7	35,9
Gênero							
Masculino	59,0	67,7	35,2	12,6	43,4	51,8	11,8
Feminino	41,0	32,3	64,8	87,4	56,6	48,2	88,2
Nível de instrução							
Sem instrução	3,2	8,1	55,4	35,0	43,6	29,1	26,8
Fundamental incompleto	21,9	39,0	40,5	48,4	46,8	42,1	46,7
Fundamental completo	15,9	19,6	2,1	8,0	4,8	7,7	10,4
Médio completo	42,1	26,7	1,5	6,9	4,2	12,5	11,7
Superior completo	16,3	6,3	0,2	1,6	0,6	8,5	4,2
Não determinado	0,5	0,4	0,4	0,2	0,1	0,1	0,2
Tipo de família							
Casal sem filhos	14,0	14,8	26,5	9,7	31,8	32,4	9,2
Casal com filhos	62,4	59,8	28,1	17,8	31,4	34,6	17,0
Mãe com filhos	13,7	13,6	15,7	39,8	13,2	11,2	40,2
Outros tipos de família	9,9	11,8	29,8	32,7	23,6	21,9	33,7
Nº de crianças até 15 anos							
Nenhuma	49,6	49,1	78,8	68,3	79,2	81,4	70,3
Uma	29,5	26,9	14,3	19,0	13,8	12,6	18,2
Duas	15,4	15,7	4,7	8,4	4,8	4,2	7,6
Três	4,2	5,5	1,2	2,8	1,5	1,3	2,6
Quatro ou mais	1,4	2,8	1,0	1,5	0,7	0,5	1,3
Incidência de pobreza	6,9	12,2	9,4	8,5	6,9	4,6	6,1
Incidência de extrema pobreza	0,5	1,2	0,8	0,9	0,6	0,4	0,7

Fonte: Pnad/2008 do IBGE. Elaboração dos autores.

Observe que, na coluna dos que recebem LOAS, há forte predominância entre os indivíduos com grau de instrução até o Fundamental incompleto – são 96% do total de beneficiários. Há também elevada incidência de casais sem filhos – proporção quase três vezes maior do que seus pares que recebem aposentadoria de mesmo valor – e de famílias que não têm nenhuma criança – mais de 10 pontos percentuais

[7] A coluna de LOAS/RMV repete os percentuais da Tabela 13.2. O intuito é facilitar para o leitor as comparações dos grupos.

superior a seus pares que recebem aposentadoria de valor equivalente. Chama a atenção, ainda, o fato de que praticamente 2/3 dos que recebem LOAS sejam mulheres, algo muito diferente do que ocorre com o atual mercado de trabalho, em que ser mulher eleva a incidência de contribuição. Em boa medida, isso reflete um Brasil de 30 anos atrás, em que as empregadas domésticas não eram registradas.

Uma forma complementar de analisar possíveis fatores que aumentam ou reduzem a chance de trabalhadores com baixa remuneração não contribuírem para a Previdência é analisar cada uma das categorias e verificar como os indivíduos, em cada uma delas, categorias se distribuem entre contribuintes e não contribuintes. Isso é feito na Tabela 13.5.

Observe que ser mulher, ter pelo menos o ensino médio completo e idade até 49 anos parecem ser fatores que "estimulam" a contribuição previdenciária. Deve-se destacar que parte expressiva dessas mulheres (mais de 50%) é empregada doméstica. Os homens, menos instruídos do que as mulheres, estão em atividades predominantemente informais e para as quais o custo da contribuição previdenciária tende a ser elevado. Há, entretanto, um fato importante a ser enfatizado: a incidência de pobreza e de extrema pobreza é maior entre aqueles que não contribuem, ainda que em ambos os casos ela seja residual, quando comparada à população brasileira.

Como indicado, em média 56% dos trabalhadores que recebem até 1,2 SM contribuem para a Previdência, enquanto 44% não contribuem. Se essa distribuição se devesse totalmente a fatores aleatórios, para cada atributo de análise deveríamos ter esses mesmos valores ou algo muito próximo deles. Em geral, é isso mesmo o que ocorre. Contudo, há alguns fatores em que há distorção. Admitida uma variação de 5% em relação ao valor médio, que poderia ser atribuída a fatores aleatórios não constantes na tabela, vamos considerar que incidências de não contribuição acima desse patamar podem ser atribuídas ao fator em análise.

Os grupos cuja não contribuição está *acima* da média em 5% e em 10% são compostos por indivíduos pobres e especialmente os extremamente pobres, de baixa escolaridade, com pelo menos 50 anos, do sexo masculino, com um mínimo de três crianças vivendo no mesmo domicílio e que compõem um tipo de família que não é casal (com ou sem filhos) nem mãe com filhos. A única diferença de classificação (em 5% ou em 10%) ocorre na faixa etária de 50 a 59 anos. Esse grupo é superior à média geral e maior do que 5%, porém inferior a 10%. Isso pode indicar que, à medida que vão se aproximando da idade de obtenção do benefício, os indivíduos reduzem sua propensão a contribuir. De fato, para aqueles com 70 anos ou mais – e mesmo para boa parte daqueles com idade entre 60 e 69 anos –, a ocorrência de não contribuição bem acima da média não causa estranheza, pois são eles próprios, em boa medida, candidatos a receber ou mesmo recebedores de benefícios.

Esses dados revelam fortes evidências de que os não contribuintes que recebem até 1,2 SM são indivíduos que vivem no limiar da pobreza, com poucas

Tabela 13.5: Distribuição do perfil contributivo dos trabalhadores que recebem até 1,2 SM e incidência de não contribuição acima da média (Brasil: 2008)*

Características	Recebe até 1,2 SM trabalho		Acima da média 5%	Acima da média 10%
	Contribui	Não Contribui		
Faixa etária				
10 a 29	58,25	41,75		
30 a 39 anos	59,58	40,42		
40 a 49 anos	57,34	42,66		
50 a 59 anos	53,52	46,48	SIM	
60 a 69 anos	36,13	63,87	SIM	SIM
70 anos ou mais	14,66	85,34	SIM	SIM
Gênero				
Masculino	52,96	47,04	SIM	
Feminino	62,11	37,89		
Nível de instrução				
Sem instrução	34,04	65,96	SIM	SIM
Fundamental incompleto	42,08	57,92	SIM	SIM
Fundamental completo	51,24	48,76	SIM	SIM
Médio incompleto/ completo	67,09	32,91		
Superior completo	77,01	22,99		
Não determinado	61,94	38,06		
Tipo de família				
Casal sem filhos	54,88	45,12		
Casal com filhos	57,43	42,57		
Mãe com filhos	56,60	43,40		
Outros tipos de família	52,01	47,99	SIM	SIM
Nº de crianças até 15 anos				
Nenhuma	56,60	43,40		
Um	58,59	41,41		
Dois	55,89	44,11		
Três	49,44	50,56	SIM	SIM
Quatro ou mais	39,31	60,69	SIM	SIM
Incidência de pobreza	42,18	57,82	SIM	SIM
Incidência de extrema pobreza	35,06	64,94	SIM	SIM

* A classificação "acima da média" é feita admitindo-se uma variação de 5% ou 10% acima da média geral de não contribuição.
Fonte: Pnad/2008 do IBGE. Elaboração dos autores.

oportunidades de melhores trabalhos, vez que têm baixa educação. Entretanto, chama a atenção o fato de que, mesmo para esse grupo, pelo menos 40% dos pobres e 1/3 dos extremamente pobres fazem contribuição previdenciária.

É possível, portanto, que parte dos indivíduos que não contribuem deixe de contribuir por opção. Isso é especialmente relevante para aqueles indivíduos que atingem certa idade (grupo etário entre 50 e 59 anos) e que, não tendo mais perspectivas de obter melhores rendas no mercado de trabalho – porque têm baixa escolaridade – e sabendo que irão receber o benefício assistencial posteriormente, optam por não contribuir, aumentando, dessa forma, sua renda corrente.

Isso, em si, não seria necessariamente um problema, porque boa parte é pobre, mal instruída e com baixíssimas perspectivas no mercado de trabalho. Porém, se levarmos em consideração que, dos indivíduos com as mesmas características, pelo menos metade faz contribuição e que, por fazerem esse sacrifício, estão eventualmente limitando a possibilidade de obtenção de um benefício assistencial para seu cônjuge e receberão o mesmo valor daqueles que não fizeram contribuições à Previdência, então não há como deixar de concluir que as regras atuais são iníquas, além de não incentivarem a adesão ao sistema.

Um caso hipotético com feições reais

Comecemos por acrescentar alguns personagens à nossa história. São eles: Carlos Braga, casado com Míriam, e Otoni Santos, casado com Solange.

Ambos os casais vivem com muitas dificuldades, pois tanto Carlos Braga quanto Otoni Santos têm baixa qualificação. Carlos Braga permanece oscilando entre a formalidade e a informalidade, mas lutou a vida inteira para contribuir para a Previdência. Otoni Santos vive as mesmas dificuldades, mas não acredita na Previdência – acha tudo errado e afirma que a "Previdência só tem ladrão", que "o governo rouba o povo" etc. Ele jamais contribuiu para a Previdência Social. Suas mulheres, além de cuidarem da casa e dos filhos – cada casal tem dois filhos –, fazem "bicos" e conseguem eventualmente alguma renda. Jamais contribuíram nem se inscreveram na Previdência Social

Aos 65 anos, Carlos Braga se aposenta. No mesmo ano e com a mesma idade, Otoni Santos requer o benefício da LOAS. Vamos admitir que as mulheres sejam três anos mais novas do que eles. A essa altura, os filhos de um e de outro casal não moram mais com eles. São adultos e têm vida própria.

Três anos mais tarde, Solange, esposa de Otoni, vai ao posto do INSS e descobre que pode pedir uma LOAS para si, apesar de seu marido receber R$510,00 e a renda *per capita* familiar ser, de fato, ½ SM. Porém, como o benefício assistencial não entra no cômputo da renda *per capita*, ela está habilitada a receber o benefício. Feita a solicitação e comprovada a renda familiar, três meses depois passa a receber o benefício.

Ela conta para Míriam, esposa de Carlos, e esta vai ao posto do INSS. Ao chegar lá, descobre que não está habilitada a receber o benefício. Isso porque seu marido recebe aposentadoria dos mesmos R$510,00 e com a mesma renda *per capita* familiar (½ SM). A diferença é que o benefício previdenciário – a aposentadoria de Carlos Braga – entra na conta da renda *per capita*, enquanto a LOAS não entra. Ela poderá receber um benefício de pensão apenas quando ele faltar. Se ele falecer aos 81 anos, ela terá 78.

Ambos os casais são igualmente pobres. Ambos lutaram a vida inteira para criar e sustentar a família. Um contribuiu; outro, não. Quem contribuiu não pode receber a LOAS. Quem não contribuiu pode. Onde está a justiça social dessa regra?

Carlos Braga vai ao posto do INSS, argumenta, discute com o gerente da repartição, diz que a mulher de seu compadre recebeu, argumenta que a vida inteira lutou para pagar o INSS; e que Otoni Santos, apesar de seu compadre e "boa gente", jamais pagou um centavo sequer à Previdência. Fala em voz alta e pergunta: como é possível que os amigos recebam, como família, sem nunca ter contribuído para a Previdência, o dobro do que ele e Míriam recebem depois de terem contribuído por anos para o INSS? Nada, no entanto, altera a situação: Míriam não pode receber a LOAS porque Carlos Braga recebe aposentadoria e a renda *per capita* familiar é ½ SM.

Chateado, Carlos Braga volta para casa num ônibus lotado, não consegue lugar para sentar, o calor é insuportável e ele não é mais um garoto. O ônibus começa a andar – aos solavancos – e ele ouve ao fundo o trecho de uma velha canção: *Que país é esse?*[8]

Por que para certos trabalhadores não vale a pena contribuir?

Como visto, nessa história hipotética, mas recheada de elementos reais, trabalhadores com idade superior a 50 anos, de baixa qualificação, com reduzidas chances no mercado de trabalho, são candidatos a receber benefícios assistenciais. Por isso mesmo, pode ser claramente racional não contribuir para a Previdência nessas condições, até porque o custo de contribuição para esses trabalhadores é elevado.

Para ilustrar esse argumento, precisamos complementar o episódio anteriormente relatado com algumas informações. Suponha que Carlos Braga, para fazer jus ao benefício previdenciário, tenha preenchido exatamente as condições mínimas. Contribuiu por 15 anos, tendo como valor-base de contribuição o salário mínimo e, vamos admitir, para facilitar o raciocínio, que este tenha permanecido constante em termos reais. Nessas condições, ele terá feito um aporte de recursos à Previdência Social no valor de R$18.360 (180 contribuições de R$102).[9] Consideremos, somente para facilitar o exercício, que as contribuições tenham ocorrido nos 15 anos finais.

---

[8] É por isso que as alegações, no calor das disputas políticas, de que haveria grupos ou pessoas "contra os pobres" são, em geral, muito mais apelativas do que racionais. Vale, a propósito, lembrar a frase do policial Javert a *Monsieur* Madeleine, na magnífica obra *Os Miseráveis*, de Victor Hugo: "Que fácil é ser bom! O difícil é ser justo." Mario Vargas Llosa, já no final século XX, na análise do livro de Victor Hugo, em *La tentación de lo imposible*, destacaria o fundo do dilema de alguns dos grandes dramas humanos em situações nas quais o Bem e o Mal não podem ser rigidamente separados e reconhecidos entre si.

[9] Esse valor corresponde à alíquota de 20% aplicável aos autônomos.

Admitindo uma taxa de juros de 5% ao ano durante todo esse período, esse valor nominal será elevado para R$27.012 no momento em que requerer a aposentadoria. Ao receber o benefício, ele tem uma esperança de vida de 16,2 anos, e, ao falecer, Míriam poderá requerer a pensão por morte do marido, no valor do benefício que era por ele recebido, ou seja, um salário mínimo.

Os dados da Tabela 13.6 resumem a situação de ambos os casais e expressam o valor que cada casal receberá de transferências da Previdência Social. Observe que o segundo casal – Otoni Santos e Solange – receberá o valor de R$233.580, enquanto o primeiro receberá R$117.317. Ambos terão recebido uma enorme transferência de recursos da Previdência Social, mas o segundo casal – o que não aportou um único centavo à Previdência – receberá praticamente o dobro daquele recebido por Carlos Braga e Míriam. É, de fato, um incentivo à não contribuição.

A injustiça de benefícios de valores iguais para indivíduos diferentes e seus impactos sobre pobreza e extrema pobreza

Outro aspecto relativo à fixação de valor para benefícios assistenciais é o fato de que esse valor é o mesmo para quem contribuiu e para quem não contribuiu.

Tabela 13.6: Acesso aos benefícios, tempo de sobrevida dos indivíduos, contribuição à Previdência e transferências recebidas

	Casal 1		Casal 2	
Informações básicas	**Carlos Braga**	**Míriam**	**Otoni Santos**	**Solange**
Idade das pessoas no início do benefício do marido	65	62	65	62
Tipo de benefício recebido	Aposentadoria		LOAS	
Esperança de vida do marido	16,2		16,2	
Início do benefício da esposa	68	65	68	65
Tipo de benefício recebido		Nenhum		LOAS
Esperança de vida da esposa		19		19
Número de benefícios mensais recebidos até a morte	211	72	211	247
Valor bruto recebido de transferência (A)	107.610,00	0,00	107.610,00	125.970,00
Valor nominal de contribuição ao sistema (B)	18.360,00	0,00	0,00	0,00
Valor capitalizado da contribuição (C)	27.012,11	0,00	0,00	0,00
Transferência líquida recebida (A-C)	80.597,89	36.720,00	107.610,00	125.970,00
Total da transferência líquida para o casal	117.317,89		233.580,00	
Valor normalizado em 100	100,00		199,10	

Fonte: Elaboração dos autores.

Isso decorre do fato de que a Constituição determinou que o menor valor de benefício previdenciário e assistencial seja o salário mínimo. Assim, aqueles que contribuem sobre o piso previdenciário e aqueles que não fazem qualquer contribuição podem receber o mesmo valor de benefício. O que chama a atenção, porém, é o princípio legal de que, para benefícios previdenciários, contribuições diferentes implicam benefícios diferentes, mas não para benefícios assistenciais. Como os beneficiários da LOAS têm características semelhantes aos contribuintes de 1 SM, é evidente que, para esses indivíduos, o apelo à contribuição tende a ser muito reduzido e será tanto menor quanto mais velho for o indivíduo.[10]

O argumento básico para essa decisão é que isso seria o valor que erradicaria a pobreza. É certo que quem recebe benefício assistencial – e mesmo muitos dos que recebem benefícios previdenciários de um piso – seriam pobres sem esses recursos. Será, porém, que são necessários os R$510 para retirar esses indivíduos da pobreza? Suponha que, em média, esses indivíduos precisassem apenas de R$200 para sair da pobreza. Isso significa que transferir qualquer real a mais para esses indivíduos a partir dos R$200 deixa de ter qualquer efeito sobre os níveis de pobreza. Em outras palavras, os primeiros reais transferidos são cruciais para atingir segmentos pobres, mas o mesmo não se aplica aos últimos.

Transferir recursos assistenciais aos indivíduos pobres é uma missão nobre do Estado. É justa e necessária. Entretanto, transferir recursos além dos necessários para retirar da pobreza indivíduos idosos, deixando que crianças e jovens permaneçam na extrema miséria, é pouco justificável. Fazer escolhas é papel intrínseco de todo governante e também da sociedade. Esse é um desafio que teremos de enfrentar. Não se propõe que isso seja feito por meio da redução do valor do benefício. Entretanto, é hora de começarmos a pensar em eliminar a igualdade entre o valor do benefício assistencial e o benefício previdenciário – este, afinal, um retorno do esforço de contribuição. Isso é possível garantindo, a partir de um momento, no futuro, que o benefício assistencial seja reajustado pela inflação, mas deixe de ser indexado ao valor do salário mínimo.

---

[10] A simbiose entre benefício assistencial e benefício previdenciário mínimo tornou-se maior ainda com a equalização da concessão do benefício assistencial aos 65 anos, mesma idade do requerimento da aposentadoria por idade dos indivíduos do gênero masculino. Deve-se ressaltar que a Constituição não define a idade de concessão do benefício assistencial, que é regulamentada por lei. Cabe notar, a propósito, que a legislação original da LOAS estabelecia a idade do benefício assistencial como aos 70 anos. Posteriormente, novas leis reduziram essa idade para 67 anos e depois para os atuais 65 anos fixados no Estatuto do Idoso. Com isso, além de o valor do benefício ser idêntico ao piso previdenciário de quem se aposenta por idade, a idade na qual ambos são concedidos passou também a ser a mesma. A pergunta que um homem, nessas condições, se faz é: por que, podendo não contribuir, vou fazê-lo, se o benefício que vou receber será o mesmo e na mesma idade? O leitor pode inferir qual tende a ser a resposta.

Capítulo 14

Nosso sistema previdenciário combate a miséria?

Com a colaboração de Márcia Marques de Carvalho

"Não deixe os fatos interferirem nas suas opiniões."

Frase atribuída ao jornalista Paulo Francis.

Muita gente no Brasil entende a Previdência Social como um programa social destinado a garantir aos idosos pelo menos um benefício mínimo, independentemente de o indivíduo ter ou não contribuído durante a vida adulta. É a ideia de que a Previdência atua como um poderoso instrumento que distribui renda, reduzindo a pobreza, a miséria e a desigualdade no país.

Parece consenso entre os analistas que, de fato, a Previdência Social – incluindo seu componente assistencial – atua na redução da pobreza individual e familiar, e também da desigualdade. De fato, após o pagamento de aposentadorias e pensões para as famílias, a pobreza é reduzida.

A redução da pobreza, entretanto, não deve nos conduzir a um raciocínio equivocado: o fato de o sistema previdenciário reduzir a pobreza não implica que o instrumento esteja necessariamente atuando sobre aqueles que são efetivamente os mais pobres.

Como exemplo, basta indicar que, se houver dois indivíduos pobres, sendo um deles muito mais pobre do que o outro, se a Previdência dedicar recursos ao menos pobre, certamente diminuirá a pobreza, mas não atingirá o mais pobre deles. Além disso, nada garante que a Previdência transfira recursos exclusivamente aos pobres do país. Por isso mesmo, reduzir a pobreza não significa necessariamente atender aos mais pobres.

Essa é uma discussão fundamental na sociedade brasileira e, é claro, bastante legítima. Infelizmente, porém, aparece muitas vezes mal colocada por ideias equivocadas acerca da realidade dos números, quando não no caso de algumas proposições associadas a certos grupos políticos, pura e simplesmente por má-fé. O que se tenta, nesses casos, é fazer aparecer o "outro lado" como sendo "contra os idosos" ou "contra a inclusão social". Neste capítulo, pretendemos negar, de certa forma, a máxima citada na epígrafe: nosso objetivo é mostrar, para o leitor que eventualmente tiver uma posição diferente da nossa, a razão de ser do nosso ponto de vista. Vamos aos fatos, então.

Para entendermos o problema, comecemos indicando quais estudos sobre a desigualdade e a insuficiência de renda (pobreza) se baseiam na renda familiar *per capita*, porque o bem-estar de um indivíduo não depende apenas de seus recursos, mas também dos recursos de sua família. A renda familiar *per capita*, por sua vez, depende das características demográficas das famílias (número de adultos que geram renda e número de crianças que não geram renda, mas a consome), da remuneração do trabalho, da renda de juros, aluguéis e outros, além das transferências governamentais (previdenciárias e assistenciais). É aqui que entram os recursos transferidos pela Previdência Social.

Evolução da desigualdade de renda no Brasil

O índice mais frequentemente usado para medir a desigualdade de renda é o índice (ou coeficiente) de Gini. Há também – e têm sido cada vez mais utilizados – outras medidas de desigualdade que consistem em comparar, por exemplo, a renda média dos 20% mais ricos com a renda média dos 20% mais pobres, ou a renda média dos 10% mais ricos com os 40% mais pobres. Por ser o mais comum, apresentamos aqui o índice de Gini. Como se pode constatar a partir do Gráfico 14.1, desde meados da década passada e mais intensamente a partir de 2001, o Brasil tem experimentado consistente queda na desigualdade de renda.

Gráfico 14.1: Evolução da desigualdade no Brasil segundo o Índice de Gini (1976-2008)*

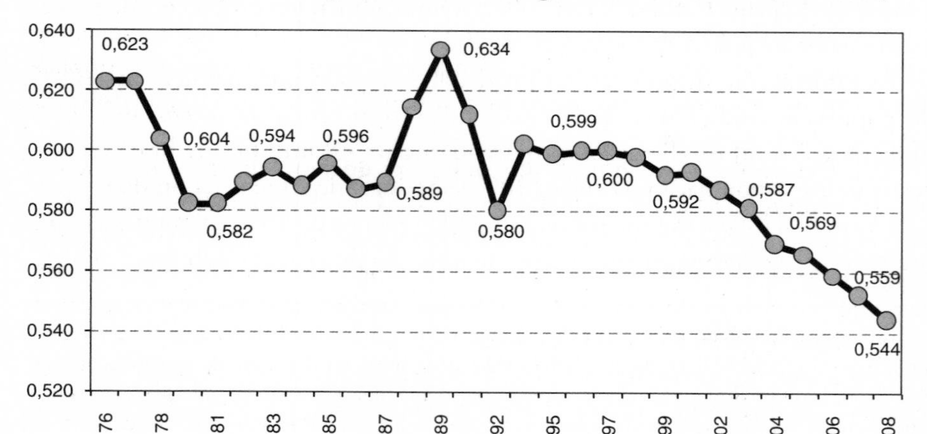

* O índice de Gini é calculado com dados de todos os rendimentos de trabalho.
Fonte: Barros *et al.* (2000) e Barros e Carvalho (2006). Atualizado pelos autores para 2006 a 2008 com dados da Pnad do IBGE desses anos.

Evolução da pobreza

Há diversas maneiras de se definir pobreza, mas geralmente é aceita a ideia de que ela ocorre quando um indivíduo não consegue manter um padrão mínimo de vida estabelecido. Utilizamos neste livro o conceito de pobreza como insuficiência de renda. Há pobreza se existem pessoas vivendo com renda familiar *per capita* inferior ao mínimo necessário para que possam satisfazer suas necessidades mais básicas, como alimentação, vestuário, habitação e transporte. A linha de pobreza equivale a esse mínimo necessário e é frequentemente utilizada para se quantificar o número de indivíduos e de famílias que vivem com renda inferior a esse mínimo.[1]

São considerados pobres todos os indivíduos que têm renda familiar *per capita* inferior à linha de pobreza, e são definidos como extremamente pobres, por convenção, aqueles cuja renda familiar *per capita* é inferior à metade da linha de pobreza. A hipótese subjacente é que a unidade básica de consumo é a família. Isso é especialmente válido para crianças e jovens, pois consomem, mas não têm renda. É também importante para esses grupos etários porque são eles os mais afetados pela pobreza e pela miséria.

Nos Gráficos 14.2-A e 14.2-B, é apresentada a evolução do percentual de indivíduos pobres no Brasil. Observe que há ligeira tendência de redução da porcentagem de pobres e extremamente pobres em praticamente todo o período até os anos mais recentes, quando parece consolidar-se uma tendência de redução mais pronunciada. Desde fins da década de 1970 até o início dos anos 2000, lamentavelmente a proporção de pobres ainda era muito elevada, oscilando entre 30-40%, exceto em 1986 (ano do Plano Cruzado). Em 2008, tivemos as menores proporções de pobres e extremamente pobres de toda a série de dados.

As informações disponíveis na Pnad 2008 revelam que, naquele ano, 25% da população (indivíduos) vivia em famílias com renda *per capita* inferior à linha de pobreza, totalizando aproximadamente 48 milhões de brasileiros – equivalente à população da Itália, 30% superior à da Argentina ou duas vezes a da Venezuela. Pela mesma fonte, um pouco menos de 10% da população (18 milhões de brasileiros) encontrava-se em situação de extrema pobreza.

---

[1] Chamamos a atenção do leitor para o fato de que a definição precisa de linha de pobreza foi apresentada no Capítulo 8. Para 2008, a linha média de pobreza no Brasil era de aproximadamente R$200,00. Isso significa que famílias compostas por casal e dois filhos são consideradas pobres se a renda familiar (renda de todos os membros da família) for inferior a R$800,00 aproximadamente. A linha de extrema pobreza é definida como a metade da linha de pobreza. Para 2008, portanto, essa linha média nacional é de aproximadamente R$100,00. No exemplo anterior, a família será considerada extremamente pobre se a renda familiar for inferior a R$400,00 aproximadamente.

Gráfico 14.2-A: Evolução do percentual de indivíduos pobres (Brasil: 1977-2008)

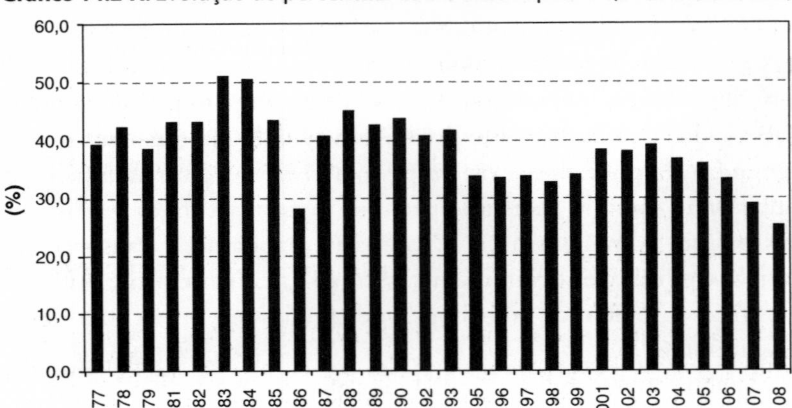

Gráfico 14.2-B: Evolução do percentual de indivíduos extremamente pobres (Brasil: 1977-2008)

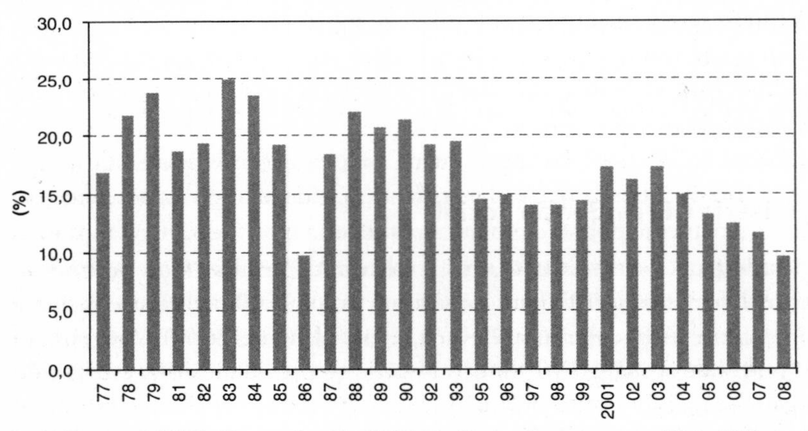

Fonte: Barros *et al.* (2000) e Barros e Carvalho (2006). Atualizado pelos autores para 2006 a 2008 com dados da Pnad do IBGE desses anos.

No Brasil, a incidência de pobreza é muito maior entre crianças e jovens do que entre adultos e, especialmente, entre idosos (ver Gráfico 14.3).[2] O mesmo vale para a pobreza extrema: em média, um indivíduo com até 14 anos tem 11 vezes mais chances de ser extremamente pobre do que outro com 60 anos ou mais. Com a mesma fonte de dados, observa-se que quase 44% das crianças de até 14 anos são pobres e aproximadamente um quinto delas é extremamente pobre. Para o grupo de indivíduos entre 25 e 60 anos, a incidência de pobreza é inferior a 25%, e para o grupo etário de 60 anos ou mais, apenas 8,3% são

[2] Define-se "incidência de pobreza" como o percentual das pessoas de determinada categoria de análise, por exemplo, faixa etária, que são classificadas como pobres, segundo o critério de linha de pobreza.

Gráfico 14.3: Pobreza e extrema pobreza por idade (Brasil: 2008)

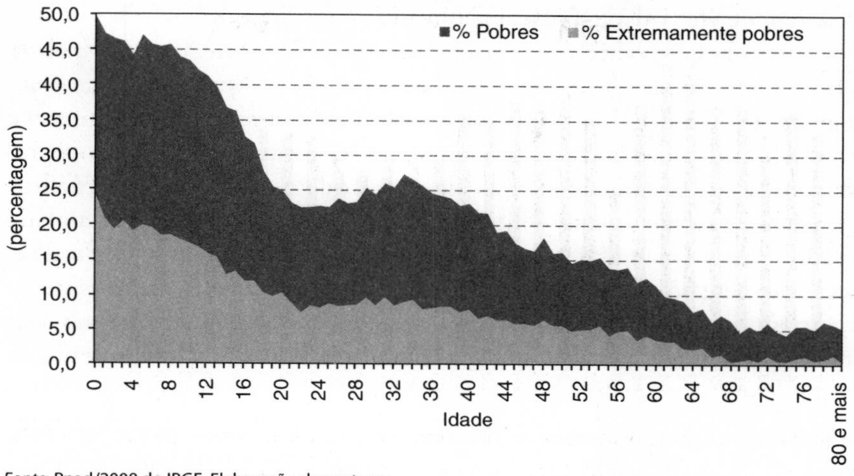

Fonte: Pnad/2008 do IBGE. Elaboração dos autores.

pobres, sendo que apenas 1,9% é extremamente pobre. Em síntese, temos pobres de todas as idades, mas entre crianças e jovens a pobreza é particularmente grave.

Pobreza, miséria e Previdência Social

Nosso sistema de Previdência distribui mais de 23 milhões de benefícios, sem contar os benefícios estritamente assistenciais, embora incluindo os benefícios rurais, e tem uma cobertura elevada, especialmente entre os idosos. O salário mínimo indexa mais de 65% dos benefícios previdenciários e tem tido sucessivos ganhos reais, a ponto de atualmente o peso dos benefícios indexados ao piso representar mais de 40% da folha de despesas previdenciárias do INSS. Com isso tudo, cabe questionar se nosso sistema atinge os pobres e, dentre eles, os mais pobres. Em outras palavras, a Previdência é um instrumento eficiente para reduzir a pobreza e a insuficiência de renda?[3]

É certo que, se aqueles que recebem benefícios previdenciários compartilharem sua renda com crianças e jovens, se nosso sistema previdenciário atingir os mais pobres, pode ser um vigoroso instrumento de combate à pobreza e à miséria, porque 86% das famílias pobres têm crianças.

Por outro lado, se isso não ocorrer, poderíamos pensar em usar parte dos recursos destinados à Previdência para um programa de transferência de renda centrado nas crianças, através de outros instrumentos, como o Programa Bolsa-

---

[3] Todos os dados aqui apresentados referem-se exclusivamente aos benefícios previdenciários de pensão e aposentadoria, assim identificados na Pnad. Os benefícios assistenciais são tratados em capítulo específico.

-Família (PBF), por exemplo. Gastaríamos o mesmo volume de recursos e teríamos um grau de efetividade maior no combate à miséria.

O primeiro passo é sabermos se o benefício previdenciário atinge os pobres e miseráveis, aqui considerados "extremamente pobres". Com os dados da Pnad 2008, 30% das famílias brasileiras têm pelo menos um membro que recebe benefício da Previdência Social. No entanto, apesar de as famílias pobres representarem 21% das famílias brasileiras, dentre as que recebem algum benefício previdenciário, elas são apenas 6%. Da mesma forma, famílias extremamente pobres são 8,1% das famílias brasileiras, mas apenas 0,6% do total de famílias que recebem benefícios da Previdência. Visto de outra forma, nosso sistema previdenciário está basicamente assentado em famílias não pobres! Estas respondem por 94% dos benefícios pagos. É esse o mesmo quadro se analisarmos os indivíduos, como apresentado pela Tabela 14.1.

Esse mesmo conjunto de informações pode ser observado segundo a tipologia de famílias e indivíduos. A Tabela 14.2 apresenta esses dados. Observe que, para o total de famílias, 70% não recebem benefícios previdenciários, enquanto 30% recebem. Quando olhamos para os indivíduos, 88% não recebem benefícios, e apenas 12% recebem. Quando, porém, analisamos a distribuição segundo tipos de famílias (não pobres, pobres e extremamente pobres), o que encontramos é algo surpreendente em termos de considerar os benefícios previdenciários instrumento de combate à pobreza e à extrema pobreza. Das famílias não pobres, 36% recebem esses benefícios, mas, entre as pobres, apenas 9%. E, entre as extremamente pobres, apenas 2%!

O segundo passo é analisar o componente demográfico de constituição das famílias. É possível que as famílias pobres e extremamente pobres tenham mais componentes, especialmente crianças. Nesse caso, essas famílias teriam mais indivíduos que, apesar de consumirem ou pelo menos necessitarem consumir, não auferem renda. A Tabela 14.3, além do número de famílias de cada grupo, apresenta para famílias não pobres, pobres e extremamente pobres, segundo recebimento ou não de benefício previdenciário, a porcentagem de famílias segundo o número de crianças.

Tabela 14.1: Distribuição do recebimento e do não recebimento de benefícios previdenciários, segundo tipologia de famílias e indivíduos (renda familiar *per capita*)*

	Famílias			**Indivíduos**		
Recebimento de benefício	**Não pobre (%)**	**Pobre (%)**	**Extremamente pobre (%)**	**Não pobre (%)**	**Pobre (%)**	**Extremamente pobre (%)**
Não recebem benefício	72,9	27,1	11,3	70,9	29,1	11,2
Recebem benefício	93,7	6,3	0,6	94,7	5,3	0,5
Total	79,2	20,8	8,1	73,7	26,3	9,9

* O leitor não deve estranhar que a soma excede 100%. Isso se deve ao fato de que os extremamente pobres são um subconjunto do total de pobres. A soma deve ser feita com pobres e não pobres.

Fonte: Pnad/2008 do IBGE – elaboração dos autores.

Tabela 14.2: Distribuição do conjunto de beneficiários e de não beneficiários (famílias e indivíduos) previdenciários, segundo classificação de pobreza (renda familiar *per capita*)

Recebimento de benefício	Famílias				Indivíduos			
	Não pobre (%)	Pobre (%)	Extrema-mente pobre (%)	Total (%)	Não pobre (%)	Pobre (%)	Extrema-mente pobre (%)	Total (%)
Não recebem benefício	64,5	91,0	97,8	70,0	84,7	97,6	99,4	88,1
Recebem benefício	35,5	9,0	2,2	30,0	15,3	2,4	0,6	11,9

Fonte: Pnad/2008 do IBGE – elaboração dos autores.

Observe-se que, entre as famílias não pobres que não recebem benefícios, apenas 19,86% (soma das três últimas linhas das famílias sem benefícios) têm pelo menos duas crianças, enquanto entre as pobres esse número é 52,61%, e, entre as extremamente pobres, 51,10%. Dentre as famílias que recebem benefícios, as não pobres com pelo menos duas crianças são apenas 5,83%, as pobres, 46,10%, e as extremamente pobres, 75,55%. O problema é que apenas 2,2% das famílias extremamente pobres recebem benefícios previdenciários (conforme Tabela 14.2). Esse quadro tende a perdurar, já que os adultos dessas famílias estão à margem do mercado de trabalho.

Diante dessa realidade, seria o caso de questionar se deveríamos continuar a insistir em combater a pobreza e a extrema pobreza através do aumento do valor real do piso previdenciário (e assistencial). E se, em vez de continuarmos a dar aumentos reais de renda a quem já não é pobre, trocarmos, por exemplo, ganhos reais de aposentados e pensionistas por melhor focalização de recursos nos grupos mais desprovidos de nosso país?

Trocando Previdência por combate à pobreza e à miséria

Inicialmente, é necessário informar ao leitor que a última Pnad disponível refere-se ao ano de 2008. Por essa razão, na presente seção, vamos considerar apenas as variações ocorridas entre aquele ano e 2009, de modo a tornar possível o exercício aqui realizado.

Em 2009, os benefícios previdenciários de um piso previdenciário foram reajustados em 12,05%, passando de R$415,00 para R$465,00. Isso representou um ganho real de 5,8%. Os benefícios previdenciários acima do piso tiveram um reajuste de 5,92% em função da inflação (INPC)[4]. Caso fosse concedida, por exemplo, apenas a reposição da inflação a todos os benefícios – ou seja, caso fosse mantido o mesmo poder de compra dos aposentados e pensionistas –, haveria uma redução das despesas previdenciárias, liberando recursos para aumentar o combate à pobreza e à miséria. A partir dos dados da Pnad 2008, é possível fazer uma simulação dessa redução de despesas.

[4] Para o ano de 2010, o piso previdenciário passou para R$510,00, com reajuste de 9,7% em termos nominais e com ganho real de 3,5% considerando o INPC.

Tabela 14.3 Distribuição de famílias segundo o número de crianças e o recebimento de benefícios previdenciários (Brasil: 2008)

Famílias	Não pobres	Pobres	Extremamente Pobres
Total de Famílias	**46.926.627**	**12.346.170**	**4.800.535**
Famílias sem benefício	**30.285.179**	**11.234.620**	**4.696.346**
	64,54%	**91,00%**	**97,83%**
Sem crianças	47,94%	17,19%	19,70%
Com 1 criança	32,19%	30,20%	29,20%
Com 2 crianças	15,77%	27,99%	22,88%
Com 3 crianças	3,43%	14,93%	14,81%
Com 4 ou mais crianças	0,66%	9,69%	13,41%
Famílias com benefício	**16.641.448**	**1.111.550**	**104.189**
	35,46%	**9,00%**	**2,17%**
Sem crianças	80,01%	25,80%	11,21%
Com 1 criança	14,16%	28,10%	13,23%
Com 2 crianças	4,47%	23,06%	23,84%
Com 3 crianças	1,09%	14,10%	24,48%
Com 4 ou mais crianças	0,27%	8,94%	27,23%

Fonte: Pnad/2008 – elaboração dos autores.

Para fazermos esse exercício, é necessário, inicialmente, calcular o aumento de despesas decorrente dos reajustes no valor dos benefícios. É certo que entre 2008 e 2009 novos indivíduos passaram a receber benefícios e outros morreram sem deixar beneficiários. Para evitarmos o efeito de variações de quantidade, mantivemos constante o número de beneficiários da Previdência dado pela Pnad 2008 e, sobre esse estoque, aplicamos os reajustes ocorridos em 2009.

Os resultados são apresentados na Tabela 14.4, nas colunas de 2008 e 2009. Como se pode facilmente constatar, as despesas mensais (setembro) que, em 2008, eram de R$20,45 bilhões passariam para R$22,03 bilhões, um aumento médio de 7,72%.

O segundo passo desse exercício é imaginar que, em vez do reajuste de 12,05% dado aos benefícios previdenciários de um piso previdenciário, fosse concedida apenas a inflação (5,92%), preservando o poder de compra do ano anterior. Nesse caso, todos os benefícios seriam reajustados pelo mesmo índice e a despesa mensal passaria dos R$20,45 bilhões para R$21,68 bilhões. Em relação à situação anterior, faríamos uma economia de R$351 milhões, o que equivale a uma redução de gastos de 1,6% (ver Tabela 14.4, coluna Simulação 1).

Essa economia de recursos poderia ser usada para várias coisas: fazer escolas, reduzir a dívida pública, aumentar salários dos servidores etc. Uma dessas possibilidades de aplicação seria distribuir o montante não gasto de R$351 milhões através do Programa Bolsa-Família, segundo o critério de elegibilidade descrito no Quadro 14.1, dado que esse programa é mais eficaz e eficiente no combate à pobreza do que a Previdência Social.

Tabela 14.4: Simulação do impacto sobre pobreza e extrema pobreza de alternativas de escolhas políticas de alocação de recursos governamentais

	Valores mensais R$ bilhões			
Tipo de benefício	**2008**	**2009** **Reajuste maior para o piso e inflação para os demais**	**Simulação 1** **Reajuste pela inflação para todos**	**Simulação 2** **Reajuste pela inflação e distribuição do saldo pelo PBF**
Aposentadoria	15,605	16,800	16,542	16,542
Pensão	4,844	5,228	5,135	5,135
Total de benefícios	20,449	22,028	21,676	21,676
Expansão PBF				0,351
Total gasto	20,449	22,028	21,676	22,028
% Pobres	26,25	25,81	25,98	25,98
% Extr. pobres	9,89	9,78	9,80	8,50
Redução pobreza		0,44	0,27	0,27
		1,68%	1,03%	1,03%
Redução miséria		0,11	0,09	1,39
		1,11%	0,91%	14,05%

Fonte: Pnad/2008 do IBGE. Simulação feita pelos autores.

Como o volume de recursos disponível é restrito, a prioridade da distribuição foi das famílias de extrema pobreza, distribuindo esses recursos a todas elas, segundo o critério de elegibilidade descrito na Tabela 14.5.

Assim, teríamos novamente o mesmo volume de recursos de R$22,03 bilhões, conforme indicado nas colunas 2009 e Simulação 2. O instrumento mais efetivo de combate à miséria será o de maior impacto nos indicadores de pobreza e extrema pobreza.

Observe pela Tabela 14.4 que, com o reajuste ocorrido em 2009, há uma pequena redução na porcentagem de pobres e de miseráveis (ou extremamente pobres). Esse impacto social do reajustamento do piso previdenciário no mesmo percentual que o salário mínimo tem levado muitos a lutarem por sua manutenção.

Observe, porém, que, se usássemos o critério de manter o poder de compra – corrigir os benefícios previdenciários apenas pela inflação – e distribuíssemos o montante economizado através do Programa Bolsa-Família, o impacto sobre a miséria seria maior: estaríamos reduzindo ainda mais a miséria no Brasil, com queda de 1,39 ponto percentual no número de indivíduos extremamente pobres, ou 14,1%.

O que esse resultado nos traz de lição? Comparando os resultados da segunda e quarta colunas (2009 e Simulação 2), é fácil perceber que os impactos sobre a miséria são maiores caso utilizássemos o Programa Bolsa-Família, em vez de concedermos aumentos reais para o piso previdenciário.

O exercício mostra, em síntese, que aumentar os benefícios da Previdência Social além da inflação, mesmo que somente daqueles que ganham o piso previdenciário – que é um salário mínimo –, tem impacto 12 vezes menor sobre a miséria do que o mesmo recurso, caso fosse utilizado pelo Programa Bolsa-Família. Em poucas palavras, a Previdência reduz um pouco a pobreza, mas não é um instrumento desenhado para isso. É quase um efeito colateral.

Quadro 14.1: Critérios de elegibilidade do PBF e valores dos benefícios

Critério de Elegibilidade		Ocorrência de crianças de 0-15 anos, gestantes e nutrizes	Ocorrência de adolescentes 16-17 anos que frequentam a escola	Quantidade e Tipo de Benefícios	Valores do Benefício (R$)
Situação das Famílias	**Renda Mensal per capita**				
Situação de extrema pobreza	Até R$60,00	Sem ocorrência	Sem ocorrência	Básico	62
			1 membro	Básico + 1 VBJ	92
			2 ou mais membros	Básico + 2 VBJ	122
		1 membro	Sem ocorrência	Básico + 1 variável	82
			1 membro	Básico + 1 variável + 1 VBJ	112
			2 ou mais membros	Básico + 1 variável + 2 VBJ	142
		2 membros	Sem ocorrência	Básico + 2 variáveis	102
			1 membro	Básico + 2 variáveis + 1 VBJ	132
			2 ou mais membros	Básico + 2 variáveis + 2 VBJ	162
		3 ou + membros	Sem ocorrência	Básico + 3 variáveis	122
			1 membro	Básico + 3 variáveis + 1 VBJ	152
			2 ou mais membros	Básico + 3 variáveis + 2 VBJ	182
Situação de pobreza	De R$60,01 a R$120,00	1 membro	Sem ocorrência	Básico + 1 variável	20
			1 membro	Básico + 1 variável + 1 VBJ	50
			2 ou mais membros	Básico + 1 variável + 2 VBJ	80
		2 membros	Sem ocorrência	Básico + 2 variáveis	40
			1 membro	Básico + 2 variáveis + 1 VBJ	70
			2 ou mais membros	Básico + 2 variáveis + 2 VBJ	100
		3 ou + membros	Sem ocorrência	Básico + 3 variáveis	60
			1 membro	Básico + 3 variáveis + 1 VBJ	90
			2 ou mais membros	Básico + 3 variáveis + 2 VBJ	120

Fonte: MDS. Elaboração dos autores.

Capítulo 15

A economia política da Previdência Social

"Políticos gostam de ganhar eleições, não de dar aulas."

Juan Carlos de Pablo, dublê de economista e humorista argentino.

Cada país tem um sistema particular de Previdência. Por isso mesmo, qualquer um que se interesse pelo tema encontrará enorme multiplicidade: uns amplos e abrangentes, como é o caso da seguridade no Brasil; outros mais restritos, como os sistemas dos Estados Unidos e da Inglaterra.

Se alguém vivesse, por exemplo, no começo do século passado na Bélgica, teria assistido às mobilizações sociais e aos debates parlamentares quando da criação do sistema de seguridade compulsório para os trabalhadores da iniciativa privada.[1] Se vivesse na metade daquele século no Canadá, teria presenciado, em 1952, a sanção da lei que definiu um sistema de proteção de renda para os idosos (*Old Age Security*) em substituição a programas provinciais de renda mínima para idosos.[2] E se vivesse no Brasil durante o final do século XIX e os primeiros 30 anos do século XX, teria presenciado o ato inaugural da Previdência no Brasil, em 1888, ainda no Império. O Decreto Imperial nº 9.912-A, de 26 de março daquele ano, regulou o direito à aposentadoria dos empregados dos Correios. Trinta e cinco anos mais tarde,[3] ele teria visto o governo editar o Decreto nº 4.682, de 24 de janeiro de 1923, conhecido como Lei Elói Chaves, que institucionalizou o que se pode chamar de sistema de Previdência no Brasil.

Praticamente todos os sistemas de Previdência foram estruturados com base em um sistema de repartição. Como se sabe, nesse sistema, os ativos atuais financiam os atuais inativos e, no futuro, quando já estiverem inativos, serão financiados pelos ativos. Sistemas de repartição funcionam como um mecanis-

---

[1] Ver Pestieau e Stijns (1999).

[2] Ver Baker e Benjamin (1996) e Gruber e Hanratty (1995).

[3] Cinco anos antes, em 1918, foi criada a Comissão de Legislação Social, que desenvolveu a Lei de Acidentes do Trabalho (Lei nº 9.517, de 17 de abril de 1919). Essa lei foi aprovada dois anos depois da histórica greve geral de São Paulo.

mo de transferência de renda, com inexoráveis conflitos distributivos de duas naturezas distintas: *i*) intrageracionais, ou seja, entre indivíduos de uma mesma geração, por exemplo, entre homens e mulheres, pobres e ricos, entre indivíduos mais e menos escolarizados, entre saudáveis e doentes, que trabalham e que não trabalham, que poupam e que não poupam etc.; e *ii*) intergeracionais, isto é, entre jovens e velhos que disputam entre si os recursos e os custos de transferências. Mais modernamente, aliás, tem sido, corretamente, reconhecido que o conflito intergeracional envolve também indivíduos que ainda não nasceram.[4]

O que queremos destacar, com todos esses episódios, é que é a sociedade, por meio dos mecanismos de escolha pública, que define o grau e a forma da distribuição de recursos quando escolhe um conjunto particular de regras para vigorar no sistema de Previdência. Uma vez, porém, tomada a decisão inicial, esta ficará valendo, mesmo que muitas mudanças tenham ocorrido na sociedade. Entre o final do século XIX até nossos dias, muitas coisas mudaram, algumas, inclusive, relatadas neste livro. Somente uma "reforma" mudaria as regras iniciais, ainda que tudo em volta tivesse se modificado.

O desenho institucional que define os sistemas de Previdência responde à dinâmica política. Ao longo do século XX, houve crescimento substancial do volume de recursos transferidos a aposentados e pensionistas.[5] Isso coincidiu com a expansão do sufrágio a mulheres e pobres, com o consequente deslocamento do eleitor mediano para segmentos de renda inferiores, com forte preferência por redistribuição.[6]

No Brasil, o fato de termos um sistema operado em regime de repartição, com regras desatualizadas em função de concessão de benefícios frente às mudanças demográficas e na fixação de valores de benefícios, aliado à enorme pobreza e à elevada desigualdade de renda, torna nosso sistema especialmente sensível a pressões distributivistas. Isso, frequentemente, enseja ações de segmentos em busca de mais concessões por parte dos legisladores e do próprio Poder Executivo.

O eleitorado brasileiro e os segmentos organizados

Um dos aspectos mais instigantes das democracias é que o cotidiano da luta por poder se dá entre grupos organizados, e não entre indivíduos. O único momento em que indivíduos isoladamente se manifestam é a eleição. Uma vez

---

[4] Ver, por exemplo, Rangel e Zeckhauser (2001), Bohn (2001) e Campbell *et al.* (2001).

[5] Entre 1953 e 1974, nos países da OCDE, os gastos com transferência aumentaram de 12% para 19% do PIB. Ver Peltzman (1980). O caso do Brasil é exaustivamente tratado nesse livro.

[6] Ver Meltzer e Richard (1981).

eleito o governo, são os diversos grupos de interesses que exercem pressão sobre os parlamentares e buscam influenciar as decisões legais.

No Brasil, indivíduos com 16 anos ou mais e alfabetizados podem votar, sendo obrigatório para todos com idade entre 18 e 69 anos. Trata-se de um enorme colégio eleitoral: 131,5 milhões de eleitores em outubro de 2009, segundo o TSE.

É interessante analisar as informações sobre o eleitorado brasileiro. Por causa do efeito demográfico, a composição do nosso eleitorado está mudando – e mudando rapidamente. A participação do eleitorado jovem está declinando no total de eleitores, assim como a participação do eleitor que representa os adultos na fase intermediária da vida profissional (indivíduos com idade entre 25 e 44 anos). Por outro lado, eleitores maduros (com idade entre 45 e 59) e eleitores idosos estão aumentando sua participação relativa.

Esses dados estão apresentados na Tabela 15.1. Nela, constam dados sobre a população e o eleitorado em três momentos distintos e dois deles emblemáticos: 1988, o ano da Constituição; 1998, o ano em que foi aprovada a primeira reforma constitucional da Previdência; e o ano de 2009, dada a sua atualidade.

Como se pode facilmente constatar, em 1988, os eleitores jovens (até 24 anos) eram 25% do total (31% da população); em 2009, segundo dados do TSE, são apenas 18% dos eleitores e 24% da população. Também eleitores em fase profis-

Tabela 15.1: Composição do eleitorado e da população brasileira: 1988, 1998 e 2009*

Distribuição por sexo e por faixas etárias	1988		1998		2009	
	Eleitorado	População	Eleitorado	População	Eleitorado	População
Masculino	**38.305.256**	**44.220.608**	**53.033.650**	**55.905.232**	**63.306.238**	**68.671.058**
Até 24 anos	24,3%	32,0%	20,7%	29,2%	18,6%	24,9%
25 a 44 anos	47,6%	42,2%	47,0%	43,5%	44,8%	42,8%
45 a 59 anos	17,3%	16,2%	19,2%	16,7%	22,3%	20,2%
60 anos e mais	10,7%	9,7%	13,1%	10,6%	14,3%	12,0%
Feminino	**37.158.744**	**46.163.285**	**52.794.597**	**58.914.722**	**68.233.639**	**72.950.743**
Até 24 anos	23,4%	30,6%	19,7%	27,4%	17,5%	23,1%
25 a 44 anos	48,7%	42,4%	47,3%	43,3%	44,2%	41,3%
45 a 59 anos	17,7%	16,4%	19,7%	17,4%	22,9%	21,4%
60 anos e mais	10,2%	10,7%	13,2%	12,0%	15,5%	14,2%
Total	**75.464.000**	**90.383.893**	**105.828.247**	**114.819.954**	**131.539.877**	**141.621.800**
Até 24 anos	23,9%	31,3%	22,7%	30,2%	21,5%	28,8%
25 a 44 anos	48,2%	42,3%	48,3%	43,1%	48,5%	43,9%
45 a 59 anos	17,5%	16,3%	17,9%	16,2%	18,4%	16,6%
60 anos e mais	10,5%	10,2%	11,0%	10,4%	11,6%	10,8%

* A faixa etária até 24 anos incorpora eleitores de 16 a 24 anos. Para a população incorpora indivíduos de 15 a 24, pois a primeira idade das estimativas de população do IBGE é 15 anos.
Fonte: TSE e IBGE.

sional intermediária tiveram sua participação relativa diminuída de 48% para 43% (queda de cinco pontos percentuais), mesmo com pequeno aumento na população em termos relativos. Por outro lado, população e eleitores maduros e idosos (idade superior a 44 anos) representavam 28% do eleitorado (25% da população) em 1988 e são agora 35% dos eleitores (aumento de sete pontos percentuais) e 31% da população.

Como se sabe, a participação do eleitorado maduro e idoso tende a crescer nos próximos anos, como consequência do envelhecimento geral da população (como visto no Capítulo 9), e sua preferência tende a ganhar mais peso nas eleições. Isso, porém, não ocorre apenas nas eleições, pois esse contingente tende a ganhar maior peso nas decisões do Legislativo por três razões principais.

A primeira é pela densidade eleitoral crescente desse grupo etário. São mais de 46 milhões de eleitores de 45 anos ou mais, que tenderão a dar seu voto a candidatos que defendam seus interesses. E seus interesses são – como temos visto nestes últimos tempos – preservar as regras generosas hoje vigentes, alterar aquelas que são restritivas – por exemplo, a regra do fator previdenciário – e ampliar o valor de seus benefícios – através da indexação de todos os benefícios ao valor do salário mínimo.

A segunda delas diz respeito ao fato de que jovens e adultos jovens em geral – ou seja, o restante do pessoal em idade ativa – tendem a atribuir pouca importância às questões ligadas ao seu futuro distante. Por isso mesmo, a questão previdenciária – aposentadorias e pensões – tende a estar fora do imaginário desse grupo etário, não sendo um tema que os mobilize, de modo que, em geral, mesmo podendo, ficam à margem do processo de discussão quando o assunto é Previdência. É certo que, se perguntado, qualquer jovem dirá que prefere não ter de contribuir por mais tempo do que o exigido atualmente, mas sua oposição, tendo em vista o horizonte temporal, faz dessa preferência algo sutil, fraco. De forma similar, se confrontado com o fato de que, para garantir sua aposentadoria no futuro, seria necessário reduzir benefícios atuais e elevar a alíquota de contribuição dos atuais ativos, ele tenderia a concordar. Também nesse caso, porém, sua preferência seria fraca e ele dificilmente se mobilizaria para a aprovação de qualquer medida. O outro lado dessa moeda é que, para aqueles que estão chegando perto da aposentadoria (os trabalhadores maduros) ou que já são beneficiários do sistema (os idosos), qualquer alteração das regras pode lhes impor custos – por exemplo, aumentar o prazo de permanência em atividade ou tributar o benefício previdenciário – que são imediatamente percebidos, o que os leva a se mobilizar com muito mais frequência e intensidade. Para esse grupo etário, a preferência pela manutenção das regras previdenciárias é forte.

A terceira razão é que os aposentados e pensionistas são muito mais organizados institucionalmente do que os jovens. Os que viveram mais tiveram mais oportunidades de criar conexões sociais, se engajar em sindicatos, associações etc. Além disso, enquanto os jovens "têm o mundo pela frente" e acreditam que podem fazer sua própria história profissional, constituir fortuna e carreira profissional, os idosos sabem que suas opções em termos de renda estão severamente limitadas: sua principal renda – e, frequentemente, a única – é a Previdência. Por essas razões, é que podemos encontrar mais de uma centena de entidades representativas dos interesses dos idosos em todas as unidades federativas e praticamente nenhuma que defenda os interesses dos jovens em questões previdenciárias. Praticamente todos os grandes sindicatos e centrais sindicais têm uma diretoria ou um setor especificamente voltado para a questão previdenciária. Como a idade média do trabalhador brasileiro vem crescendo – e tenderá a se elevar ainda mais nos próximos 20 anos –, os sindicatos e as centrais sindicais tenderão a defender uma postura conservadora no que se refere à Previdência, lutando para que nenhum custo seja distribuído entre trabalhadores e aposentados.

A reposição de renda da Previdência brasileira

A Previdência funciona como um seguro social, com a finalidade de repor a renda – parcial ou total – do indivíduo (ou do grupo familiar) quando diante de perda de capacidade laborativa causada por doença, morte ou invalidez, desde que o indivíduo seja membro participante do programa de Previdência.

Dentro desse conceito de seguro, deve existir, em primeiro lugar, uma relação de pertencimento, ou seja, só estarão protegidos aqueles que estiverem vinculados ao sistema e, em segundo lugar, uma relação de correspondência – imperfeita, porém positiva – entre os valores das contribuições dos indivíduos ao longo de sua vida laborativa e os benefícios que eles (ou seus dependentes) irão receber. Nessa perspectiva, por ser um seguro, o princípio fundamental é a reposição dos depósitos realizados ou de igualdade de valores presentes entre contribuições e benefícios. Por ser, entretanto, um seguro social, certa redistribuição é inexorável e admissível.

É fundamental deixar claro, no entanto, que o caráter redistributivo implícito de um seguro social não é determinado pela renda, mas pela ocorrência de sinistro. Ao aderir a um seguro social, cada segurado contribui com parte de sua renda mensal para diversos tipos de cobertura de eventos. Os planos de seguro social mais comuns cobrem três principais eventos, por perda de capacidade laboral: i) pela idade; ii) por causa de doença ou acidente incapacitante (invalidez); e iii) por falecimento do beneficiário original.

Nessas condições, somente no primeiro caso – admitida a existência de equilíbrio atuarial do plano – não há qualquer transferência líquida de recursos. Em equilíbrio, todos os benefícios recebidos equivalem a todos os recursos aportados em temos de valor presente. Nos demais casos, porém, não é essa a situação. Excetuado o caso extremo em que a invalidez ou a morte ocorra precisamente no último dia de toda uma vida de contribuição ao plano, em todos os demais os benefícios recebidos excederão os recursos aportados ao plano, havendo redistribuição interna de recursos.

Observe-se, no entanto, que essa transferência líquida de recursos não tem qualquer caráter redististributivo segundo critérios de renda, mas apenas segundo a ocorrência do sinistro. Nesse sentido, pode haver, inclusive, transferência dos mais pobres aos mais ricos. Em uma situação hipotética, se o mais bem pago dos segurados, por fatalidade, sofrer um acidente que o incapacite para o trabalho, receberá recursos líquidos de todos os demais segurados do plano – com menor remuneração –, havendo, portanto, distribuição negativa,[7] ou seja, transferência de renda dos mais pobres para o mais rico.

O princípio de correspondência entre a contribuição e o valor do benefício significa que, em todas as modalidades de sinistro, o valor do benefício deverá guardar relação com o montante de contribuição. Assim, se, por exemplo, dois segurados contribuem com montantes diferentes durante toda a vida laboral e um deles contribuir com valores 20% maiores durante toda a vida, em condições iguais de obtenção do benefício, deverá obter um benefício 20% maior do que o outro. Embora de fácil compreensão e aparentemente neutro, esse princípio traz embutido um risco potencial de distribuição negativa, razão pela qual em praticamente todos os países há limites (tetos) de contribuição e, por consequência, de benefícios.

O que significa isso? A forma mais simples de se entender o risco implícito da ausência de teto – o que não invalida o princípio de correspondência, mas o limita – é supor o caso extremo em que o mais rico dos segurados inicia sua vida laboral e faz uma única contribuição ao plano – incidente sobre a maior remuneração da distribuição – e, em seguida, sofre a incidência de um sinistro. O volume de recursos a ser transferido a ele ou a seus dependentes seria exageradamente elevado, havendo dessa forma uma transferência líquida indesejável. Esse não é, obviamente, o único risco. Mudanças demográficas, por exemplo, na ausência de tetos, também importariam excessivas transferências líquidas negativas, que poderiam inviabilizar muito rapidamente os planos de Previdência Social.

As sociedades perceberam esse risco, e todas montaram sistemas de previdência com tetos e com taxas de reposição[8] relativamente baixos, de modo a limitar o total de gastos e as transferências negativas e minimizar os riscos implícitos de insolvência. Essas restrições podem ser observadas através dos dados do Gráfico 15.1. Nele, estão apresentados, para diversos países, o valor de aposentadoria como porcentagem do rendimento médio de trabalhadores industriais. Os dados referem-se a 2003 e

---

[7] Chamamos distribuição negativa à transferência de recursos do mais pobre para o mais rico, o que equivale a uma concentração de recursos.

[8] Taxa de reposição é a fração da renda que é reposta quando da aposentadoria. Há países em que essa taxa é muito baixa, como, por exemplo, na Inglaterra, onde é menos de 50%. Na Alemanha e na França é, no máximo, 75% (ver SSA, 2005). No caso do Brasil, ela é de 100% da média de contribuição, de 1994 em diante, até o valor do teto previdenciário.

Gráfico 15.1: Rendimento de aposentadoria expresso em termos de rendimento médio de trabalhadores industriais – diversos países*

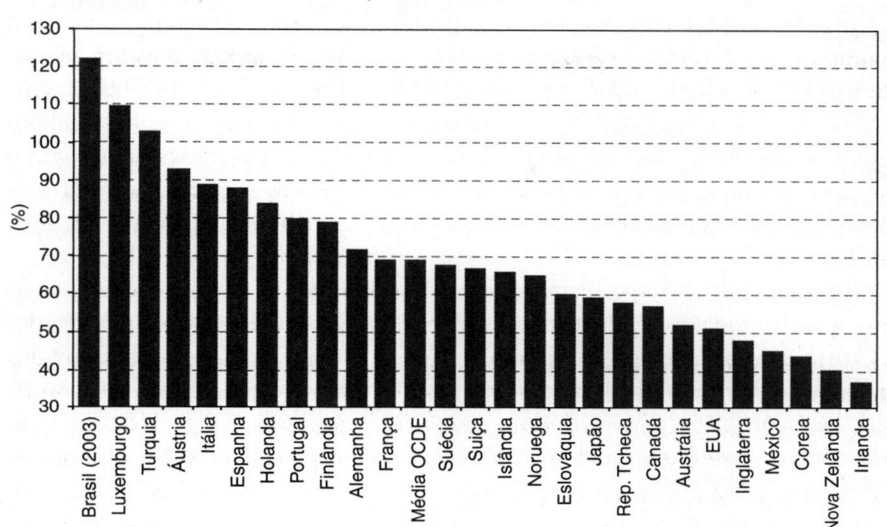

* No caso do Brasil foi considerado o valor médio do benefício de aposentadoria por tempo de contribuição.
Fonte: OCDE (2005). *Anuário Estatístico da Previdência Social* (2003) e Pnad/2003 do IBGE. Elaboração dos autores.

2004, e, por essa razão, no caso brasileiro, foram utilizados dados da Pnad/2003 e considerado o rendimento médio dos trabalhadores formais, com o intuito de preservar a comparabilidade.

Observe que, dentre 26 países, o Brasil apresenta o maior percentual, ou seja, o rendimento médio de aposentadoria por tempo de contribuição no país é mais de 20% superior ao rendimento médio dos trabalhadores formais, enquanto a média dos países da OCDE é de aproximadamente 70% (30% inferior à média dos rendimentos dos trabalhadores ativos). Chama a atenção, ainda, o fato de que, enquanto para a esmagadora maioria dos países listados o rendimento médio dos inativos é inferior à média do que ganham os ativos, no Brasil – e também em Luxemburgo e Turquia – ocorre justamente o contrário.

A avaliação do valor do teto previdenciário também revela que, no Brasil, o valor do teto é superior ao que ganha a quase totalidade dos trabalhadores do país. Na Tabela 15.2 apresentam-se os valores do teto previdenciário expresso em termos nominais e em salários mínimos. Adicionalmente, é apresentado o valor do teto expresso em termos de percentis da distribuição de rendimento dos trabalhadores ativos e dos ativos formais do país.

É importante chamar a atenção para o fato de que o teto previdenciário em termos nominais aumentou 34% em apenas cinco anos.[9] Expresso em termos de

[9] Em relação ao começo da década, o aumento foi de 125%.

Tabela 15.2: Teto de contribuição previdenciária e medidas relativas de seu valor*

Data de alteração do teto de contribuição	Valor nominal (R$)	Teto expresso em SM	Teto expresso em termos de percentil de renda dos trabalhadores ativos	Teto expresso em termos de percentil de renda dos trabalhadores ativos formais
Jan/04	2.400,00	10,00	95	92
Mai/04	2.508,72	9,65	96	92
Mai/05	2.668,15	8,89	96	92
Ago/06	2.801,82	8,01	95	91
Abr/07	2.894,28	7,62	95	90
Mar/08	3.038,99	7,32	95	91
Fev/09	3.218,90	6,92	95	91

* Os percentis de renda foram construídos a partir de dados de rendimento de todos os trabalhos. Para o cálculo de 2009 foi utilizada a Pnad/2008, mantendo-se constante o quantitativo de indivíduos e atualizados seus rendimentos da seguinte maneira: i) para rendimentos iguais ao SM, utilizamos o SM de 2009 (R$465,00); ii) para rendimentos de trabalhadores informais, os rendimentos foram corrigidos pelo IPCA entre setembro/2008 e agosto/2009 (4,364%); iii) para trabalhadores formais do setor privado, inclusive empregadas domésticas, correção de 12,05% (conforme PME set/2009 e IPCA do período); e iv) para funcionários públicos, correção de 5,3% (conforme PME set/2009 e IPCA do período). Para o ano de 2010, dada a distância da última Pnad (2008), optamos por não fazer qualquer simulação.
Fonte: MPAS e Pnad do IBGE (diversos anos) – cálculos feitos pelos autores.

salário mínimo – dados os sucessivos aumentos reais do salário mínimo –, o teto apresentou uma queda de 31% entre 2004 e 2009. Quando, porém, analisamos o teto previdenciário em comparação ao rendimento médio dos trabalhadores ativos e dos ativos formais, verificamos que em ambos os casos ele permaneceu estável. Esse resultado significa três importantes coisas: (1) o aumento do valor do teto previdenciário foi equivalente ao aumento obtido pelos trabalhadores no mercado de trabalho; (2) o teto previdenciário é alto o suficiente para cobrir o rendimento de 95% dos trabalhadores do país e de pelo menos 90% dos trabalhadores formais do país – justamente os que têm maior rendimento; e (3) como a taxa de reposição do benefício previdenciário é de 100% dos salários de contribuição, isso significa que pelo menos 90% dos trabalhadores brasileiros têm, no benefício previdenciário, a reposição integral de sua renda de ativos. Com exceção de 5% dos trabalhadores (10% entre os formais) mais bem remunerados, parte expressiva do conjunto de trabalhadores mais bem pagos do país está coberta pela Previdência Social, no Brasil.

O leitor neste momento poderia se perguntar: mas o que isso tem a ver com a economia política da Previdência Social? Abranger os segmentos de maior rendimento do país significa trazer para o debate previdenciário segmentos com maiores recursos de poder, de influência na opinião pública e de mobilização. São também trabalhadores com maior escolaridade, com maiores oportunidades de emprego e renda, e maiores conexões sociais e, em geral, aqueles que dominam sindicatos e associações. São aqueles que podem avaliar que correm riscos com reformas previdenciárias.

A economia política da Previdência

Em estudos sobre reforma e implantação de sistemas de Previdência Social, as análises têm recaído nos atores políticos e em seus poderes, e nas ideias em disputa.

Em geral, os analistas tendem a associar *a posteriori* grandes marcos ideológicos às mudanças que ocorreram nos sistemas previdenciários. Assim, por exemplo, a grande onda reformista que ocorreu na América Latina nos anos 1990 foi posteriormente associada à hegemonia do neoliberalismo e à suposta submissão dos governos aos supostos ditames das agências internacionais, principalmente o Banco Mundial. No afã de fazer essa associação, até erros cronológicos grosseiros foram cometidos. Argumentou-se, por exemplo, que a reforma chilena fora feita por transmissão de ideias, sobretudo aquelas de cunho neoliberal, amplamente apoiadas nas instituições multilaterais. Entretanto, a reforma chilena ocorreu mais de uma década antes do principal documento proponente de reformas do Banco Mundial!

A rigor, as reformas que ocorreram na América Latina variaram muito em sua forma, pressuposto e extensão. No Brasil, por exemplo, durante as discussões da reforma de 1998, em nenhum momento se cogitou privatizar a Previdência Social. Tratava-se apenas de fazer ajustes no sistema, de modo a reduzir sua pressão sobre as finanças públicas. Isso exigia definir alguns parâmetros menos generosos, ainda que a intensidade das reformas tenha ficado muito aquém da observada nos países desenvolvidos e mesmo em países com renda *per capita* semelhante à brasileira.

Dentro dessa mesma ótica, seria conveniente que o Brasil implementasse uma nova rodada de reformas. Que contexto teremos pela frente? É muito difícil fazer qualquer prognóstico, mas alguns elementos certamente estarão presentes e deverão nortear os atores políticos que quiserem levar a contento uma nova reforma. Alguns aspectos, entretanto, devem ser considerados:

a) teremos, nos próximos anos, uma participação crescente do eleitorado maduro e idoso;
b) devemos esperar que esse segmento esteja muito mobilizado, entre outras coisas, como consequência do estilo de governança do atual governo, que implementou uma política de permanente mobilização dos segmentos e movimentos sociais; c) consolidou-se como práxis governamental uma política distributivista – que já havia sido iniciada desde meados da década de 1990.

Em consequência, é provável que, para alterar a estrutura previdenciária, seja importante acompanhar a reforma por políticas mais fortes de cunho distributivo, porém com mudanças em relação às políticas atuais. Uma alternativa é trocar a reforma da Previdência por um Programa Bolsa-Família incrementado. Isso nos remete ao tema do próximo capítulo.

Capítulo 16

O cobertor é curto: quem ficou de fora?

"A política é a utopia alegre da abundância."

Roberto Campos

A elevada e insistente incidência de pobreza no Brasil ensejou a construção de um amplo sistema de proteção social. Milhões de pessoas foram incorporadas a diversos programas de transferência de renda e, em conjunto, a Previdência e a Assistência Social – e, mais recentemente o Programa Bolsa-Família – conseguiram reduzir os níveis de pobreza na população. Entretanto, por suas características, esses programas não conseguiram atingir de forma mais ou menos uniforme os segmentos mais desprotegidos da sociedade. Houve priorização do grupo idoso, com sucesso inegável na redução dos índices de pobreza. No Brasil de nossos dias, a chance de um idoso ser pobre é de menos de 8%, enquanto essa mesma chance é de 28% para a população como um todo e quase 45% entre crianças e jovens (e também adultos jovens). A situação é ainda mais aguda quando se trata de extrema pobreza: enquanto crianças e jovens têm aproximadamente 20% de chance de ser extremamente pobres, um idoso tem menos de 2%, ou seja, uma criança tem 10 vezes mais chances de ser extremamente pobre do que um idoso. Uma maneira – em geral, a preferida por políticos e às vezes também abraçada por alguns segmentos sociais – de pelo menos amenizar esse grave problema seria aumentar o volume de gastos, criando um programa de transferência de renda para esse grupo etário. Essa solução de aumento de gastos tem sido a usual entre nós, mas é necessário que em algum momento comecemos a fazer contas e buscar maior eficiência na realização dos gastos públicos.

Há, portanto, uma questão anterior a ser colocada: dado que os gastos previdenciários, especialmente os assistenciais – destinados ao grupo idoso da sociedade –, concorrem com outros gastos, entre os quais aqueles focados na população de crianças e jovens, seria possível com o mesmo volume de gastos redistribuir os recursos de modo a reduzir a pobreza e a extrema pobreza entre crianças e jovens, sem elevar o grau de pobreza e extrema pobreza entre idosos? Se isso for possível, então toda a sociedade ganharia, pois teríamos redução da pobreza (e de extrema pobreza) sem aumento da pressão fiscal.

Quem é protegido pela Previdência e Assistência Social?

Em 2008 (posição de dezembro) foram emitidos 26,1 milhões de benefícios, dos quais 80,5% de origem contributiva – aposentadorias e pensões –, 12,6% do total decorrentes de benefícios assistenciais (não contributivos) – LOAS e renda ou pensão mensal vitalícia – e 6,8% de benefícios como auxílios, salário--maternidade e outros.

Em valores, o primeiro grupo foi responsável por 83,8% do total de gastos, o segundo por 9,1%, cabendo aos auxílios salário-maternidade e outros 7,1% dos gastos. Como se pode constatar na Tabela 16.1, que apresenta informações para os três últimos anos, são números expressivos, tanto em termos de benefícios emitidos quanto em termos de valor transferido.

Tabela 16.1: Distribuição de quantidade e valor de benefícios emitidos (posição em dezembro de cada ano)*

	Quantidade de benefícios			**Valor dos benefícios (mil R$)**		
Benefícios Emitidos	**2006**	**2007**	**2008**	**2006**	**2007**	**2008**
Previdenciários ou Assistenciais	24.585.026	25.162.829	26.088.032	12.625.150	13.590.693	15.195.109
Aposentadorias (contributivas)	13.593.766	14.027.448	14.606.715	7.620.934	8.261.513	9.285.451
	55,3%	55,7%	56,0%	60,4%	60,8%	61,1%
Pensões (contributivas)	6.050.004	6.219.256	6.402.661	2.822.328	3.075.138	3.449.686
	24,6%	24,7%	24,5%	22,4%	22,6%	22,7%
LOAS (não contributivas)	2.477.485	2.680.823	2.934.472	869.367	1.021.259	1.216.089
	10,1%	10,7%	11,2%	6,9%	7,5%	8,0%
RMV + PMV (não contributivas)	462.656	415.743	377.355	166.469	162.546	161.197
	1,9%	1,7%	1,4%	1,3%	1,2%	1,1%
Demais	2.001.115	1.819.559	1.766.829	1.146.052	1.070.237	1.082.686
	8,1%	7,2%	6,8%	9,1%	7,9%	7,1%

* O *Anuário Estatístico da Previdência Social* tem informações apenas até 2008.
Fonte: Anuário Estatístico da Previdência Social (AEPS), 2008.

Em termos de distribuição por sexo e tomando apenas o ano de 2008 (ver Tabela 16.2), 53% das aposentadorias foram destinados a homens, enquanto 47% foram destinados a mulheres. Para o benefício de pensão, há enorme predomínio feminino: as mulheres receberam 87% desses benefícios, enquanto os homens foram responsáveis por apenas 13%. Em termos de valores distribuídos, os homens receberam 62% dos recursos de aposentadoria, enquanto as mulheres receberam 38%, o que revela que, em média, o valor da aposentadoria masculina é maior do que a feminina. No caso das pensões, o valor médio do benefício recebido pelas mulheres é ligeiramente maior do que o recebido pelos homens.

No caso dos benefícios com base não contributiva (LOAS e RMV), 46,2% foram destinados a homens, cabendo às mulheres 53,8%. Em termos de valores distribuídos, homens e mulheres apresentaram percentuais equivalentes aos de benefícios distribuídos, o que indica não haver diferença de valores individuais entre sexos.

Tabela 16.2: Distribuição de quantidade e valor de benefícios emitidos por sexo (posição em dezembro de 2008)*

Benefícios Emitidos	Quantidade de benefícios		Valor dos benefícios (mil RS)	
	Homem	Mulher	Homem	Mulher
Previdenciários ou assistenciais	11.066.112	14.293.493	7.478.122	7.437.714
	43,6%	56,4%	50,1%	49,9%
Aposentadorias (contributivas)	7.653.240	6.861.207	5.757.313	3.490.791
	52,7%	47,3%	62,3%	37,7%
Pensões (contributivas)	770.117	5.015.979	361.017	2.854.663
	13,3%	86,7%	11,2%	88,8%
LOAS (não contributivas)	1.425.067	1.509.330	590.469	625.589
	48,6%	51,4%	48,6%	51,4%
RMV + PMV (não contributivas)	103.743	255.122	45.570	107.957
	28,9%	71,1%	29,7%	70,3%
Demais	1.113.945	651.855	723.753	358.714
	63,1%	36,9%	66,9%	33,1%

* Foram desconsiderados os casos de sexo ignorado.
Fonte: Anuário Estatístico da Previdência Social (AEPS), 2008.

A despeito de contar com preciosas informações sobre número e valor de benefícios, os informes do Ministério da Previdência e Assistência Social (MPAS) nada nos revelam sobre a idade do público que recebe benefícios dos sistemas de previdência e assistência. Por causa disso, buscamos na Pnad/2008 informações que pudessem caracterizar mais adequadamente esse público beneficiário.

Como se constata na Tabela 16.3, proporcionalmente, o benefício previdenciário está mais concentrado em mulheres (51,2%), brancos (55,2%), regiões Sudeste e Sul (47,6% e 16,8%, respectivamente), indivíduos de baixa escolarização – até três anos de estudo (44,6%) – e, curiosamente, não está concentrado nos segmentos mais pobres da população.

O que chama a atenção é o fato de que, apesar de indivíduos que vivem em domícilio de renda *per capita* de até ½ SM (as três primeiras linhas do último bloco de dados da Tabela 16.3) representarem 26,7% dos indivíduos não beneficiários, esse mesmo grupo é responsável por apenas 9,5% dos beneficiários. Isso pode indicar que nosso sistema estritamente previdenciário não atinge os mais pobres.

Uma forma mais abrangente de analisar a amplitude da proteção social fornecida pela Previdência pode ser dada pelo grau de cobertura previdenciária.

Tabela 16.3: Distribuição de beneficiários e não beneficiários, segundo diversas dimensões de análise – Indivíduos de 15 anos ou mais (Brasil: 2008)

Dimensões	Não beneficiário	Beneficiário
Região		
Norte	7,9%	4,7%
Nordeste	27,3%	25,5%
Sudeste	42,9%	47,6%
Sul	14,3%	16,8%
Centro-Oeste	7,6%	5,4%
Faixa etária		
15 a 29 anos	41,2%	1,5%
30 a 49 anos	43,0%	9,2%
50 a 59 anos	11,9%	21,3%
60 a 69 anos	3,1%	35,0%
70 anos ou mais	0,9%	33,0%
Sexo		
Homem	48,8%	48,8%
Mulher	51,2%	51,2%
Cor/Raça		
Indígena	0,3%	0,3%
Branca	48,2%	55,2%
Preta	7,5%	7,6%
Amarela	0,6%	1,0%
Parda	43,4%	35,9%
Anos de estudo		
Sem instrução	7,8%	27,5%
1 a 3 anos	8,5%	17,1%
4 a 7 anos	24,1%	25,6%
8 a 10 anos	21,0%	9,5%
11 a 14 anos	30,5%	13,3%
15 anos ou mais	7,9%	7,0%
Renda familiar per capita		
Sem rendimento	1,0%	0,0%
Até 1/4 SM	8,4%	0,9%
De 1/4 a 1/2 SM	17,3%	8,6%
De 1/2 a 1 SM	27,4%	30,9%
De 1 a 2 SM	24,5%	29,0%
De 2 a 3 SM	8,1%	10,8%
De 3 a 5 SM	5,8%	8,0%
Mais de 5 SM	4,4%	7,6%
Totais	**120.268.872**	**19.116.904**

Fonte: Pnad/2008 do IBGE. Tabulação dos autores.

Nota: os totais que não somam 100% devem aos casos de não declaração dos respondentes da Pnad.

Como se sabe, a filiação ao sistema previdenciário pode ocorrer de diversas maneiras. A maneira mais convencional é dada pelo número de indivíduos com idade superior a 15 anos que contribuem e/ou recebem benefícios. Em 1994, o Banco Mundial[1] preparou o relatório "Averting the Old Age Crisis: Policies to Protect the Old and Promote Growth". Nele, estão disponíveis informações sobre cobertura previdenciária para mais de seis dezenas de países. A Tabela 16.4 apresenta dados de parte desses países, fornecendo razoável panorama internacional.

Tabela 16.4: Cobertura previdenciária para diversos países

País	Ano	Cobertura	País	Ano	Cobertura	País	Ano	Cobertura
Dinamarca	1990	100,00%	Malásia	1991	48,70%	Camarões	1989	13,70%
Suécia	1990	100,00%	Panamá	1990	39,60%	Gana	1989	13,30%
Japão	1989	100,00%	Jamaica	1991	39,30%	Bolívia	1992	11,70%
Canadá	1989	97,40%	México	1990	37,90%	Rep. Dominicana	1988	11,50%
Suíça	1992	97,40%	Equador	1989	37,80%	Indonésia	1991	10,70%
Estados Unidos	1989	96,90%	Turquia	1990	34,60%	Índia	1990	10,60%
Reino Unido	1990	94,20%	Venezuela	1990	34,30%	Ruanda	1989	9,30%
Taiwan	1988	86,70%	Coreia	1991	30,00%	Senegal	1990	6,90%
Espanha	1992	85,30%	Sri Lanka	1990	28,80%	Tanzânia	1990	5,10%
Uruguai	1989	68,80%	Peru	1992	25,70%	Burkina Faso	1989	3,70%
Egito	1989	62,30%	Colômbia	1989	23,90%	Paquistão	1989	3,50%
Chile	1992	55,70%	Filipinas	1990	19,10%	Níger	1990	2,80%
Costa Rica	1993	54,20%	Honduras	1990	18,70%	Nigéria	1990	2,40%
Argentina	1989	53,20%	Quênia	1990	14,70%	Moçambique	1986	0,20%
Brasil	2005	49,90%	Zâmbia	1989	13,80%			

Fonte: Banco Mundial (1994).

No conjunto, o Brasil situava-se no terço superior de países de mais elevada cobertura, mas em patamar bem inferior àquele observado para os países desenvolvidos.

Essa medida de cobertura, por considerar apenas o indivíduo em idade ativa (de 15 anos ou mais), mostra um número muito menor de pessoas que de fato estão protegidas pela Previdência.

Com toda razão, alguém poderia dizer que essa não é uma boa medida da proteção previdenciária porque, quando um chefe de família está coberto pela Previdência, sua família também está (cônjuge e filhos). Assim, outra medida de cobertura, porém, pode ser feita considerando o núcleo familiar. Denominamos essa estatística de cobertura previdenciária ampliada. A Tabela 16.5, com base nos dados da Pnad 2008, apresenta os resultados dessa medida de cobertura previdenciária.

Os dados mostram que, considerando o núcleo familiar, a proteção previdenciária média é de 74,3%, colocando o país no grupo de elevada cobertura.

[1] Banco Mundial (1994).

Tabela 16.5: Incidência de cobertura previdenciária ampliada por grupo etário (Brasil: 2008)

	Menor de 15 anos	De 15 a 59 anos	60 anos ou mais	15 anos ou mais	Total
Sem cobertura	17.288.633	30.291.028	1.323.616	31.614.644	48.903.277
Porcentagem na coluna	36,8%	24,8%	6,3%	22,1%	25,7%
Com cobertura	29.665.552	91.668.498	19.715.468	111.383.966	141.049.518
Porcentagem na coluna	63,2%	75,2%	93,7%	77,9%	74,3%
Total	46.954.185	121.959.526	21.039.084	142.998.610	189.952.795
Frequência na população	26,5%	64,0%	9,5%	73,5%	100,0%

Fonte: Pnad/2008 e Estimativas de População IBGE (revisão 2008) – elaboração dos autores.

Visto de outro ângulo, 25 de cada 100 brasileiros não têm proteção previdenciária. Além disso, como se pode constatar, aproximadamente 37 em cada 100 crianças ou adolescentes vivem sem proteção previdenciária – menor incidência dentre os grupos etários. Observe, por fim, que, dos quase 49 milhões de brasileiros sem proteção previdenciária, 17,2 milhões (35,4%) são crianças ou adolescentes, enquanto apenas 1,3 milhão (2,7% do total) são idosos.

Afinal, quem não é protegido pela Previdência Social?

É sempre possível e aceitável que certos segmentos de uma sociedade, por certo tempo, estejam desprotegidos da Previdência e da Assistência Social. Isso, em princípio, deveria ser residual e não deveria atingir os segmentos que são incapazes de suprir proteção social por seus próprios meios – em especial, as crianças, os adolescentes e as pessoas muito idosas. No Brasil, entretanto, à semelhança do que ocorre com a pobreza, a falta de proteção previdenciária está fortemente concentrada em crianças, adolescentes e jovens, justamente os grupos que menos chances têm de prover, por seus próprios meios, a proteção social. Como se constata na Tabela 16.6, os grupos nos quais a porcentagem de não cobertura é superior à sua participação na população (última coluna) são: indivíduos com até 15 anos, pardos (mas não negros), com escolaridade até o fundamental incompleto, moradores do Nordeste e Norte do país e que vivem em famílias com renda *per capita* de até um salário mínimo. Observe que a dimensão sexo não é relevante. Na população como um todo, os homens representam 48,7% do total e, entre os indivíduos sem cobertura previdenciária, os homens são 48,9%, praticamente a mesma porcentagem. O mesmo vale para as mulheres.

Os números agregados, tal como apresentados na Tabela 16.6, apesar de muito ilustrativos, encobrem, entretanto, muitas particularidades do fenômeno de não cobertura previdenciária. Uma forma conveniente de identificar essas particularidades é verificar a probabilidade de ocorrência de não cobertura

Tabela 16.6: Incidência de cobertura previdenciária ampliada segundo dimensões de análise* (Brasil: 2008)

Dimensões	Sem cobertura	Com cobertura	Cobertura por aposentadoria	Cobertura por pensão	Cobertura por contribuição	Incidência na população
Região do país						
Norte	12,5%	6,5%	5,8%	5,3%	6,8%	8,1%
Nordeste	42,8%	23,1%	34,8%	31,3%	20,2%	28,2%
Sudeste	27,3%	47,1%	39,4%	43,1%	48,9%	42,0%
Sul	9,8%	16,1%	14,8%	15,1%	16,5%	14,5%
Centro-Oeste	7,5%	7,2%	5,1%	5,2%	7,7%	7,3%
Faixa etária						
Menor de 15	35,4%	21,0%	10,1%	17,1%	23,4%	24,7%
15 a 29 anos	26,9%	25,9%	13,5%	18,0%	28,9%	26,2%
30 a 49 anos	27,6%	28,3%	12,3%	19,2%	32,1%	28,2%
50 a 59 anos	7,4%	10,7%	14,8%	13,0%	9,8%	9,9%
60 a 69 anos	2,0%	7,6%	25,4%	14,1%	3,7%	6,1%
70 anos ou mais	0,7%	6,4%	23,9%	18,8%	2,1%	4,9%
Sexo						
Homem	48,9%	48,6%	49,7%	36,2%	49,5%	48,7%
Mulher	51,1%	51,4%	50,3%	63,8%	50,5%	51,3%
Cor/Raça						
Branca	36,8%	52,5%	50,0%	48,7%	53,3%	48,4%
Parda	55,5%	39,7%	42,0%	42,9%	39,0%	43,8%
Preta	6,8%	6,8%	6,8%	7,4%	6,8%	6,8%
Outros	0,8%	0,9%	1,1%	0,9%	0,8%	0,9%
Sem declaração	0,1%	0,1%	0,1%	0,0%	0,0%	0,1%
Nível de instrução mais elevado						
Sem instrução	29,3%	18,4%	27,7%	25,9%	16,0%	21,2%
Fundamental incompleto	45,1%	34,9%	43,7%	45,0%	32,4%	37,6%
Fundamental completo	7,6%	8,5%	6,9%	7,5%	8,9%	8,3%
Médio incompleto	5,6%	6,2%	3,6%	4,4%	6,8%	6,0%
Médio completo	9,6%	20,1%	11,0%	11,3%	22,5%	17,4%
Superior incompleto	1,2%	4,0%	1,7%	1,7%	4,6%	3,2%
Superior completo	1,4%	7,7%	5,3%	3,7%	8,5%	6,1%
Renda familiar *per capita*						
Sem rendimento	3,5%	0,0%	0,0%	0,0%	0,0%	0,9%
Até ½ SM	60,1%	17,8%	22,4%	22,1%	16,6%	10,9%
De ½ a 1 SM	20,5%	30,0%	34,5%	33,1%	28,9%	18,6%
De 1 a 2 SM	8,9%	27,5%	22,2%	23,8%	28,8%	27,6%
De 2 a 3 SM	2,2%	9,2%	7,2%	8,0%	9,7%	22,7%
De 3 a 5 SM	1,5%	6,7%	5,2%	5,0%	7,1%	7,4%
Mais de 5 SM	0,8%	5,2%	5,0%	4,6%	5,3%	5,3%
Totais	48.903.277	141.049.518	20.221.687	9.842.814	110.985.017	189.952.795

* Para as dimensões nível de instrução e renda familiar *per capita*, a soma não totaliza 100% devido à não declaração dos respondentes da Pnad.

Fonte: Pnad/2008 do IBGE. Elaboração dos autores.

para cada uma das dimensões apresentadas, bem como sua importância relativa. A Tabela 16.7 apresenta esses resultados.

Como se observa na Tabela 16.7, a maior probabilidade de ocorrência de não cobertura (55,4%) ocorre entre indivíduos que vivem em famílias com renda *per capita* de até ½ salário mínimo mensal. Isso significa que, tomando aleatoriamente 100 indivíduos com essa faixa de renda familiar *per capita*, 55 não terão cobertura previdenciária. A segunda maior chance ocorre com indivíduos da região Norte do país. De cada 100 indivíduos que lá vivem, 40 não têm cobertura previdenciária. Em seguida, estão os indivíduos com até 15 anos de idade: de cada 100, 37% estão sem cobertura previdenciária.

Tabela 16.7: Probabilidade observada de não cobertura previdenciária segundo grupos de renda familiar *per capita*, faixa etária, região de moradia, escolaridade e cor* (Brasil: 2008)

Dimensões	Probabilidade de não cobertura	Quantidade de indivíduos não cobertos	População	Desvio-padrão
Renda familiar per capita				
Até ½ SM	55,4	31.083.211	56.155.937	
De ½ a 1 SM	19,2	10.036.200	52.308.451	**24,45**
Mais de 1 SM	8,7	6.513.169	75.055.514	
Faixa etária				
Menor de 15 anos	36,8	17.288.633	46.954.185	
15 a 29 anos	26,6	13.176.595	49.771.124	**12,67**
30 a 59 anos	23,9	17.114.433	72.188.402	
60 anos ou mais	6,4	1.323.616	21.039.084	
Região do país				
Norte	40,0	6.123.889	15.326.541	
Nordeste	39,2	20.952.636	53.493.060	
Sudeste	16,7	13.350.471	79.799.766	**11,24**
Sul	17,4	4.787.019	27.556.230	
Centro-Oeste	26,8	3.689.262	13.777.198	
Escolaridade				
Sem instrução	35,6	14.315.933	40.231.882	
Fundamental incompleto	30,9	22.074.003	71.347.797	
Fundamental completo	23,7	3.718.282	15.679.433	
Médio incompleto	23,8	2.714.156	11.406.490	**11,11**
Médio completo	14,2	4.694.273	33.001.036	
Superior incompleto	9,2	567.324	6.165.763	
Superior completo	5,8	668.544	11.535.953	
Cor				
Parda	32,6	27.135.778	83.196.022	
Preta/indígena	26,1	3.527.048	13.522.967	**6,60**
Branca/amarela	19,5	18.183.723	93.103.442	

* Algumas das dimensões não totalizam 48,903 milhões de indivíduos. Isso se deve à não declaração, como são os casos de renda, escolaridade e cor. A maior diferença ocorre na dimensão renda, já que 1,3 milhão dos indivíduos não declararam rendimento. A não declaração nas outras duas dimensões é residual (151 mil em instrução e 57 mil em cor).
Fonte: Pnad/2008 – elaboração dos autores.

A última coluna da tabela apresenta o desvio-padrão da probabilidade de não cobertura. Essa estatística nos fornece uma ideia do grau de desigualdade dentro de cada dimensão. Quanto maior for, maior será a desigualdade entre as categorias da dimensão. A renda familiar *per capita* apresenta o maior desvio-padrão, indicando que essa dimensão (renda familiar *per capita*) é muito importante para explicar diferenças de probabilidade de não cobertura. Observe que a cor, por exemplo, tem o menor desvio-padrão, indicando que essa dimensão é pouco relevante para explicar a diferença de não cobertura entre os indivíduos. Os resultados indicam que diferenças de renda familiar *per capita* seguidas pelas diferenças de idade são os dois principais fatores a explicar as diferenças de não cobertura previdenciária.[2]

O mito da Constituição

Uma das ideias mais propaladas em nossa sociedade é a de que a "Constituição cidadã", entre suas diversas virtudes, propiciou a incorporação ao sistema de previdência de muitos segmentos sociais. Na realidade, parte da expansão da cobertura através da concessão de benefícios deve-se à transição demográfica – como mostrado no Capítulo 9. Mesmo sem a Constituição de 1988, a expansão da concessão de benefícios ocorreria porque a população brasileira está envelhecendo.

Utilizando dados de Pnads de 1984 (anterior à Constituição) e de 2008, calculamos a cobertura previdenciária utilizando ambos os conceitos anteriormente discutidos: a cobertura simples ou direta e a cobertura ampliada, utilizando dados da composição familiar.

Os resultados da Tabela 16.8 mostram que não há oscilação expressiva na cobertura previdenciária ampliada. Em 1984, a cobertura ampliada era 69,7% e, em 2008, 74,3%. Isso se deve a dois principais fatores:

1. no caso dos idosos, há aumento de cinco pontos percentuais na cobertura devido à forte ampliação da concessão de benefícios, especialmente a concessão de pensões (mas também de aposentadoria). Para a cobertura devida à contribuição, há redução de dois pontos percentuais;
2. para os grupos etários de jovens e adultos, há ampliação da cobertura por contribuição (no grupo de 15 a 29 anos, passa de 28,9% para 32% e, no grupo de 30 a 59 anos, passa de 36,4% para 41,7%), com pequena queda na cobertura por recebimento de benefícios.

---

[2] Essa dimensão somente é importante porque o grupo idoso tem incidência de cobertura previdenciária muito baixa e muito inferior à dos demais grupos etários. Se assim não fosse, o desvio-padrão da idade seria tão baixo (6,81) quanto o de cor, o que torna essa dimensão tão pouco importante quanto a cor para explicar as diferenças de não cobertura.

Tabela 16.8: Cobertura previdenciária simples e ampliada segundo grupos etários (Brasil: 1984 e 2008)

Cobertura Previdenciária simples e ampliada por faixa etária (1984)					
	0 a 14 anos	**15 a 29 anos**	**30 a 59 anos**	**60 anos ou mais**	**Total**
Cobertura simples	0,2%	28,5%	45,0%	68,8%	25,5%
Por contribuição	0,2%	28,0%	36,4%	6,3%	18,7%
Por aposentadoria	0,0%	0,1%	5,8%	53,0%	5,3%
Por pensão	0,0%	0,3%	2,9%	9,5%	1,6%
Sem cobertura (direta)	99,8%	71,5%	55,0%	31,2%	74,5%
Cobertura ampliada	62,1%	71,6%	73,2%	88,7%	69,7%
Sem cobertura (ampliada)	37,9%	28,4%	26,8%	11,3%	30,3%
Total	**47.124.247**	**36.238.437**	**36.201.646**	**8.699.271**	**128.263.601**
Cobertura Previdenciária simples e ampliada por faixa etária (2008)					
	0 a 14 anos	**15 a 29 anos**	**30 a 59 anos**	**60 a 69 anos**	**Total**
Cobertura simples	0,1%	32,5%	50,4%	81,8%	36,8%
Por contribuição	0,0%	32,0%	41,7%	4,7%	24,8%
Por aposentadoria	0,0%	0,1%	5,4%	58,3%	8,5%
Por pensão	0,1%	0,4%	3,2%	18,9%	3,5%
Sem cobertura (direta)	99,9%	67,5%	49,6%	18,2%	63,2%
Cobertura ampliada	63,2%	73,5%	76,3%	93,7%	74,3%
Sem cobertura (ampliada)	36,8%	26,5%	23,7%	6,3%	25,7%
Total	**46.954.185**	**49.771.124**	**72.188.402**	**21.039.084**	**189.952.795**

Fonte: Pnad 1984 e 2008. Elaboração dos autores.

O que se destaca, entretanto, é a "inaceitável estabilidade" de não cobertura previdenciária de crianças: há 22 anos – antes mesmo da "Constituição cidadã" – 38% de nossas crianças eram desprotegidas do sistema. Transcorrido esse tempo, 37% delas ainda continuam sem proteção da sociedade.

Como elas dependem de seus pais para obter cobertura e como eles somente obtêm cobertura através do mercado de trabalho, torna-se imperioso ajustar regras de adesão ao sistema, de modo a incorporar ao sistema trabalhadores jovens que habitam o mundo informal. É certo que programas de transferência de renda, como o Bolsa-Família, por exemplo, amenizam as dificuldades de crianças e famílias pobres, assim como o crescimento econômico tende a elevar, na margem, a formalização das relações de trabalho. Entretanto, apostar apenas no crescimento econômico para resolver nossos problemas de formalização, além de arriscado, demandará tempo demasiadamente longo. É necessário que continuemos a aprimorar regras de adesão ao sistema – da mesma forma como feito para certas categorias de autônomos –, de modo a incorporar os segmentos mais desprotegidos de nossa sociedade, em especial as crianças.

Capítulo 17

A agenda previdenciária novamente – ou finalmente?

"No Brasil, sendo só cartesiano não se vai longe."

Fernando Henrique Cardoso

O tema da possibilidade de uma reforma das regras de aposentadoria pelo INSS está presente no Brasil desde o fracasso da proposta de fazer uma reforma mais incisiva, ainda no primeiro governo de Fernando Henrique Cardoso (FHC). O Brasil desperdiçou uma chance ímpar de avançar nesse caminho nos oito anos do governo Lula porque, como lembrado pelo próprio FHC, os elementos ligados à emoção – em contraste com aqueles relacionados à racionalidade – estão muito presentes em alguns traços da política brasileira e na história contemporânea do país. Nesse sentido, com seu inegável carisma e seu talento de comunicador, ninguém melhor do que o presidente Lula para conseguir espaço político para aprovar certas medidas que, em outros casos, correriam o risco de ser vistas com receio por parte da população. Como disse alguma vez o aforista suíço Charles Tschopp, "não são seus argumentos que convencem. É você quem convence". Mais do que pelos argumentos, seria pela dimensão da sua figura e pela sua trajetória que Lula poderia ter tentado conseguir a aprovação de medidas como a idade mínima para a aposentadoria ou a redução da diferença entre as condições exigidas de homens e mulheres para se aposentar. O presidente Lula, porém, optou por não se envolver, depois da postura ativa que desempenhou na reforma de 2003. Como era de se esperar, quando ele se engajou na proposta de reforma previdenciária – ainda que parcial e restrita aos servidores –, ela foi aprovada, no começo do seu governo, e, quando não se engajou e preferiu ser um observador a distância, nos debates travados no Fórum da Previdência Social, em 2007, no começo do seu segundo governo, simplesmente não se conseguiu aprovar nada. Em 2011, se a ideia for aprovar alguma reforma, a liderança do Executivo será fundamental para que as propostas tenham chance de ser aprovadas pelo Congresso.

Os três grupos etários da população

Para melhor compreender o que se poderia denominar "economia política da reforma previdenciária", é útil dividir a sociedade em três grupos. No primeiro estão os idosos. Embora estes sejam em geral vistos como o principal fator de resistência a uma reforma, na prática, pelo menos no caso brasileiro, os benefícios por eles recebidos não estão em questão. Em outras palavras, não há ninguém, na política brasileira, que se manifeste contra os direitos adquiridos desse grupo populacional. O único ponto que está em discussão, no caso específico daqueles aposentados e pensionistas que ganham um salário mínimo, é a existência ou não de espaço fiscal para aumentos adicionais dos seus rendimentos na próxima década. Concluir, porém, se for o caso, que o grupo específico de idosos que recebem aposentadorias correspondentes ao piso previdenciário não poderá continuar a ter todos os anos, depois de 2011, aumentos como os recebidos ao longo dos últimos 15 anos é algo completamente diferente de sofrer uma perda de rendimentos. Ou seja, os aposentados não serão afetados pela possível mudança das regras de aposentadoria e, portanto, não deveria haver motivos para que se oponham a elas.

No segundo grupo, no caso oposto, o dos mais jovens que ainda não começaram a contribuir para a aposentadoria, também não deveria haver resistências à reforma. Não porque o grupo não venha a ser afetado pela mudança das regras – pelo contrário, seria com grande intensidade –, mas porque, em primeiro lugar, em muitos casos não são um fator de pressão política – nele se incluem, por exemplo, as crianças, que só vão se aposentar na segunda metade do século e que não contam politicamente nas decisões tomadas no presente – e, em segundo lugar, no caso daqueles que já contam com alguma consciência cívica, são muito menos suscetíveis às bandeiras associadas à população de meia-idade. Aposentadoria aos 50 ou 52 anos ou regras diferenciadas no sentido de que as mulheres se aposentem cinco anos antes que os homens são completamente estranhas ao universo da juventude de 15 ou 20 anos, para a qual a igualdade entre os sexos é vista como algo totalmente natural, e a última coisa que passa pela sua cabeça é se aposentar algum dia.

É no terceiro grupo, o das pessoas que já estão no mercado de trabalho e não estão aposentadas, que se encontra o nó político a ser desatado para que uma mudança das regras de aposentadoria tenha chances de vir a ser aprovada um dia. É nesse grupo, para o qual a aposentadoria não é uma abstração – como é para um jovem que ainda não começou a trabalhar – mas que ainda está distante, em maior ou menor grau, que se concentram na prática as resistências principais à mudança. As propostas a serem desenvolvidas neste capítulo visam especificamente a esse segmento.

Premissas da ação política do próximo governo

Qualquer que seja o resultado das eleições presidenciais de outubro de 2010, quem assumir o governo a partir de janeiro de 2011 terá de considerar a existência do seguinte quadro:

i. fragmentação partidária. Muito provavelmente, a composição aritmética do próximo Congresso será muito parecida com a do atual. Ou seja, mesmo que haja alguma mudança, com o fortalecimento de alguns partidos e o enfraquecimento de outros, o presidente da República terá de encarar um contexto no qual a) seu partido terá não mais do que 20-25% dos parlamentares; b) a composição da Câmara seja diferente da do Senado, significando que uma coalizão partidária para montar a maioria em uma casa legislativa pode ser insuficiente para ter também maioria na outra; e c) coalizões para atingir *quorum* para reformas constitucionais, especialmente levando em conta algum grau de polarização, implicarão a necessidade de juntar pelo menos quatro ou cinco diferentes partidos;
ii. complexidade da aprovação de propostas de emenda constitucional (PECs). As regras para uma mudança da Constituição serão, tudo indica, iguais às atuais, ou seja, com necessidade de aprovação por meio da passagem prévia em comissões e, no plenário, de duas votações em cada uma das duas casas do Congresso, com apoio mínimo de 60% dos congressistas e requerimento de aprovação particular dos pontos em destaque. Isso significa um trâmite legislativo da ordem de pelo menos um ano;
iii. risco de formação de "coalizões bloqueadoras". Trata-se de um fenômeno muito conhecido na literatura de ciência política sobre o funcionamento do Parlamento, em que grupos sem peso isoladamente para impedir a aprovação de alguma medida se unem a outros grupos com o fim de bloquear avanços que sejam vistos como prejudiciais a um grupo ou outro.

Este último ponto merece uma descrição um pouco mais detalhada. Digamos que um grupo social A, representado no Congresso por um conjunto de deputados, tenha interesse em evitar que o governo aprove um projeto que vamos aqui denominar 1, ao mesmo tempo em que outro grupo social B tente impedir que o governo aprove um projeto, digamos, 2. Se tanto A como B forem minoritários em termos de representação e se A for indiferente ao projeto 2, mas se mobilizar intensamente contra a aprovação do projeto 1, enquanto B for indiferente a 1, mas se opuser com grande veemência a 2, ambos os grupos, A e B, poderão unir suas forças no Congresso para evitar a aprovação dos dois projetos, podendo colocar o governo em apuros.

No caso específico da Previdência, há dois grupos específicos que poderiam ter grande capacidade de mobilização, mesmo individualmente considerados, e que, se unidos, representariam um obstáculo poderoso à aprovação de qualquer reforma. Referimo-nos aos grupos de pressão representados pelos professores e pelos trabalhadores do meio rural. Ambas as categorias se beneficiam de aspectos específicos da legislação, que diminuem o tempo contributivo em relação aos demais trabalhadores. Contudo, a força que a união dos dois pode vir a ter como uma sólida "coalizão bloqueadora", capaz de, no limite, inviabilizar a própria reforma previdenciária, recomenda que se evite entrar em atrito com ambos ao mesmo tempo.

Da combinação entre esses diversos elementos de análise, depreende-se que, independentemente de quais forem as razões técnicas que justifiquem uma reforma eventualmente mais ousada, os *constraints* de natureza política vão continuar a limitar a ação das futuras autoridades, assim como inibiram passos mais largos nas reformas empreendidas nas gestões de Fernando Henrique Cardoso e de Lula.

Critérios para uma reforma previdenciária

Para que uma proposta de reforma previdenciária tenha chance de êxito, levando em conta os elementos que foram citados anteriormente, sugere-se que o governo que assumir essa bandeira como própria contemple os seguintes critérios:

i. **Tratamento desigual a casos desiguais**. Quem tem direitos adquiridos deve tê-los respeitados integralmente e quem já começou a trabalhar deve ter considerada, de certa forma, a "expectativa de direitos" que começou a formar. Entretanto, não é razoável julgar que uma pessoa de 55 anos que, ao ser aprovada a mudança de regras de aposentadoria, esteja a um dia de se aposentar, se sujeite à mesma regra que outra de 20 anos que começou a trabalhar no dia anterior. Assim, situações diferenciadas devem ser tratadas de forma diferenciada;
ii. **Carência**. Ainda que, pelas razões levantadas ao longo deste livro e pela proposta de reforma apresentada neste capítulo, implementar as regras tão logo aprovadas fosse algo justificável, por razões de sabedoria política e também por uma questão de justiça, faz sentido deixar de fora da reforma aqueles que estiverem na iminência de se aposentar. Mudar as regras de aposentadoria para quem tem 20 ou 25 anos não envolve transtorno em sua vida, mas fazer isso com quem está a poucos meses da aposentadoria pode prejudicar seriamente quem se preparou há anos para uma nova vida. Estabelecer um número de anos que faltariam para a aposentadoria e abaixo do qual não haveria mudanças envolve algum grau inevitável de arbitrariedade, mas entendemos que três anos pode ser um número razoável. Isso significaria consagrar o seguinte critério: uma mudança aprovada no ano t só começaria a vigorar no ano $(t + 3)$, sem

afetar, portanto, as pessoas que adquirissem a condição para se aposentar nos três anos seguintes;

iii. **Gradualismo**. Quando se pensa em questões previdenciárias, está se tratando de assuntos que envolvem gerações. Em outras palavras, nada que seja feito nesse âmbito mudará drasticamente as contas fiscais entre um ano e outro. Portanto, não há necessidade de que as modificações da legislação – ou, no caso brasileiro, da Constituição – sejam súbitas. Pode-se pensar perfeitamente não apenas em definir um prazo de carência para o início da vigência das mudanças, como salientado antes, mas também em estabelecer que as alterações aprovadas incidam suavemente ao longo do tempo, completando a transição no final de um processo que deverá ser bastante longo – e "longo" deve ser medido em alguns casos, não em dois anos, mas em duas décadas;

iv. **Paralelismo com o mundo**. No dia em que o tema de uma reforma previdenciária entrar na agenda nacional, as autoridades deverão ser capazes de mostrar como as adaptações legais que estiverem sendo propostas nada mais são do que a versão nacional de transformações que também estão ocorrendo no mundo, em que fenômenos como a maior longevidade da população, o aumento do requisito de idade para a aposentadoria ou a redução da diferença entre as idades de aposentadoria de homens e mulheres são tendências que já se vêm manifestando há bastante tempo;

v. **Adoção de regras mais duras para os novos entrantes**. Assim como é ponto pacífico que os aposentados devem ter respeitados os direitos adquiridos e é natural que haja uma consideração especial com aqueles para quem falta pouco tempo para se aposentar, a princípio deveria haver plena compreensão da sociedade em relação ao de que seria inteiramente justo adotar regras mais rígidas para aqueles que ainda não ingressaram no mercado de trabalho e que, portanto, estão sujeitos a se aposentar daqui a várias décadas, quando a expectativa de sobrevida for completamente diferente da atual. Nada mais natural, consequentemente, que essas pessoas tenham regras mais duras que as que forem enfrentadas por aqueles que já estão na ativa atualmente.

Quatro regimes transitórios rumo a um definitivo

Esse conjunto de argumentos nos leva a defender a existência de quatro regimes. No primeiro regime, encontram-se os aposentados atuais, para os quais simplesmente as regras não devem mudar: eles continuarão a receber a aposentadoria como é hoje, sem qualquer mudança.

No segundo regime, encontram-se aqueles que já estão no mercado de trabalho e a menos de três anos da aposentadoria. Para esses, entre a data da aprovação das mudanças e três anos depois, nada muda. Aposentam-se pelas regras e critérios atuais.

No terceiro grupo, encontram-se aqueles que estão no mercado de trabalho, mas não podem preencher os requisitos de aposentadoria dentro de três anos a partir da aprovação das mudanças. Para eles, deve haver uma adaptação gradual a regras mais restritivas de aposentadoria, indo desde os casos em que, na prática, face à proximidade com a perspectiva de sua obtenção, praticamente não haveria mudança – caso daqueles que, apesar de não poderem se aposentar dentro das regras atuais, por estarem a mais de três anos da aposentadoria, estão relativamente próximos dela – até, no caso dos mais jovens, a situação em que a aposentadoria estaria tão distante que as regras seriam quase tão rígidas como as que vierem a ser aplicadas àqueles que ainda devem ingressar no mercado de trabalho. É pouco razoável ser *a priori* contrário a uma abordagem desse tipo. O segredo do êxito e da aceitação de uma transição repousa no esquema que vier a ser definido de adaptação gradual às novas regras. Quanto mais intensa for a mudança, maior deverá ser a resistência por parte daqueles que se sentirem mais afetados pela medida.

Finalmente, no quarto regime encontram-se os que ainda não ingressaram no mercado de trabalho e para os quais as regras, necessariamente, em função das mudanças demográficas pelas quais se espera que o Brasil passe nas próximas décadas, deverão ser bastante mais severas comparadas com as atuais, no que se refere às condições de elegibilidade para a aposentadoria.

O "andar de cima" e o "andar de baixo"

O jornalista Élio Gaspari, com grande sagacidade jornalística, cunhou as expressões "andar de cima" e "andar de baixo" para se referir às regras díspares definidas pela divisão da sociedade brasileira entre "ricos" e "pobres", com destaque para as diferenças que se observam entre a chance de punição dos crimes cometidos ou de acesso a recursos pelo "andar de cima" e pelo "andar de baixo". No caso do sistema previdenciário e assistencial brasileiro, a analogia é mais ambígua porque o sistema protege os mais ricos – com a concessão de aposentadorias precoces justamente para aqueles que têm maior proteção no mercado de trabalho –, mas também protege os mais pobres – basta pensar nos benefícios assistenciais da LOAS. Além disso, muitas famílias de classe média se beneficiam do aumento das aposentadorias indexadas ao salário mínimo, quando há outras fontes de renda no grupo familiar. De qualquer forma, a figura de Élio Gaspari é útil, sociologicamente, para entender um aspecto importante da reforma previdenciária.

Qualquer estratégia para a tramitação legislativa de uma reforma terá de ser desdobrada em duas questões: o tratamento a ser dado ao salário mínimo como indexador da Previdência Social; as regras de aposentadoria. O primeiro ponto é associado politicamente às classes mais desfavorecidas e envolve não uma perda, mas o fim da repetição sistemática dos aumentos reais observados nos últimos 15 anos. Já o segundo ponto está relacionado à classe média – à qual pertencem aqueles que, tipicamente, se aposentam por tempo de contribuição – e implica necessariamente algum grau de perda, na forma de adoção de regras mais restritivas de elegibilidade para a aposentadoria.

A regra para o salário mínimo

É preciso começar a discutir seriamente a conveniência de, sem implicar nenhuma perda em relação aos valores reais atuais, definir, em algum momento futuro, uma hierarquia por meio da qual o piso assistencial seja inferior ao piso previdenciário e este, por sua vez, seja desindexado do salário mínimo. Como, porém, isso implica mudar a Constituição, dificilmente haverá condições políticas para promover essas mudanças em bloco. É necessário, portanto, "fatiar" o problema. Partindo do pressuposto de que haja espaço, ainda nesta década, para que o piso assistencial deixe de aumentar em termos reais, sugere-se que o próximo governo envie ao Congresso uma proposta de alteração constitucional que modifique o artigo 203 da Constituição, no capítulo da assistência social. Isso poderia ser feito sem prejuízo da vinculação entre o piso previdenciário e o salário mínimo, que seria mantida.

Especificamente, propõe-se que a redação do referido artigo, que estabelece que a assistência social tem por objetivo "a garantia de um salário mínimo de benefício mensal à pessoa portadora de deficiência e ao idoso que comprovem não possuir meios de prover a própria manutenção ou de tê-la provida por sua família, conforme dispuser a lei" seja substituída por: "a garantia de uma remuneração mensal de R$X", mantido o restante do item, sendo X o valor do salário mínimo vigente à época da mudança e estabelecendo que esse valor será reajustado nos termos da lei.

Paralelamente, deveria ser negociado que, imediatamente após a alteração constitucional, fosse aprovada a indexação anual da variável pelo INPC, de modo a não haver dúvidas quanto à preservação do valor real do piso assistencial. Esse mesmo dispositivo constitucional seria utilizado para transformar todas as aposentadorias rurais correspondentes a um piso previdenciário em benefícios assistenciais classificados como rendas mensais vitalícias (RMV), que passariam a ser pagas daí em diante pelo Tesouro, assim como ocorre atualmente com os benefícios urbanos da Lei Orgânica da Assistência Social (LOAS).

A grande vantagem desse mecanismo é que os aumentos do piso previdenciário (que continuaria vinculado ao salário mínimo) deixariam daí em diante de pressionar as despesas da LOAS e da maioria dos benefícios rurais. Ao mesmo tempo, o valor real do piso assistencial seria preservado, não cabendo qualquer acusação de "arrocho". Com a continuidade do aumento real do salário mínimo e do piso previdenciário, passaria a haver um diferencial em favor do piso previdenciário comparativamente ao piso assistencial, diferencial que deveria ser reforçado por uma mudança da legislação – visto não ser essa matéria constitucional –, elevando progressivamente a idade do recebimento do benefício da LOAS, de 65 anos atualmente, para 70 anos, como era originalmente, no final de um período de transição de 15 anos, mudando o valor da idade exigida em um ano a cada três anos, até completar a transição. No final do processo, o beneficiário do piso assistencial receberia um valor inferior ao piso e a uma idade superior à de quem recebe uma aposentadoria pelo piso previdenciário.

No que se refere ao salário mínimo, preliminarmente é necessário destacar os seguintes pontos:

- ele teve expressiva alta real entre o início da estabilização e o ano em curso, equivalente a 122%, o que significa que mais do que dobrou seu valor real;
- a Medida Provisória nº 474, de 23 de dezembro de 2009, que "dispõe sobre o salário mínimo a partir de 1º de janeiro de 2010 e estabelece diretrizes para a política de valorização do salário mínimo entre 2011 e 2023", fixou, em seu artigo 1º, item II, o critério de correção do salário mínimo para 2011 (INPC mais variação do PIB de 2009, se positiva) e, determinou, no item VII que "até 31 de março de 2011, o Poder Executivo encaminhará ao Congresso Nacional projeto de lei dispondo sobre a política de valorização do salário mínimo para o período de 2012 a 2023, inclusive".

Em função disso, e visando estabelecer uma política consistente de elevação do salário mínimo; eliminar uma indesejável diferença de reajustamento entre os benefícios previdenciários indexados ao mínimo e os demais benefícios; atenuar a velocidade de ganhos reais do salário mínimo – com ônus para as contas do INSS; e postergar uma desgastante e politicamente inviável discussão acerca da desvinculação do piso previdenciário do salário mínimo, é possível e recomendável que a legislação a ser encaminhada ao Congresso obedeça ao princípio de que o salário mínimo terá seu valor real elevado em 1% ao ano a partir de 2012 até 2022.

A discussão desse tópico deveria ficar para a década de 2020, quando as regras de reajustamento dos benefícios previdenciários estiverem consolidadas e aceitas pela sociedade, e o valor real do salário for maior do que o atual.

Essa estratégia permitirá que, em 2022, o salário mínimo seja, em termos reais, 11,6% superior ao que é hoje e, ao mesmo tempo, que o teto seja praticamente igual a seis vezes o piso previdenciário. Não existe regra que determine quantas vezes o valor do teto de um sistema previdenciário deva ser maior do que o piso, mas partimos do princípio de que um "alvo", para 2023, de seis para um é algo palatável, tanto do ponto de vista econômico quanto político. A sociedade brasileira repudia a desigualdade excessiva ainda existente em nosso país, mas compreende que existem razões para que uns ganhem mais do que outros.

Nessas condições, abre-se espaço potencial para que o governo da época possa propor a desvinculação, na Constituição, entre o piso previdenciário e o salário mínimo, garantindo, a partir de 2023, através de projeto de Lei, que o reajustamento de todos os benefícios previdenciários seja feito tendo como indexador um índice de preços.

Dados os valores atuais do teto previdenciário e do salário mínimo, e supondo que o valor real deste, em 2011, seja igual ao atual, a relação entre o teto e o piso do INSS seguiria a trajetória estabelecida na Tabela 17.1.

Assim, o piso previdenciário, que na reforma de 2003 correspondia a 1/10 do teto, seria no final do processo, em 2023, de 1/6 do teto, com um aumento real acumulado de 11,8% em relação ao seu valor em 2010, compondo um aumento real de 1% ao ano durante 11 anos, entre em 2012 e 2022 (inclusive), e um pequeno aumento adicional, em 2023.

Novos entrantes: "Previdência para todos"

No bojo de mudanças do sistema, o novo governo poderia enviar uma Proposta de Emenda Constitucional (PEC) em 2011, definindo um conjunto de regras muito mais rígidas que as atuais para a aposentadoria de quem viesse a ingressar no mercado de trabalho a partir da data de sanção – em caso de aprovação – da Emenda Constitucional. Esse sistema seria denominado "Previdência para todos" e englobaria todas as categorias: urbanos e rurais, professores e não professores, civis e militares, e servidores públicos dos três níveis de governo e INSS. Basicamente, considerando as perspectivas demográficas vigentes para o Brasil na década de 2050, época a partir da qual essas futuras gerações iriam se aposentar, as novas regras implicariam, resumidamente:

- aumento da idade de aposentadoria para quem se aposenta por idade (no caso dos homens, passaria de 65 anos para 67 anos), acompanhado de

Tabela 17.1: Proposta para a evolução da relação Teto/Piso previdenciário

Ano	Relação Teto/Piso	Ano	Relação Teto/Piso
2009	6,92	2016	6,37
2010	6,70	2017	6,31
2011	6,70	2018	6,25
2012	6,63	2019	6,19
2013	6,57	2020	6,13
2014	6,50	2021	6,07
2015	6,44	2022	6,01

Fonte: Elaboração dos autores.

uma exigência de, no mínimo, 30 anos de contribuição para homens e mulheres que se aposentarem nessa categoria;

- redução da diferença entre os requisitos de aposentadoria de homens e mulheres, dos atuais cinco anos para apenas um ano;
- aumento da exigência contributiva para quem se aposenta por tempo de contribuição (no caso dos homens, passaria de 35 para 40 anos), acompanhada de uma exigência de elevada idade mínima, de 65 anos para os homens e 64 anos para as mulheres.

As novas regras estão expostas em mais detalhes na Tabela 17.2. Seriam conservadas as figuras diferenciadas da aposentadoria por idade e por tempo de contribuição, mas com condicionalidades cruzadas. Em outras palavras, quem se aposentasse por idade teria de ter, no mínimo, certo período contributivo (como é hoje, mas muito maior). Já quem se aposentasse por tempo de contribuição, teria de estar sujeito a uma idade mínima – o que atualmente vale para os servidores, mas não para o regime geral do INSS.

Tabela 17.2: Propostas para o sistema "Previdência para Todos": novos entrantes (anos)*

	Aposentadoria por idade		Aposentadoria por tempo de contribuição	
Gênero	Idade mínima	Tempo de contribuição	Idade mínima	Tempo de contribuição
Homens	67	30	65	40
Mulheres	66	30	64	39

* Pela regra vigente em 2011 para o INSS, a aposentadoria por idade se dá aos 65 anos para os homens e 60 para as mulheres, com 15 anos de contribuição mínima. Já a aposentadoria por tempo de contribuição é concedida após 35 anos de contribuição para os homens e 30 anos para as mulheres, sem exigência de idade mínima.
Fonte: Elaboração dos autores.

Resta agora ver como se daria a transição para a geração que já está no mercado de trabalho. É o que veremos a seguir.

Pessoal ativo: "Previdência em transição"

Para aqueles que estivessem no mercado na data de aprovação da EC, haveria duas regras básicas de transição, sendo uma para aposentadoria por idade e outra para aposentadoria por tempo de contribuição.

Em relação à aposentadoria por idade, atualmente ela pode ser concedida aos indivíduos aos 65 anos se homem e 60 anos se mulher, desde que tenham pelo menos 15 anos de contribuição.[1] A ideia é preservar o aumento do tempo de

[1] A rigor, são exigidas 174 contribuições, equivalentes a 14,5 anos. E esse período, pela legislação atual (Lei nº 8.213, de 1991), é acrescido em seis meses a cada ano até 2011, quando serão exigidas 180 contribuições.

contribuição à mesma razão que vem crescendo atualmente (seis meses por ano) e fazer ajustes em 2015, 2020, 2025 e 2030 na idade mínima. Assim, em 2015, esse tempo mínimo de contribuição seria de 17 anos, com a mesma idade atual para homens e o aumento de apenas um ano para mulheres. Em 2020, as idades mínimas passariam para 66 anos para os homens e 62 para as mulheres. Em 2025, a idade da mulher seria elevada para 63 anos e, em 2030, se completaria o ajuste. Ao final da transição, em 2030, o tempo mínimo de contribuição seria de 25 anos, e as idades mínimas seriam 66 anos para homens e 64 anos para mulheres, tal como indicado na Tabela 17.3. A partir de então, condicionalidades permaneceriam constantes para todos os que já tivessem ingressado no mercado de trabalho até a data de aprovação da Emenda Constitucional.

Tabela 17.3: Propostas para o sistema "Previdência em Transição": pessoal ativo – Aposentadoria por idade (anos)

	Idade	
Ano	**Homem**	**Mulher**
2011	65	60
2015	65	61
2020	66	62
2025	66	63
2030	66	64

Fonte: Elaboração dos autores.

Para a aposentadoria por tempo de contribuição, a regra de transição contaria com um prazo de carência de três anos a partir da data de sanção da EC. Assim, o indivíduo que, dentro desse prazo de carência, tivesse preenchido os requisitos para aposentadoria na regra antiga, teria o direito de fazê-lo, segundo as condições dessa regra. Para os demais, seria aplicada a nova regra de transição, porém com duas importantes diferenças em relação à regra atual: não haveria idade mínima de aposentadoria; e seria aplicado um fator de desconto para o tempo de contribuição (40 anos para homens e 39 anos para mulheres) proporcional ao seu tempo de contribuição.

O princípio norteador da regra de transição é o da proporcionalidade. Trabalhadores que contribuíram mais tempo teriam um pequeno adicional; trabalhadores que contribuíram por pouco tempo teriam um adicional maior, pois teriam cumprido apenas uma pequena fração do tempo de contribuição da regra atual.[2]

[2] A lógica da proposta para o tempo de contribuição na regra de transição pode ser sintetizada como uma mudança de escala. Para aqueles que estiverem sujeitos às regras de transição, o tempo de contribuição passaria de 35 para 40 anos para homens e de 30 para 39 anos para mulheres, e a diferença entre sexos cairia dos atuais cinco para apenas um ano. No primeiro caso, significa multiplicar o tempo de contribuição por 1,1429 e, no segundo, multiplicar por 1,30. Esses fatores seriam igualmente aplicados ao tempo de contribuição já realizado pelo contribuinte, e a diferença em relação ao novo tempo requerido (40 anos para homens e 39 para mulheres) seria o quanto o trabalhador teria de contribuir a partir de então.

Suponha, por exemplo, um indivíduo que em 2010 tenha 45 anos de idade e 25 anos de contribuição, pois começou a trabalhar aos 20 anos de idade. Ele não poderia se aposentar em 2015, dentro do prazo de carência, pois naquele ano (2015) teria apenas 30 anos de contribuição (e 50 anos de idade). Para ele, faltariam ainda cinco anos para completar a exigência contributiva da regra atual (35 anos) e ele somente poderia se aposentar aos 55 anos, em 2020.

A pergunta mais óbvia seria: na regra de transição, ele teria de contribuir por mais cinco anos, para completar os 40 exigidos pela nova regra e se aposentar aos 60 anos de idade? A resposta é: não!

Como saber então quando esse indivíduo vai poder se aposentar? A regra é simples. Em 2012, caso seja esse o ano de sanção da EC, e supondo que ele tenha se mantido empregado e/ou contribuinte ao sistema, ele terá 47 anos de idade e 27 anos de contribuição. Nesse momento terá preenchido 77,14% do tempo necessário de contribuição (27/35 = 0,7714) e terá, pelas regras atuais, de contribuir por mais oito anos. Esse mesmo percentual seria aplicado à nova regra (40 anos, no caso de homens: 0,7714 × 40 = 30,86 anos), e a diferença em relação aos 40 anos (40 – 30,86 = 9,14) seria o quanto ele ainda teria de contribuir. Objetivamente falando, ele teria de contribuir adicionalmente por mais 1,14 ano (um ano, um mês e 20 dias, além dos oito anos que nas regras atuais lhe caberiam). Ele poderia se aposentar, então, em 2021, aos 56 anos de idade. Poderia, portanto, requerer a aposentadoria tendo contribuído por 36,14 anos, bem aquém dos 40 anos exigidos para os novos entrantes, e o valor de seu benefício seria calculado com o uso da regra do fator.

Suponha agora uma mulher que, em 2010, tenha 40 anos de idade e 22 anos de contribuição, e espere se aposentar aos 48 anos de idade, em 2018, com 30 anos de contribuição. Ela não será atingida pelo prazo de carência, pois em 2015 faltarão ainda três anos para se aposentar pelas regras atuais. A nova regra determina que as mulheres, em vez de 30 tenham 39 anos de contribuição. Terá essa mulher de trabalhar até 2027 para completar esses nove anos de diferença e se aposentar aos 57 anos? A resposta, mais uma vez, é: não!

Em 2012, ano da sanção da EC, a mulher terá 42 anos de idade e 24 anos de tempo de contribuição. Ela terá cumprido 80% do tempo de contribuição (24/30 anos = 0,80) vigente e, por essa regra, terá ainda de contribuir por mais seis anos. Com a regra de transição, ela transportará os mesmos 80% do tempo de contribuição efetivamente realizado, só que agora incidentes sobre a nova exigência (39 anos). Isso corresponderá a 31,2 anos (0,80 × 39 = 31,2 anos). Portanto, ela terá de trabalhar mais 7,8 anos no lugar dos 6 anos exigidos pela regra atual (39 – 31,2 = 7,8 anos, somando 31,8 anos ao todo – e não 30 anos). Assim, em vez de poder se aposentar em 2018, com 48 anos de idade, quando completaria 30 anos de contribuição, ela poderá se aposentar em 2020 com apenas 1,8 ano mais de contribuição e trabalho, e o valor de seu benefício será calculado com o uso da regra do fator. Ela terá, então, apenas 50 anos de idade, o que, convenhamos, é, ainda muito pouco, tendo em vista a esperança de vida dessa idade, em 2020!

A Tabela 17.4 sintetiza esse princípio, apresentando as novas exigências de contribuição, por sexo, segundo anos de contribuição já realizados por um trabalhador.[3]

As propostas para a transição, aplicáveis a todos que estejam trabalhando e contribuindo para a Previdência Social no momento de sanção da Emenda Constitucional – aqui, por hipótese, no ano de 2012 –, podem ser resumidas nos seguintes pontos:

- aumento da idade de aposentadoria para quem se aposenta por idade (no caso dos homens, passaria de 65 anos para 66 anos e, no caso das mulheres, de 60 anos para 64 anos, no fim da transição), acompanhado de uma exigência, no final da transição, de no mínimo 25 anos de contribuição para os homens e mulheres que se aposentarem nessa categoria;
- redução da diferença de requisitos de aposentadoria por tempo de contribuição entre homens e mulheres, dos atuais cinco anos para apenas um ano;
- também para a aposentadoria por tempo de contribuição, aplicação do princípio de proporcionalidade contributiva para homens e mulheres, levando em consideração o período contributivo do trabalhador até a data de sanção da Emenda Constitucional;
- aumento da exigência contributiva para homens e mulheres que se aposentem por tempo de contribuição (de 35 para 40 anos para os homens e de 30 para 39 anos para as mulheres).

A proposta de transição envolve uma combinação de mudanças paramétricas – regras já existentes, que teriam a sua redação modificada, alterando o número de anos citados no corpo legal ou constitucional correspondente – com a adoção do princípio de proporcionalidade contributiva para a aposentadoria por tempo de contribuição pelo INSS.

---

[3] A Tabela 17.4 foi gerada com base na fórmula $TC = TCT + [(35 - TCT)/35] \times 40$, para os homens, em que TC é o tempo de contribuição para se aposentar e TCT é o tempo de contribuição transcorrido, ou seja, já realizado pelo trabalhador, na data de sanção da Emenda Constitucional (em nosso exercício, está admitida a hipótese de que a mesma seria sancionada em 2012 e seus efeitos passariam a vigorar em 2015). Após um simples "algebrismo", é fácil verificar que ela é equivalente a $TC = TCT + [1 - TCT/35] \times 40$. Para as mulheres, a fórmula é análoga, mas substituindo o número 35 por 30 anos de contribuição pela regra atual e a nova exigência de 40 anos por 39 anos. Para as mulheres, ficaria, portanto, $TC = TCT + [1 - TCT/30] \times 39$. Aqueles que estiverem a menos de três anos da aposentadoria, no momento da sanção da EC, poderiam se aposentar pelas regras antigas.

Tabela 17.4: Tempo de contribuição para o sistema "Previdência em Transição" e diferença em relação às exigências atuais: pessoal ativo à data de sanção da EC (em anos)

Tempo de contribuição à data da aprovação da EC	Homens		Mulheres	
	Proposta	Diferença em relação à regra atual	Proposta	Diferença em relação à regra atual
0	40,0	5,0	39,0	9,0
1	39,9	4,9	38,7	8,7
2	39,7	4,7	38,4	8,4
3	39,6	4,6	38,1	8,1
4	39,4	4,4	37,8	7,8
5	39,3	4,3	37,5	7,5
6	39,1	4,1	37,2	7,2
7	39,0	4,0	36,9	6,9
8	38,9	3,9	36,6	6,6
9	38,7	3,7	36,3	6,3
10	38,6	3,6	36,0	6,0
11	38,4	3,4	35,7	5,7
12	38,3	3,3	35,4	5,4
13	38,1	3,1	35,1	5,1
14	38,0	3,0	34,8	4,8
15	37,9	2,9	34,5	4,5
16	37,7	2,7	34,2	4,2
17	37,6	2,6	33,9	3,9
18	37,4	2,4	33,6	3,6
19	37,3	2,3	33,3	3,3
20	37,1	2,1	33,0	3,0
21	37,0	2,0	32,7	2,7
22	36,9	1,9	32,4	2,4
23	36,7	1,7	32,1	2,1
24	36,6	1,6	31,8	1,8
25	36,4	1,4	31,5	1,5
26	36,3	1,3	31,2	1,2
27	36,1	1,1	30,9	0,9
28	36,0	1,0	regra atual	0,0
29	35,9	0,9	regra atual	0,0
30	35,7	0,7	regra atual	0,0
31	35,6	0,6	–	–
32	35,4	0,4	–	–
33	regra atual	0,0	–	–
34	regra atual	0,0	–	–
35	regra atual	0,0	–	–

Fonte: Elaboração dos autores.

Em conjunto, as propostas formuladas convergem para um único sistema "Previdência para todos" – que seria implantado em 2012 para todos os novos entrantes, sem qualquer diferença ou sistema específico, como os atuais sistemas para funcionários públicos e militares – e possibilitariam uma transição suave para todos os atuais ativos, preservando-lhes suas regras específicas, um sistema de proporcionalidade contributiva e um prazo de carência de três anos.

A "venda" da proposta deve ser feita em termos conceituais, mostrando que não há nada de errado em estabelecer uma regra mais restritiva para os novos entrantes do sistema. Sem grandes margens de erro, os novos entrantes serão jovens que viverão em um país com razoável proteção social, com uma infraestrutura médico-sanitária aceitável, e terão, em média, elevada expectativa de vida, podendo viver até mais de 80 anos.

Há uma série de outros detalhes que deveriam ser contemplados pela legislação, como a adaptação da lei do fator previdenciário – que concede um bônus de cinco anos às mulheres na contagem do tempo contributivo – às novas regras e que não cabe aqui esmiuçar. Um ponto importante a ser destacado, porém, é que a extensão do período contributivo mínimo para quem se aposenta por idade pode ser feita por legislação ordinária e, portanto, deveria ser mais fácil de aprovar, além de ser a simples prorrogação de uma prática já existente. A proposta é que se mantenha a progressão no mesmo ritmo definido pela Lei nº 8.213/1991, até que a transição nesse particular fosse completada em 2031, quando todos aqueles que se aposentassem por idade deveriam ter 25 anos de contribuição, nesse caso sem distinção entre sexos. Pelas regras para os novos entrantes, esse período mínimo para quem se aposentasse por idade seria de 30 anos, aquém do tempo contributivo exigido para aqueles que se aposentassem por tempo de contribuição (40 anos no caso dos homens e 39 anos no caso das mulheres).

As regras propostas não mudam os dispositivos constitucionais para quem já está no mercado de trabalho que dizem respeito aos professores e aos ativos do meio rural. A ideia é minimizar as resistências, de modo que seja politicamente viável aprovar o princípio de que a Previdência deve ser a mesma para todos, no caso dos novos entrantes.

A regra das pensões

Resta abordar, ainda, o caso das pensões. O regime de concessão de pensões no Brasil encontra-se entre os mais generosos do mundo. Mesmo sem considerar casos extremos, como o de uma jovem viúva de 25 anos, sem filhos, que pode carregar a pensão até o final da vida, os casos convencionais também encerram uma distorção, representada pelo fato de que o cônjuge herda 100% do benefício original, quando os custos da unidade familiar na prática diminuem ao cair o número de membros da família.

O instituto da pensão é universal e se justifica tanto em termos atuariais como por um critério elementar de solidariedade. O mais lógico, porém, seguindo o padrão observado em diversos países, seria preservar o direito ao benefício da pensão, mas no valor de uma fração do benefício do cônjuge falecido, resguardados os casos de tragédias envolvendo a morte precoce de um dos cônjuges, quando os filhos são menores.

Por isso, analogamente aos critérios já explicados anteriormente, propõe-se definir três grupos: os atuais pensionistas continuariam com seus benefícios intactos; os novos entrantes teriam uma regra rígida; e os atuais ativos ficariam sujeitos a uma regra intermediária entre as regras atual e futura.

No caso dos novos entrantes, a regra deveria ser bastante restritiva, sendo a pensão de 50% do benefício original, acrescida de 25% por filho menor, até o limite de dois filhos, desde que a diferença de idade entre cônjuges/parceiros não fosse superior a 15 anos. Nesse caso, o benefício da pensão seria de apenas 30% do benefício original e 20% para cada filho menor, até o limite de dois filhos. Em ambos os casos, porém, seria respeitado o valor mínimo do piso previdenciário.

Já para aqueles que estão na ativa, as futuras pensões seriam iguais a 60% do benefício original – desde que respeitado o piso previdenciário –, acrescidos de 20% por filho menor – até o limite de 100% do benefício original. Dessa forma, por exemplo, se o titular recebesse uma aposentadoria de R$1.200 e viesse a falecer, o cônjuge teria direito a uma pensão de R$720, mais R$240 por filho menor até dois filhos, completando os R$1.200.

Esse conjunto de regras promoveria uma transição suave rumo a um sistema previdenciário único – "Previdência para todos" – mais ajustado à nova situação demográfica, e deveria ter chances razoáveis de aprovação no Congresso. Se a transição, como aqui proposto, se der ao longo de vários anos, haverá tempo para que as pessoas ajustem seus planos de vida, sem mudança abrupta das regras. A existência de prazo de carência e de proporcionalidade contributiva elimina descontinuidades e dilui no tempo os custos do ajuste.

Deve-se destacar, por fim, que durante todo o período de transição todos os indivíduos ativos à época da sanção da EC teriam: a) idades de aposentadoria inferiores às exigidas para os novos, no caso de aposentadoria por idade; e b) em ambos os casos, idades de obtenção dos benefícios muito inferiores às vigentes no restante do mundo.

Trata-se, portanto, de uma proposta que, suavizada no tempo, contém todos os elementos necessários ao ajustamento e à unificação de nosso sistema previdenciário, garantindo a todos a devida proteção que as sociedades modernas devem prover aos seus cidadãos.

Capítulo 18

A hora da política: a maturidade necessária

"Em política, o tempo não perdoa a quem não soube trabalhar com ele."

Ulysses Guimarães

Nos últimos 12 anos, convivemos com duas reformas parciais da Previdência. A primeira, em 1998, através da Emenda Constitucional nº 20, de 15 de dezembro daquele ano, complementada mediante a Lei nº 9.876, de 26 de novembro de 1999 (que definiu o fator previdenciário). A reforma procurou ajustar tanto o Regime Geral de Previdência Social (RGPS) quanto os regimes próprios, estes voltados para o funcionalismo público. Foram fixadas condições ligeiramente mais restritivas para a obtenção da aposentadoria para os ativos do setor público (53 anos para os homens e 48 anos para as mulheres, desde que cumpridos 35 anos de contribuição para os homens e 30 anos para as mulheres) e idade mínima mais restritiva para os novos entrantes do setor público (60 anos para os homens e 35 anos de contribuição e 55 anos e 30 anos de contribuição para as mulheres). Foram também estabelecidas novas regras para a contagem de tempo – passou a ser considerado o tempo de contribuição, e não mais o tempo de serviço –, e foram introduzidas mudanças no cálculo do valor do benefício, com a introdução do fator previdenciário. A reforma tratou também de ajustamentos necessários aos fundos de pensão, com a introdução de mecanismos que prevenissem desequilíbrios atuariais.

A segunda reforma ocorreu em 2003, através da Emenda Constitucional nº 41, de dezembro daquele ano, e foi exclusivamente voltada para o setor público. Estendeu a idade mínima de aposentadoria (antes válida apenas para os novos entrantes) para todos os ativos do setor público (60 anos para homens e 55 para mulheres) e determinou a cobrança de contribuição para aposentados e pensionistas do setor público acima do teto do RGPS. O teto previdenciário foi elevado, em janeiro de 2004, de R$1.869,34 para R$2.400,00, com aumento de 28,4%. No bojo da negociação, foi definido que uma nova Emenda Constitucional regularia regra específica de transição para aqueles trabalhadores que já estavam no setor público à época da aprovação da Emenda nº 41. Em julho de 2005, a Emenda Constitucional nº 47 definiu as regras de transição: preservados os limites de idade definidos na Emenda Constitucional nº 20 (53 anos para os homens e 48 para as mulheres), determinou que, cumpridos os tempos de contribuição de 35 anos para homem e 30 para mulher, para cada ano adicional de contribuição seria deduzido um ano em relação aos limites de idade fixados pela EC nº 41.

Como resultado dessas reformas, a idade média de aposentadoria do RGPS se elevou progressivamente, e o crescimento das despesas com aposentadoria no setor público se estabilizou.[1]

Estaria então resolvido o problema previdenciário brasileiro? Como vimos ao longo dos capítulos anteriores, há ainda muitas e sérias questões a serem resolvidas. As principais estão concentradas no RGPS, ainda que sejam necessárias alterações nos sistemas previdenciários do setor público e, notadamente, dos militares. As mudanças demográficas estão em curso e, em 20 anos, seremos um país relativamente envelhecido, com quase 19% da população acima de 60 anos, mas com regras de um país jovem com poucos que envelhecem, como éramos em 1950.

Aos próximos governos, caberá a tarefa de equacionar essas pendências, de modo a garantir que o sistema previdenciário brasileiro sobreviva saudável ao longo das décadas, sem crescentes pressões sobre as finanças públicas. Trata-se de uma questão que temos de começar a equacionar, sob o risco de comprometermos as oportunidades das gerações vindouras.

Uma agenda com vários donos ou sem nenhum

É inexorável que a proposição e a condução de uma reforma previdenciária sejam tarefas de um governo em particular, de um partido ou aliança que esteja no poder. Isso, no entanto, não significa que a reforma seja exclusiva de um governo ou de um partido/aliança. A experiência internacional indica que, quanto mais madura for a democracia, mais os partidos tendem a definir um "campo" ou um conjunto de temas que sejam de interesse nacional. Nesse conjunto de temas, algumas vezes, governo e oposição conseguem negociar certas políticas que passam a ser seguidas mesmo com alternâncias no poder. Essas são chamadas "políticas de Estado" – aqui entre nós, normalmente chamadas de "políticas suprapartidárias" – e, nessa condição, garantem que as reformas avancem. O princípio que norteia esses acordos é bas-

[1] De qualquer forma, a idade média de aposentadoria por tempo de contribuição no RGPS era tão baixa que, mesmo com a elevação que houve, continuou sendo muito pequena, de apenas 53 anos. Além disso, cabe citar que, poucos anos depois da aprovação da reforma de FHC, a idade de aposentadoria, após certa elevação inicial, voltou a se estabilizar. As despesas foram, inicialmente, contidas por reajustamentos nominais reduzidos de salários, aposentadorias e pensões. Mais recentemente, apresentaram certo aumento, decorrente dos reajustes generosos concedidos a ativos e inativos do setor público (ver o Capítulo 6).

tante razoável de entender. É como se o partido que está conjunturalmente no poder convidasse a oposição à seguinte reflexão: "Olha, agora somos nós que estamos aqui e temos de lidar com o problema, mas amanhã os papéis podem se inverter. Vamos então acertar uma solução que evite problemas muito graves para quem estiver no governo, seja quem for."

O combate à estrutural inflação que assolou o Brasil por mais de 20 anos e certa institucionalização de disciplina fiscal representada pela Lei de Responsabilidade Fiscal são, de certa forma, exemplos dessas políticas de Estado, ou seja, dessa convergência, no sentido de que são políticas seguidas por diferentes governos.[2]

Houve, por vezes, alguns sinais tênues, porém positivos, de que o país poderia caminhar na direção de algum consenso. A reforma de 1998 (Emenda Constitucional nº 20) foi levada a contento no governo do presidente Fernando Henrique Cardoso, após muita negociação e sérias dificuldades. Os partidos de oposição, liderados pelo PT, foram implacáveis, e mesmo partidos da base aliada exigiram muitas concessões em relação à proposta original. A aprovação da reforma demorou três anos.

Por contraste, o mesmo não se deu em 2003, com a Emenda Constitucional nº 41. Os partidos negociaram, houve pressão e contrapressão, mas o fato é que parte substantiva da bancada oposicionista votou a favor e, em prazo recorde – apenas oito meses –, a Emenda Constitucional foi aprovada. Na realidade, a oposição mais forte se deu no âmbito da base aliada e dentro do próprio PT, o que ensejou inclusive a saída de alguns parlamentares e a constituição de um novo partido – o PSOL.

O que houve de diferente nesse caso, que permitiu que uma "reforma previdenciária" fosse aprovada tão rapidamente e com relativo apoio da oposição? Dois fatores decisivos contribuíram para isso, sendo um deles de especial relevância para o nosso argumento.

O primeiro refere-se à natureza e à abrangência das reformas. Enquanto a reforma de 1998 era abrangente e envolvia alterações de regras tanto do setor público (RPPS) quanto do privado (RGPS), a de 2003 ficou restrita aos servidores públicos, o que limitava, e muito, o foco do debate e as posições contrárias. Além disso, o argumento de que servidores públicos recebiam o valor integral de aposentadoria sem limite de teto e que apenas um milhão de beneficiários eram responsáveis por um déficit da ordem de grandeza de 2% do PIB, enquanto os mais de 20 milhões do INSS respondiam por um déficit de magnitude similar era, sem dúvida, acachapante. Quem, em pleno domínio de seu juízo, poderia defender os privilégios que os servidores públicos desfrutavam na época?

---

[2] Ainda que caiba fazer a ressalva de que, em ambos os casos, o Partido dos Trabalhadores (PT), hoje governo, mas à época oposição, tenha se posicionado contra, tanto quando foi lançado o Plano Real, ao qual se opôs tenazmente em 1994, como quando foi feito o ajuste fiscal, em 1999.

O segundo, e crucial, fator que explicou um apoio mais abrangente à reforma de 2003 é que a oposição agiu de forma muito diferente em relação ao papel que a antiga oposição – até 2002, antes de virar governo – tivera até então. Em 1998, esta, comandada pelo PT, votou maciçamente contra a proposta governamental e utilizou todos os expedientes possíveis para barrar a reforma, mobilizando amplos segmentos sociais com o intuito de fragmentar os apoios possíveis à alteração legal. Já em 2003, o PSDB e o antigo PFL – depois Democratas – agiram de forma senão a facilitar, pelo menos a não tumultuar o andamento do processo (ver Tabela 18.1).[3] Metade da bancada do PSDB e praticamente o mesmo percentual da bancada do PFL votaram a favor da Emenda. Os maiores opositores da reforma, não em termos quantitativos, mas em mobilização contra a reforma, como dito anteriormente, saíram das hostes aliadas do governo.

A questão é saber por que a oposição, em 2003, agiu de forma tão diferente do que ocorrera em 1998. Há várias hipóteses para isso, mas certamente não podemos descartar o fato de que, mesmo com diferenças e disputas no plano eleitoral, as lideranças políticas e os partidos souberam, na época, convergir na defesa de alguns pilares básicos de preservação da governabilidade.[4]

Tabela 18.1 Comportamento das bancadas na votação EC nº 41 (%)*

	Câmara dos Deputados				Senado Federal		
Partidos	A favor	Contra	Abstenção	Bancada	A favor	Contra	Bancada
Base do governo	**80,2%**	**13,1%**	**2,7%**	**328**	**80,4%**	**19,6%**	**52**
PT	87,9%	3,3%	8,8%	91	92,9%	7,1%	14
PMDB	62,5%	25,0%	1,4%	72	85,7%	14,3%	22
PTB	83,0%	17,0%	0,0%	47	66,7%	33,3%	3
PL	100,0%	0,0%	0,0%	37	100,0%	0,0%	3
PSB	82,8%	17,2%	0,0%	29	100,0%	0,0%	3
Demais	73,1%	17,3%	0,0%	52	28,6%	71,4%	7
Oposição	**51,1%**	**45,1%**	**0,0%**	**184**	**48,3%**	**51,7%**	**28**
PFL	47,8%	52,2%	0,0%	69	41,2%	58,8%	17
PSDB	50,0%	48,3%	0,0%	58	54,5%	45,5%	11
PP	70,5%	29,5%	0,0%	44			
Demais	7,7%	46,2%	0,0%	13			
Sem partido	100,0%	0,0%	0,0%	1	100,0%	0,0%	1
Total	***358***	***126***	***9***	***513***	***55***	***25***	***81***

* Esses são resultados da votação em primeiro turno em ambas as Casas Legislativas. Na Câmara houve 20 ausências (13 da base do Governo e 7 da Oposição) e no Senado Federal houve apenas 1 ausência da base do Governo.
Fonte: Mesa da Câmara dos Deputados e Senado Federal.

[3] Deve ser feita a ressalva, porém, de que essa atitude mudou nos anos posteriores. De fato, depois de 2004, em mais de uma oportunidade, parlamentares do PSDB e do PFL/Democratas votaram a favor de projetos previdenciários que beiravam o absurdo em matéria de irresponsabilidade fiscal, apenas para causar problemas ao governo e obrigar o presidente Lula ao suposto desgaste do veto.
[4] Quanto a isso, deve-se destacar o papel proeminente que o ministro Antonio Palocci e sua equipe no Ministério da Fazenda e também no Tesouro e no BC tiveram em todo o processo de discussão de medidas legislativas que compunham uma agenda de Estado.

A convergência em reformas que envolvem perdas imediatas para largos segmentos da população acaba por pulverizar os custos da mudança entre vários partidos e entre governo e oposição. É esse "compartilhamento de custos" que permite que mudanças mais estruturais sejam feitas, ainda que, às vezes, com certa perda de capital eleitoral.

Outro aspecto relevante para a "mudança" de postura da oposição na época era, sem dúvida, o fato de que PSDB e PFL tinham sido governo anteriormente e muitos de seus parlamentares haviam enfrentado a luta árdua pela aprovação da EC nº 20/98, mas sabiam o que ela significava para a estabilidade e o futuro do país.

Na próxima década, se situação e oposição não conseguirem definir pontos mínimos de convergência, a reforma da Previdência ficará para um futuro indefinido, mas isso poderá cobrar seu preço. E ele, que ainda é baixo e pode ser distribuído no tempo, caso não tenhamos uma par de décadas especialmente prósperas, poderá se revelar muito caro, no futuro mais distante.[5] Nessa hipótese, talvez tenhamos de fazer uma reforma mais radical, e a geração ativa de então, citando a frase de Al Gore acerca do meio ambiente, terá toda a razão em questionar: "O que vocês estavam fazendo enquanto tudo isso acontecia?"

Lições de uma oportunidade perdida – o FNPS

O Fórum Nacional de Previdência Social (FNPS) foi instituído em janeiro de 2007, com o propósito específico de discutir e, eventualmente, sugerir os pontos básicos de convergência de uma reforma da Previdência. Foi coordenado pelo ministro da Previdência Social – inicialmente Nelson Machado e, posteriormente, Luiz Marinho – e tinha por objetivo específico trazer para a mesa de negociação representantes dos trabalhadores, aposentados e pensionistas, dos empregadores e setores do governo federal, com vistas a elaborar propostas de reforma a serem encaminhadas ao Legislativo.[6]

---

[5] Quando da montagem final deste livro, foi publicada matéria jornalística sobre o tema. Por oportuno, reproduzimos aqui pequeno trecho que bem retrata nosso argumento: "A revolução demográfica em todo o mundo já é o componente de maior relevância na formulação de políticas econômicas e sociais. Se, de um lado, o envelhecimento da população normalmente reflete melhora de condições sociais, especialmente da educação, de outro, provoca um sem-número de consequências. Cria demandas de saúde, pressiona os gastos orçamentários e, no limite, ameaça a renovação da riqueza. No Brasil não será diferente. Menos jovens implica menor força de trabalho e, portanto, da massa de assalariados capaz de sustentar com suas contribuições a população aposentada. O plano de governo dos candidatos à sucessão do presidente Lula que ignorar tamanhas consequências condenará os brasileiros a muito sofrimento." (Antonio Machado, *Correio Brasiliense*, 3/3/2010).

[6] Lopez (2009) apresenta interessante descrição do FNPS.

O resultado foi um retumbante fracasso. Praticamente nenhum ponto de convergência foi alcançado e, depois de meses de palestras, debates e trabalhos em comissão, nenhum documento minimamente parecido com uma proposta foi obtido.[7]

Três razões principais ditaram o resultado: a) o fato de toda a discussão ter transcorrido em um período de crescente formalização das relações de trabalho, de acelerado crescimento econômico e de bonança fiscal serviu para aqueles que são avessos a qualquer mudança do sistema previdenciário fincassem pé no argumento de que o crescimento econômico resolveria o problema da Previdência; b) a inexistência real de interesse governamental em produzir consensos que levassem à construção de uma proposta mínima de reforma da Previdência Social; e c) o deslocamento do fórum de debate do Congresso para entidades de "representação da sociedade".

Em relação à primeira das razões, de fato o crescimento econômico traz maior grau de formalização da relação de trabalho. Porém, seriam necessárias décadas de crescimento acelerado para que o grau de informalidade da economia brasileira fosse residual. Apostar somente no crescimento econômico para resolver problemas de descasamento atuarial da Previdência Social é, de certa forma, uma aposta de risco. Diversas outras medidas que nada têm a ver com crescimento econômico podem ser tomadas com o intuito de elevar a adesão ao sistema. O próprio Ministério da Previdência tem agido em alguns casos nessa direção[8] – a alteração da legislação referente aos trabalhadores autônomos é apenas um exemplo. Havia, portanto, sólidos argumentos para se contrapor a essas ideias, de modo que não seria uma barreira intransponível para chegar a um consenso mínimo.

A segunda razão foi, entretanto, decisiva. Por partir do pressuposto de que a proposta do FNPS deveria sair dos debates dos segmentos sociais envolvidos e não ser "uma proposta minha, uma proposta do PT ou uma proposta de qualquer um, mas uma proposta da sociedade", nas palavras do presidente ao abrir o fórum, o governo, na figura de sua liderança maior, ao contrário do que fizera na Emenda Constitucional nº 41, de 2003, deixou de "oferecer um norte" e abriu mão de sugerir uma proposta mínima que deveria e poderia orientar os debates.

---

[7] O FNPS emitiu, em 31 de outubro de 2007, o que se credenciou muito justamente na época a ser conhecido como um dos documentos mais insossos produzidos pela burocracia brasileira. No documento denominado "Síntese das atividades desenvolvidas", descreviam-se alguns poucos pontos de consenso envolvendo platitudes como "as políticas públicas (...) devem estimular a geração de empregos formais" ou "deve-se fortalecer a fiscalização contra a informalidade". Após isso, descreviam-se os "pontos sobre os quais não houve consenso", isto é, todas as questões relevantes para uma reforma da Previdência. O FNPS levou quase um ano para constatar o que já se sabia desde o primeiro dia da sua existência, o que é um sintoma claro do que tende a acontecer com uma comissão, na ausência de uma liderança política clara em favor de algum projeto de reforma.

[8] Como é o caso da Lei Complemetar nº 123, de 14 de dezembro de 2006, que reduziu a alíquota de 20% para 11% para autônomos e contribuintes individuais com salário de contribuição de um salário mínimo.

Por fim, o não envolvimento do Congresso e dos partidos políticos desde o início do processo deixou de comprometer os agentes envolvidos e retirou as credenciais da esfera parlamentar como fórum de convergência dos interesses da sociedade. As palavras de Jay,[9] um dos criadores das bases da democracia americana, chamados de *founding fathers*, é exemplar quanto a isso:

> *Nothing is more certain than the indispensable necessity of government, and it is equally undeniable, that whenever and however it is instituted, the people must cede to it some of their natural rights in order to vest it with requisite powers (p. 9).*

Nas democracias representativas, os interesses da sociedade, dos grupos mais ou menos organizados, dos trabalhadores, dos empresários, enfim, de todos os segmentos sociais devem confluir para as instâncias institucionalmente constituídas. Tais grupos são ouvidos, exercem pressão, fazem manifestos e mobilizações, mas, em última instância, as decisões devem ser tomadas pelas lideranças políticas, parlamentares e partidárias.

A sensação de perda

Tomar a iniciativa de reformar a Previdência é trazer para si insatisfação generalizada. Se todos ficam insatisfeitos, então por que fazer uma reforma da Previdência?

Uma das maiores dificuldades para reformar a Previdência está associada ao fato de que trocamos o presente pelo futuro. Como a noção e a percepção de futuro são muito diferenciadas para cada indivíduo, variando segundo idade, gênero, atividade econômica etc., não há convergência do que se está trocando.[10] A perda do presente, porém, é percebida e quantificada por todos.

É realmente difícil para qualquer indivíduo realizar cálculos que lhe informem, de forma convincente, que, mantidas as regras da Previdência como são hoje, isso exigiria de todos, amanhã, parcelas crescentes de seu trabalho, de seu esforço e de sua riqueza. Isso é agravado por duas razões relevantes e compreensíveis: a) a maioria dos trabalhadores enfrenta muitas dificuldades no mercado de trabalho, tem remunerações baixas – ainda que crescentes ao longo do tempo –

---

[9] Jay (2001). A frase, com tradução livre feita pelos autores, é: "Nada é mais certo do que a necessidade imprescindível de existência de governo e é igualmente inegável que, uma vez instituído, as pessoas devem ceder-lhe alguns dos seus direitos naturais de modo a conferir-lhe adequados poderes."

[10] "Aprovar uma reforma para que nos próximos 30 anos o Brasil possa investir e crescer mais" é uma proposição que, obviamente, não é valorizada da mesma forma por um jovem de 20 anos e por um idoso de 80.

Acreditamos que sua resposta nos ajuda a aperfeiçoar continuamente nosso trabalho para atendê-lo(la) melhor e aos outros leitores. Por favor, preencha o formulário abaixo e envie pelos correios. Agradecemos sua colaboração.

Seu Nome: ______________________

Sexo: ☐ Feminino ☐ Masculino CPF: ______________

Endereço: ______________________

E-mail: ______________________

Curso ou Profissão: ______________________

Ano/Período em que estuda: ______________________

Livro adquirido e autor: ______________________

Como ficou conhecendo este livro?

- ☐ Mala direta
- ☐ Recomendação de amigo
- ☐ Recomendação de seu professor?
- ☐ Site (qual?) ______________
- ☐ Evento (qual?) ______________
- ☐ E-mail da Elsevier
- ☐ Anúncio (onde?) ______________
- ☐ Resenha jornal ou revista
- ☐ Outro (qual?) ______________

Onde costuma comprar livros?

- ☐ Internet (qual site?) ______________
- ☐ Livrarias ☐ Feiras e eventos ☐ Mala direta

☐ Quero receber informações e ofertas especiais sobre livros da Elsevier e Parceiros

SAC ELSEVIER | 0800 026 53 40 sac@elsevier.com.br

CARTÃO RESPOSTA

Não é necessário selar

O SELO SERÁ PAGO POR

Elsevier Editora Ltda

20299-999 - Rio de Janeiro - RJ

Qual(is) o(s) conteúdo(s) de seu interesse?

Jurídico - ☐ Livros Profissionais ☐ Livros Universitários ☐ OAB ☐ Teoria Geral e Filosofia do Direito

Educação & Referência - ☐ Comportamento ☐ Desenvolvimento Sustentável ☐ Dicionários e Enciclopédias ☐ Divulgação Científica ☐ Educação Familiar
☐ Finanças Pessoais ☐ Idiomas ☐ Interesse Geral ☐ Motivação ☐ Qualidade de Vida ☐ Sociedade e Política

Negócios - ☐ Administração/Gestão Empresarial ☐ Biografias ☐ Carreira e Liderança Empresariais ☐ E-Business
☐ Estratégia ☐ Light Business ☐ Marketing/Vendas ☐ RH/Gestão de Pessoas ☐ Tecnologia

Concursos - ☐ Administração Pública e Orçamento ☐ Ciências ☐ Contabilidade ☐ Dicas e Técnicas de Estudo
☐ Informática ☐ Jurídico Exatas ☐ Língua Estrangeira ☐ Língua Portuguesa ☐ Outros

Universitário - ☐ Administração ☐ Ciências Políticas ☐ Computação ☐ Comunicação ☐ Economia ☐ Engenharia
☐ Estatística ☐ Finanças ☐ Física ☐ História ☐ Psicologia ☐ Relações Internacionais ☐ Turismo

Áreas da Saúde - ☐ Anestesia ☐ Bioética ☐ Cardiologia ☐ Ciências Básicas ☐ Cirurgia ☐ Cirurgia Plástica ☐ Cirurgia Vascular e Endovascular
☐ Dermatologia ☐ Ecocardiologia ☐ Eletrocardiologia ☐ Emergência ☐ Enfermagem ☐ Fisioterapia ☐ Genética Médica
☐ Ginecologia e Obstetrícia ☐ Imunologia Clínica ☐ Medicina Baseada em Evidências ☐ Neurologia ☐ Odontologia ☐ Oftalmologia
☐ Ortopedia ☐ Pediatria ☐ Radiologia ☐ Terapia Intensiva ☐ Urologia ☐ Veterinária

Outras Áreas - ______________________

Tem algum comentário sobre este livro que deseja compartilhar conosco?

____

* A informação que você está fornecendo será usada apenas pela Elsevier e não será vendida, alugada ou distribuída por terceiros sem permissão preliminar.
* Para obter mais informações sobre nossos catálogos e livros por favor acesse **www.elsevier.com.br** ou ligue para **0800 026 53 40.**

EDITORA SANTUÁRIO – IMPRIMIU – Aparecida-SP